ACCESO GRATIS *a la Lectura en la Nube*

Para visualizar el libro electrónico en la nube de lectura envíe junto a su nombre y apellidos una fotografía del código de barras situado en la contraportada del libro y otra del ticket de compra a la dirección:

ebooktirant@tirant.com

En un máximo de 72 horas laborables le enviaremos el código de acceso con sus instrucciones.

EL ANALISTA DE INTELIGENCIA EN ACCIÓN

Rol, competencias y estrategia del análisis en la era de la complejidad

Procedimiento de selección de originales, ver página web:
www.tirant.net/index.php/editorial/procedimiento-de-seleccion-de-originales

EL ANALISTA DE INTELIGENCIA EN ACCIÓN

Rol, competencias y estrategia del análisis en la era de la complejidad

José Lominchar Jiménez

tirant lo blanch
Valencia, 2026

En caso de erratas y actualizaciones, la Editorial Tirant lo Blanch publicará la pertinente corrección en la página web www.tirant.com.

Director de la colección:
JOSÉ LUIS GONZÁLEZ CUSSAC
Universidad de Valencia

EDITA: TIRANT LO BLANCH
C/ Artes Gráficas, 14 - 46010 - Valencia
TELFS.: 96/361 00 48 - 50
FAX: 96/369 41 51
Email:tlb@tirant.com
www.tirant.com
Librería virtual: www.tirant.es
DEPÓSITO LEGAL: V-1344-2026
ISBN: 979-13-7040-294-5
MAQUETA: Tink Factoría de Color

Índice

Introducción general

Vivimos en una época en la que la información se produce a una velocidad sin precedentes, pero la capacidad para transformarla en conocimiento útil no crece al mismo ritmo. En este contexto, el análisis de inteligencia —tanto en su vertiente de ciberinteligencia como de inteligencia de negocios— se ha convertido en una función crítica para organizaciones, gobiernos y sistemas complejos que necesitan decidir bajo condiciones de incertidumbre permanente.

La presente obra parte de una premisa clara: el valor del analista ya no reside únicamente en el dominio de herramientas o técnicas, sino en su capacidad para interpretar contextos, formular preguntas relevantes, anticipar escenarios y acompañar decisiones estratégicas en entornos cada vez más volátiles, frágiles y difíciles de comprender. La figura del analista ha evolucionado de manera profunda y continúa haciéndolo, impulsada por la transformación digital, la automatización, la inteligencia artificial y la creciente complejidad de los sistemas sociales, económicos y tecnológicos.

A lo largo de los ocho capítulos que componen esta obra, se propone un recorrido progresivo y coherente por el oficio del analista de inteligencia. En los primeros capítulos se abordan las bases conceptuales, delimitando con claridad qué es la ciberinteligencia y en qué se diferencia —y se complementa— con la inteligencia de negocios, así como el rol profesional del analista en ambos ámbitos y las competencias, habilidades y capacidades que definen su ejercicio actual.

Posteriormente, el lector encontrará un análisis detallado de los itinerarios formativos, certificaciones y procesos de aprendizaje continuo que configuran la profesionalización del analista, junto con una revisión crítica de las herramientas y tecnologías que hoy estructuran su trabajo, desde soluciones clásicas de análisis hasta sistemas avanzados basados en inteligencia artificial. Este recorrido se completa con una exposición profunda del proceso de análisis, entendiendo este no como una secuencia mecánica de pasos, sino como una práctica intelectual, estratégica y ética.

En los capítulos finales, la obra se adentra en los retos reales y cotidianos del ejercicio profesional: la presión por el tiempo, la dificultad de trasladar análisis a decisiones, las resistencias organizacionales, los dilemas éticos y las tensiones propias de trabajar en entornos VUCA, BANI y BETA. Finalmente, el libro se proyecta hacia el futuro con una reflexión prospectiva sobre el horizonte 2030-2040, explorando cómo las tecnologías emergentes, la automatización avanzada, los gemelos digitales y la mutación de los entornos cognitivos están redefiniendo el papel del analista como mediador del conocimiento y supervisor del criterio en sistemas cada vez más complejos.

El enfoque de la obra es deliberadamente transversal. No se limita a describir técnicas ni a enumerar tecnologías, sino que integra dimensiones estratégicas, organizacionales, cognitivas y éticas. El análisis es presentado como una práctica situada, atravesada por presiones de tiempo, dinámicas de poder, expectativas institucionales y dilemas morales que influyen directamente en la calidad de las decisiones que se toman a partir de él.

Este libro no pretende ofrecer respuestas definitivas ni modelos cerrados. Aspira, más bien, a proporcionar criterios, marcos de reflexión y claves prácticas para ejercer el análisis con rigor, conciencia y responsabilidad. Está dirigido tanto a estudiantes y profesionales que se inician en el ámbito de la inteligencia como a analistas experimentados, consultores y decisores que buscan comprender hacia dónde evoluciona este rol y qué se espera de él en los próximos años.

Si el lector se reconoce en alguna de estas tensiones —la presión por decidir rápido, la necesidad de dar sentido a datos incompletos, la incomodidad de trabajar en la ambigüedad o la responsabilidad de influir en decisiones relevantes—, este libro no busca tranquilizarle, sino acompañarle. Porque el análisis de inteligencia, hoy más que nunca, no consiste en tener siempre la respuesta correcta, sino en aprender a pensar mejor cuando no la hay.

Capítulo 1

El entorno del analista; inteligencia, ciberinteligencia y la inteligencia de negocios

Objetivos del capítulo

Con el presente capítulo se ayudará a que el lector:

- Comprenda qué es un analista de inteligencia y cuál es su rol en distintos sectores.
- Conozca la evolución histórica y conceptual de la ciberinteligencia y la inteligencia de negocios.
- Diferencie los componentes clave de ambas disciplinas y sus áreas de aplicación.
- Identifique las herramientas tecnológicas utilizadas en cada campo.
- Analice las tendencias actuales en ciberinteligencia e inteligencia de negocios.

1. INTRODUCCIÓN

El concepto de inteligencia ha estado presente a lo largo de la historia como una herramienta fundamental en la toma de decisiones estratégicas. Desde el espionaje en la antigua China, descrito por Sun Tzu en El arte de la guerra, hasta la era digital, donde el análisis de grandes volúmenes de datos define el éxito de empresas y gobiernos, la inteligencia ha evolucionado de manera constante.

En el contexto contemporáneo, el término analista de inteligencia ha adquirido una relevancia sin precedentes. Ya no se limita únicamente a los ámbitos gubernamentales o militares; desde hace tiempo ha extendido su influencia al sector privado, la ciberseguridad y el mundo empresarial. Con la digitalización masiva y el avance de las tecnologías de la información, han surgido nuevas vertientes dentro del análisis de inteligencia, siendo dos de las más destacadas la ciberinteligencia y la inteligencia de negocios.

Ambas disciplinas tienen el propósito de extraer conocimiento a partir de datos, pero sus enfoques, herramientas y objetivos son distintos. Mientras que la ciberinteligencia se orienta principalmente hacia la prevención, mitigación y detección de amenazas en el ciberespacio, la inteligencia de negocios busca optimizar la toma de decisiones empresariales mediante el análisis de datos financieros, operativos y estratégicos.

A lo largo de este capítulo, se explorará en profundidad el papel del analista de inteligencia, estableciendo una base conceptual sólida antes de adentrarse en las especificidades de la ciberinteligencia y la inteligencia de negocios.

La evolución tecnológica de los últimos años ha redefinido la práctica de la inteligencia. El analista del siglo XXI opera en un ecosistema marcado por la interdependencia global, la guerra híbrida, las campañas de desinformación y la automatización del análisis de datos mediante inteligencia artificial (IA) generativa y sistemas de machine learningexplicable (XAI).

En el entorno europeo y de la OTAN, la inteligencia se ha transformado en un proceso multidominio que integra capacidades cibernéticas, espaciales, económicas y cognitivas. Documentos como la EU Cybersecurity Strategy 2025 y las Directrices OTAN sobre Data Fusion 2024 refuerzan la necesidad de una inteligencia más ágil, interoperable y ética, capaz de anticipar riesgos y proporcionar ventaja informativa sostenida.

La ciberinteligencia, en particular, ha cobrado un papel central debido al incremento de los ciberataques a infraestructuras críticas, operaciones de influencia y espionaje industrial. En paralelo, la inteligencia de negocios ha evolucionado hacia un modelo de analítica avanzada que combina indicadores económicos con variables geopolíticas y tecnológicas, permitiendo una comprensión holística del entorno operativo.

En la actualidad, el analista de inteligencia debe poseer competencias tecnológicas, cognitivas y éticas. Esto implica dominar herramientas de análisis automatizado, comprender los marcos normativos de privacidad y protección de datos (como la Directiva NIS2 y el AI Act de la Unión Europea) y mantener un pensamiento crítico capaz de interpretar información en contextos ambiguos o manipulados.

En consecuencia, la distinción entre ciberinteligencia e inteligencia de negocios no debe entenderse únicamente como una separación funcional entre seguridad y competitividad, sino como dos expresiones complementarias de una misma capacidad estratégica: transformar información compleja en ventaja decisional. En un entorno donde los datos se han convertido en un recurso de poder, la diferencia ya no es tecnológica, sino analítica. No es la cantidad de información disponible lo que determina la superioridad estratégica, sino la calidad del juicio con el que se interpreta y se convierte en acción.

2. ¿QUÉ ES UN ANALISTA DE INTELIGENCIA?

Desde sus inicios, la inteligencia ha sido una herramienta clave en la toma de decisiones, ya sea en el ámbito militar, gubernamental o empresarial. Sin embargo, el rol del analista de inteligencia, tal como lo conocemos hoy, ha evolucionado significativamente, adaptándose a los cambios sociales, tecnológicos y geopolíticos.

Un analista de inteligencia es un profesional que se encarga de recopilar, procesar y analizar información con el objetivo de transformarla en conocimiento útil y relevante para la toma de decisiones.

Desde una perspectiva doctrinal, la inteligencia puede entenderse en tres dimensiones complementarias: como proceso, como producto y como organización.

Como proceso, la inteligencia se refiere al conjunto estructurado de fases (dirección, obtención, procesamiento, análisis y difusión) que permiten transformar información dispersa en conocimiento evaluado. Esta dimensión enfatiza la metodología y el rigor analítico.

Como producto, la inteligencia es el resultado final de ese proceso: informes, estimaciones, alertas o evaluaciones estratégicas destinadas a apoyar decisiones concretas. Aquí el foco se sitúa en la calidad, claridad y utilidad del análisis entregado al decisor.

Como organización, la inteligencia representa el entramado institucional —agencias, unidades, equipos analíticos— que articula capacidades humanas y tecnológicas para cumplir esa función. Esta dimensión introduce variables como cultura organizacional, coordinación interagencial y gobernanza del dato.

El analista opera simultáneamente en estas tres dimensiones: participa en el proceso, produce conocimiento y forma parte de una estructura institucional que condiciona su trabajo. Comprender esta triple naturaleza es fundamental para interpretar correctamente su rol en entornos complejos

Su labor no se limita a la simple acumulación de datos, sino que implica un proceso crítico de evaluación, interpretación y comunicación de hallazgos, con base en metodologías rigurosas y pensamiento estructurado.

En la actualidad, esta figura se encuentra en el epicentro de la convergencia entre seguridad, tecnología y estrategia. El analista moderno no solo interpreta información; interactúa con sistemas automatizados, algoritmos de IA explicable y plataformas de análisis masivo (Big Data) que requieren competencias digitales avanzadas y comprensión ética. La función humana pasa de la recolección a la síntesis y contextualización, aportando juicio crítico frente a los sesgos de la automatización.

El impacto de los analistas de inteligencia ha sido evidente a lo largo de la historia. Alan Turing, durante la Segunda Guerra Mundial, encarna la esencia del análisis al descifrar patrones en los mensajes cifrados nazis, contribuyendo a la derrota del Eje. Sherman Kent, considerado el padre de la inteligencia estratégica, estableció la importancia del pensamiento estructurado y de la objetividad analítica como pilares de la inteligencia moderna. Su obra Strategic Intelligence for American World Policy (1949) sigue siendo un referente metodológico.

En la era contemporánea, figuras como Richard Clarke advirtieron tempranamente sobre la vulnerabilidad de las infraestructuras digitales frente a ciberataques, anticipando el papel crucial de la ciberinteligencia. Estos ejemplos ilustran que la inteligencia no es estática: evoluciona con los desafíos del entorno global, la tecnología y las nuevas amenazas híbridas.

En la actualidad, el analista debe adaptarse a un entorno caracterizado por la velocidad de la información, el incremento de la desinformación digital y la creciente interdependencia entre dominios físico, virtual, cognitivo y económico. La inteligencia humana sigue siendo insustituible cuando se requiere juicio contextual, pensamiento crítico y ética profesional, especialmente en escenarios donde los algoritmos no pueden evaluar matices sociales, culturales o psicológicos.

2.1. Habilidades y competencias del analista de inteligencia

El trabajo del analista de inteligencia exige una combinación equilibrada de competencias cognitivas, técnicas y éticas, que le permitan operar con rigor en entornos complejos e inciertos. Estas competencias pueden agruparse en tres grandes bloques:

1. **Competencias cognitivas y analíticas**
   - Pensamiento crítico: cuestionar supuestos, evaluar la fiabilidad de las fuentes y detectar sesgos.
   - Pensamiento estratégico adaptativo: anticipar escenarios y comprender dinámicas sistémicas.
   - Capacidad de síntesis: transformar información dispersa en conocimiento estructurado y accionable.
   - Resiliencia cognitiva: mantener claridad de juicio bajo presión temporal e informativa.
   - Autocrítica e introspección: identificar limitaciones propias y revisar hipótesis cuando sea necesario.
2. **Competencias técnicas y tecnológicas**
   - Conocimiento metodológico del ciclo de inteligencia y técnicas estructuradas de análisis.
   - Alfabetización en inteligencia artificial y analítica automatizada.
   - Gestión y gobernanza de datos conforme a marcos normativos (como NIS2 o AI Act).
   - Manejo de herramientas de minería de datos, análisis predictivo y plataformas colaborativas.
   - Comprensión de dominios específicos según el sector (ciberseguridad, economía, política internacional, etc.).

3. Competencias éticas y comunicativas

- Ética profesional y responsabilidad en el manejo de información sensible.
- Capacidad de comunicación estratégica: traducir complejidad en mensajes claros para decisores.
- Competencia intercultural en entornos multinacionales.
- Conciencia del impacto organizacional y social del análisis producido.

En conjunto, estas competencias configuran un perfil híbrido, donde la excelencia técnica resulta necesaria pero no suficiente. El valor diferencial del analista reside en su capacidad de integrar conocimiento, contexto y criterio en condiciones de incertidumbre estructural.

2.2. Ámbitos de aplicación del análisis de inteligencia

El análisis de inteligencia ha trascendido los límites militares y gubernamentales. En la actualidad, su aplicación se extiende a múltiples sectores:

- Inteligencia gubernamental: utilizada en seguridad nacional y política exterior. Ejemplo: CIA, MI6, DGSE o el CNI español.
- Ciberinteligencia: centrada en la detección de amenazas digitales y protección de infraestructuras críticas (US Cyber Command, CCN-ES).
- Inteligencia de negocios: análisis de mercados, riesgos y oportunidades, apoyada en plataformas como Palantir, IBM Watson o SAP Analytics.
- Inteligencia criminal: combate al crimen organizado y terrorismo internacional, con el apoyo de INTERPOL y EUROPOL.

A estos campos tradicionales se suman en la actualidad:

- Inteligencia medioambiental, orientada a anticipar impactos del cambio climático en la seguridad energética y alimentaria.

- Inteligencia sanitaria, clave tras la pandemia de COVID-19 para gestionar crisis globales.
- Inteligencia geoeconómica, que analiza cadenas de suministro, dependencia tecnológica y competencia por recursos estratégicos.
- Inteligencia cognitiva y de influencia, dedicada a detectar operaciones psicológicas (psyops) y desinformación.

En el marco europeo, el EU Intelligence Analysis Centre (INTCEN) y la European Union Agency for Cybersecurity (ENISA) representan modelos avanzados de cooperación interinstitucional, donde los analistas trabajan con datos procedentes de múltiples dominios, integrando fuentes OSINT, HUMINT, SIGINT y CYBINT.

2.3. El proceso de análisis de inteligencia

El proceso se estructura en un ciclo de inteligencia que garantiza coherencia y fiabilidad en los productos:

1. Dirección y planificación. Se definen los objetivos, hipótesis y fuentes.
2. Recopilación. Se obtiene información de fuentes abiertas (OSINT), humanas (HUMINT), técnicas (TECHINT), de señales (SIGINT) o cibernéticas (CYBINT).
3. Procesamiento. Se filtra, normaliza y contextualiza la información.
4. Análisis e interpretación. Se buscan patrones, tendencias y correlaciones.
5. Difusión. Se presentan los resultados en informes estratégicos u operativos.
6. Retroalimentación. Se evalúa el impacto del producto para mejorar futuros procesos.

En 2025, este ciclo se apoya en herramientas de automatización y visualización de datos, machine learning y sistemas colaborativos basados en nube segura (Zero Trust). La analítica aumentada permite al analista centrarse en el juicio humano y la valoración estratégica, dejando al software las tareas repetitivas.

La tendencia actual es la fusión de inteligencia (All-Source Intelligence), donde se integran diferentes disciplinas en un mismo flujo de trabajo: datos de sensores, redes sociales, transacciones financieras y ciberindicadores, todo contextualizado bajo estándares éticos y normativos.

2.4. Tipos de analistas de inteligencia

El campo de la inteligencia abarca múltiples especialidades. Así pues, dependiendo del objetivo del análisis y el sector en el que se aplique, existen distintos tipos de analistas de inteligencia, cada uno con enfoques y metodologías específicas. A continuación, exploraremos algunos de los los perfiles más relevantes:

- Analista estratégico. Se centra en políticas y decisiones a largo plazo, identificando tendencias y riesgos globales.
- Analista operativo. Trabaja con información de corto y medio plazo para apoyar operaciones específicas.
- Analista táctico. Toma decisiones inmediatas ante eventos concretos, común en seguridad y ciberdefensa.
- Analista SIGINT. Intercepta y analiza señales electrónicas o de telecomunicaciones.
- Analista HUMINT. Evalúa información de fuentes humanas, crucial en contrainteligencia.
- Analista OSINT. Trabaja con información pública, medios y redes sociales.
- Analista de ciberinteligencia. Detecta, analiza y mitiga amenazas digitales.
- Analista de inteligencia de negocios. Analiza datos corporativos para apoyar la estrategia empresarial.

Ampliamos la explicación de cada uno de ellos:

Analista de inteligencia estratégica

Este tipo de analista trabaja con información de alto nivel para apoyar la toma de decisiones gubernamentales, militares o corporativas a largo plazo. Se enfoca en la identificación de tendencias globales, amenazas emergentes y oportunidades estratégicas. Este tipo de analista puede evaluar el impacto geopolítico de un conflicto internacional, mientras que en el ámbito empresarial puede identificar mercados emergentes para la expansión de una compañía.

Analista de inteligencia operativa

A diferencia del análisis estratégico, que se centra en tendencias a largo plazo, el analista de inteligencia operativa trabaja con información a corto y medio plazo para apoyar operaciones específicas.

En el ámbito militar, un analista operativo puede evaluar movimientos de tropas enemigas para coordinar acciones defensivas. En cambio, en el sector empresarial, puede analizar cambios en el comportamiento del consumidor para ajustar campañas de marketing en tiempo real.

Analista de inteligencia táctica

Este perfil se enfoca en la toma de decisiones inmediatas basadas en información concreta y detallada. Por ende, es más común en fuerzas de seguridad, ciberseguridad y gestión de crisis, donde la rapidez en el procesamiento de datos es crucial. Un ejemplo sobre las actividades de esta categoría de analista lo podemos encontrar en un centro de operaciones de ciberseguridad, donde éste puede detectar una intrusión en un sistema y tomar decisiones inmediatas para contener el ataque.

Analista de inteligencia de señales (SIGINT)

Estando especializado en la interceptación, análisis y explotación de señales electrónicas y de telecomunicaciones, este tipo de analista trabaja con datos provenientes de comunicaciones interceptadas, radares y otras fuentes técnicas.

En agencias como la NSA (Agencia de Seguridad Nacional de EE.UU.), los analistas de SIGINT monitorean señales electrónicas para identificar posibles amenazas terroristas o actividades ilícitas.

Analista de inteligencia humana (HUMINT)

Su labor consiste en la recopilación de información a través de fuentes humanas, como agentes encubiertos, informantes o entrevistas directas. La inteligencia HUMINT es clave en espionaje, contrainteligencia y operaciones encubiertas. Tanto es así que, un analista de HUMINT en una agencia de inteligencia puede evaluar la credibilidad de un desertor que proporciona información sobre actividades hostiles en su país de origen.

Analista de inteligencia de fuentes abiertas (OSINT)

Este tipo de analista se especializa en la recopilación y análisis de información disponible públicamente en internet, medios de comunicación, redes sociales, bases de datos gubernamentales y académicas. Es decir, puede rastrear la actividad de un grupo extremista a través de redes sociales o identificar campañas de desinformación en plataformas digitales, etc.

Analista de ciberinteligencia

Es el encargado de detectar y analizar amenazas en el ciberespacio. Su trabajo abarca la identificación de ataques cibernéticos, el análisis de vulnerabilidades y la protección de infraestructuras críticas. Esta figura en una empresa de seguridad informática por ejemplo, puede investigar campañas de phishing dirigidas contra altos ejecutivos para prevenir filtraciones de datos sensibles.

Analista de inteligencia de negocios (BI)

Esta última especialidad se enfoca en el análisis de datos corporativos para apoyar la toma de decisiones en las empresas. Además, suele hacer uso de herramientas avanzadas de Big Data, minería de datos y análisis predictivo para mejorar el rendimiento organizacional. En una multinacional puede identificar patrones de compra de los consumidores y sugerir estrategias para maximizar las ventas.

A esta lista se incorporan perfiles emergentes:

- Analista de inteligencia artificial (AI-INT): especializado en interpretar datos generados por sistemas autónomos y modelar riesgos asociados a IA.
- Analista de inteligencia geoespacial (GEOINT): utiliza imágenes satelitales y datos geográficos para análisis estratégico.
- Analista de inteligencia híbrida: combina fuentes humanas y tecnológicas para entornos multidominio.
- Analista de inteligencia ética: vela por la transparencia, el cumplimiento normativo y la protección de derechos digitales.

Estos nuevos perfiles reflejan la evolución del entorno informativo y de la data global: más datos, más velocidad y mayor responsabilidad en el uso del conocimiento. El analista actual es un integrador de conocimientos, capaz de traducir datos complejos en decisiones informadas.

3. DEFINICIÓN Y EVOLUCIÓN: CIBERINTELIGENCIA VS INTELIGENCIA DE NEGOCIOS

En un mundo altamente volátil, donde la incertidumbre es el "pan de cada día" y la información el activo más valioso, la inteligencia ha evolucionado hacia especializaciones que responden a necesidades concretas.

La inteligencia, en su acepción estratégica, es el proceso estructurado de obtención, validación, análisis e interpretación de información con el propósito de reducir la incertidumbre y facilitar decisiones en entornos complejos. No consiste en acumular datos, sino en convertir información dispersa en conocimiento relevante, contextualizado y orientado a un decisor específico. Supone método, criterio analítico y finalidad operativa. En un entorno caracterizado por la hiperconectividad, la digitalización y la competencia global, esta función ha ampliado su alcance y sofisticación, evolucionando hacia ámbitos especializados donde el espacio digital y el entorno empresarial adquieren protagonismo, dando lugar a nuevas ramas, precisemos; a desarrollar nuevas ramas.

Dos de estas ramas —la ciberinteligencia y la inteligencia de negocios— han adquirido relevancia exponencial con la digitalización y la globalización. Aunque ambas comparten la finalidad de transformar datos en conocimiento accionable, sus métodos, herramientas y propósitos difieren.

Para comprender cómo han llegado a su estado actual, es necesario revisar su evolución histórica y conceptual, así como las diferencias fundamentales que las distinguen.

3.1. Ciberinteligencia: orígenes y evolución

El nacimiento de la ciberinteligencia: de la Guerra Fría al ciberespacio

La ciberinteligencia tiene sus raíces en la intersección entre la seguridad nacional y la tecnología. Aunque la informática surgió en el siglo XX, la necesidad de proteger la información digital y analizar amenazas se intensificó con el auge de Internet en los años noventa.

Durante la Guerra Fría, la inteligencia tradicional se centraba en la vigilancia de los adversarios mediante SIGINT (intercepción de comunicaciones) y HUMINT (fuentes humanas). Con la automatización de operaciones militares y gubernamentales, los Estados comenzaron a desarrollar capacidades de análisis de amenazas digitales.

Uno de los hitos fundacionales fue la creación de la Agencia de Seguridad Nacional (NSA) de EE. UU., especializada en criptografía y SIGINT. Con la expansión de Internet, surgió la necesidad de detectar ciberataques, identificar actores maliciosos y anticipar operaciones hostiles, dando origen a la disciplina moderna de la ciberinteligencia.

La ciberinteligencia en el siglo XXI: un campo en expansión.

Con el nuevo milenio, el panorama de amenazas cambió radicalmente. El ciberespionaje, los ataques dirigidos y las campañas de desinformación se convirtieron en instrumentos estratégicos. El gusano Stuxnet (2010), que afectó al programa nuclear iraní, marcó un antes y un después: la ciberinteligencia dejó de ser defensa pasiva y pasó a ser prevención activa.

Durante las elecciones de EE. UU. en 2016, la interferencia extranjera evidenció que la ciberinteligencia abarca no solo la protección de infraestructuras, sino también la seguridad informativa y cognitiva de las sociedades.

Actualmente, la ciberinteligencia es esencial en defensa, ciberseguridad corporativa y protección de datos personales y el analista es una figura clave.

El escenario actual incorpora nuevas dimensiones:

- IA generativa y aprendizaje automático explicable (XAI) para detección predictiva de amenazas.
- Computación cuántica como desafío a los métodos de cifrado clásicos.
- Arquitecturas "Zero Trust" y entornos de nube soberana para operaciones seguras.
- Fusión de inteligencia (All-Source Intelligence) que integra OSINT, HUMINT, SIGINT y CYBINT en plataformas conjuntas.

A nivel institucional, la Directiva NIS2 (UE, 2023), la Estrategia OTAN de Ciberdefensa 2024 y el AI Act (UE, 2025) han consolidado la ciberinteligencia como pilar de seguridad integral y soberanía digital. El analista moderno no solo detecta amenazas: interpreta flujos de información global, evalúa su fiabilidad y comunica implicaciones estratégicas a los decisores.

3.2. Inteligencia de negocios: orígenes y evolución

A diferencia de la ciberinteligencia, que nació en el contexto de la seguridad, la inteligencia de negocios (Business Intelligence, BI) tiene raíces económicas y comerciales. Desde la antigüedad, los comerciantes recopilaban información de mercado para adelantarse a la competencia.

El término business intelligence fue acuñado en 1865 por Richard Millar Devens, y se consolidó en la segunda mitad del siglo XX cuando empresas como IBM y SAP desarrollaron sistemas para analizar grandes volúmenes de datos.

Con el auge de Internet, la BI se transformó en una disciplina basada en datos digitales y tiempo real. Los sistemas de soporte a decisiones (DSS) evolucionaron hacia plataformas de análisis predictivo y prescriptivo, aplicadas en banca, salud, energía y tecnología.

Inteligencia de negocios en la actualidad; la BI moderna se apoya en:

- Big Data Analytics y Data Science para identificar patrones complejos.
- IA generativa que automatiza informes y dashboards inteligentes.
- Blockchain para trazabilidad de datos.
- Análisis de sentimientos y reputación digital en redes sociales.

Organizaciones tan cercanas al ciudadano como Amazon, Netflix o Airbus aplican BI avanzada para optimizar operaciones globales y anticipar disrupciones en cadenas de suministro. En Europa, la norma ISO 56007:2024 (Estrategia de Inteligencia e Innovación) guía el uso ético y estructurado de datos empresariales.

3.3. Diferencias clave entre ciberinteligencia e inteligencia de negocios

Ambas disciplinas comparten el principio de convertir información en conocimiento útil, pero divergen en su propósito, fuentes y contexto operativo.

Aspecto	Ciberinteligencia	Inteligencia de negocios
Objetivo principal	Identificar y mitigar amenazas en el ciberespacio.	Mejorar la toma de decisiones empresariales.
Fuentes de datos	Información de redes, amenazas digitales, OSINT, SIGINT.	Datos financieros, operacionales y de mercado.
Herramientas	SIEM[1], *Threat Intelligence Platforms*, análisis forense digital.	*Software* de BI, Big Data, *dashboards* interactivos.

1 Definición de SIEM: "*Administración de eventos e información de seguridad… es una solución de seguridad que ayuda a las organizaciones a detectar amenazas antes de que afecten el negocio*" Vía: ¿Qué es SIEM? | Seguridad de Microsoft

Aspecto	Ciberinteligencia	Inteligencia de negocios
Sectores de aplicación	Seguridad nacional, ciberseguridad, investigación criminal.	Comercio, finanzas, marketing, logística.
Enfoque temporales	Proactivo: detección y prevención de amenazas.	Reactivo y predictivo: optimización de procesos.
Ejemplo de uso	Un analista de ciberinteligencia detecta una campaña de *phishing* antes de que afecte a una empresa.	Un analista de BI identifica una caída en las ventas y recomienda estrategias para mejorar el rendimiento.

Integración convergente en la actualidad, la frontera entre ambas disciplinas se difumina: las empresas incorporan módulos de ciberinteligencia en sus sistemas de BI para evaluar riesgos digitales, y las agencias de seguridad utilizan técnicas de análisis de mercado para estudiar el comportamiento de actores hostiles.

Esta convergencia ha dado origen al concepto de Inteligencia Corporativa Integral (ICI), que combina seguridad, datos económicos y reputacionales para ofrecer una visión 360° del entorno estratégico.

4. PRINCIPALES COMPONENTES DE LA CIBERINTELIGENCIA Y LA INTELIGENCIA DE NEGOCIOS

La información continúa siendo el recurso más estratégico del siglo XXI. Sin embargo, la clave no reside únicamente en su obtención, sino en la capacidad de analizarla, interpretarla y transformarla en conocimiento útil para la toma de decisiones.

En este contexto, la ciberinteligencia y la inteligencia de negocios se han consolidado como herramientas esenciales en dos ámbitos distintos pero profundamente interconectados.

Mientras la primera se especializa en detectar y mitigar amenazas digitales, protegiendo infraestructuras críticas y datos sensibles, la segunda se orienta a optimizar la competitividad mediante el análisis de información financiera, operativa y estratégica.

Aunque sus propósitos aparenten divergir, ambas comparten principios metodológicos y procesos de análisis que convierten datos dispersos en valor estratégico. Comprender sus componentes fundamentales es, por tanto, imprescindible para dimensionar su impacto real.

4.1. La ciberinteligencia: desglosando el proceso de análisis y su aplicación

La ciberinteligencia es una disciplina estructurada que integra defensa, análisis y anticipación.

La ciberinteligencia no consiste en simples acciones defensivas o reactivas. Dado que realmente es una disciplina estructurada que sigue una serie de procesos analíticos para anticiparse a las amenazas, comprender el comportamiento de los adversarios y diseñar estrategias de mitigación.

Su proceso analítico se articula en tres fases principales: recopilación de datos, análisis de amenazas y respuesta a incidentes.

Recopilación de datos: la base de la ciberinteligencia

Para que la ciberinteligencia sea realmente efectiva es necesario contar con fuentes de información diversificadas. Las fuentes de información pueden clasificarse en:

- Fuentes abiertas (OSINT): información pública obtenida de medios, redes sociales, foros o bases de datos abiertas.
- Fuentes técnicas (SIGINT): monitoreo del tráfico de red, registros de actividad y señales electrónicas para detectar anomalías.
- Dark Web Intelligence: recolección de datos en foros clandestinos y redes anónimas como Tor.

Gracias a estas fuentes, la ciberinteligencia ha permitido prevenir incidentes de gran escala.

Un ejemplo fue la detección en 2021 de la filtración de datos de más de 500 millones de usuarios de Facebook, hallada por analistas en la dark web, lo que impulsó mejoras globales en la seguridad de credenciales.

Hoy las agencias europeas —como ENISA o el Centro de Excelencia de Ciberdefensa Cooperativa de la OTAN (CCDCOE)— promueven el uso de plataformas conjuntas de recolección OSINT-SIGINT-CYBINT, con estándares interoperables para compartir alertas en tiempo real entre Estados miembros y sector privado.

Análisis de amenazas: identificando patrones invisibles

El valor de la ciberinteligencia radica en la capacidad de detectar amenazas antes de que se materialicen.

Se utilizan técnicas como:

- Modelos de comportamiento basados en machine learning para predecir ataques.
- Indicadores de compromiso (IoCs), *Indicators of Compromise* que revelan actividad maliciosa mediante IP sospechosas o accesos no autorizados.
- TTP (Tácticas, Técnicas y Procedimientos), (*Tactics, Techniques and Procedures*), que estudian cómo actúan los grupos hostiles para anticipar sus próximos movimientos.

En 2025, las plataformas de Detección y Respuesta Extendida (XDR) y la IA generativa permiten correlacionar miles de eventos en segundos, reduciendo los tiempos de detección de incidentes en más de 60 %.

Respuesta a incidentes: de la reacción a la ciberresiliencia

Cuando un ataque se materializa, la rapidez de respuesta define el impacto.

Los equipos CSIRT o CERT actúan en tiempo real para contener la amenaza y restaurar servicios. El histórico ataque WannaCry (2017) demostró la importancia de la cooperación internacional: la comunidad técnica desarrolló parches y estrategias que redujeron drásticamente su alcance.

Desde 2024, la EU Cyber Solidarity Act ha establecido una red de Security Operations Centres (SOC) europeos interconectados, capaces de compartir inteligencia de amenazas casi instantáneamente, fortaleciendo la resiliencia digital continental.

4.2. Inteligencia de negocios: decodificando el valor de los datos

Si la ciberinteligencia protege los datos, la inteligencia de negocios (BI) los convierte en ventaja competitiva.

Su proceso analítico se apoya en tres pilares: recolección y almacenamiento de datos, análisis predictivo y toma de decisiones basada en evidencia.

Recolección de datos; la materia prima del negocio.

Las organizaciones generan enormes volúmenes de información.

Entre las herramientas más utilizadas destacan:

- ERP (Enterprise Resource Planning): son sistemas de planificación que se encargan de centralizar la información financiera, logística y operativa.
- Big Data Analytics: se tratan de plataformas que procesan enormes volúmenes de datos en tiempo real.
- Sistemas de inteligencia de mercado: sirven para recopilar datos de consumidores, tendencias y competencia entre otros.

Amazon, por ejemplo, ajusta precios dinámicamente según demanda y comportamiento del consumidor mediante análisis en tiempo real.

En 2025, los marcos europeos Data Governance Act y Data Act regulan el intercambio seguro de información empresarial, fomentando ecosistemas de datos abiertos y colaborativos.

Análisis predictivo; el futuro de los datos

La minería de datos, los modelos de predicción y los análisis de segmentación permiten prever comportamientos de mercado y consumo.

Netflix utiliza BI para personalizar recomendaciones analizando hábitos de visualización en tiempo real.

Las soluciones de analítica aumentada integran IA explicable (XAI) que identifica correlaciones no evidentes y propone decisiones automáticas justificadas, reduciendo sesgos y aumentando transparencia.

Toma de decisiones; convertir datos en acción

Los dashboards interactivos y la automatización de informes agilizan la decisión informada. El desafío es comunicar resultados de forma clara: un informe excesivamente técnico pierde valor si el decisor no puede interpretarlo.

Es decir, la finalidad es adaptarse a las necesidades de los decisores, que suelen ser personas con un tiempo bastante limitado y una agenda tan apretada que no les permite detenerse, por lo que necesitan que la información y conclusiones de los análisis se les presente de manera clara, directa y sencilla.

Esta fase es crucial, pues de poco sirve una investigación, recopilación, filtrado y análisis impecables y que ha requerido mucho tiempo de trabajo por parte de los analistas, si finalmente a la hora de presentarlos la información es confusa, demasiado técnica o se trata de un informe muy extenso y que requeriría horas de lectura por parte del decisor.

Las nuevas plataformas de BI autónoma incorporan asistentes conversacionales impulsados por IA ("chatBI") que generan resúmenes ejecutivos en lenguaje natural, mejorando la comunicación entre analistas y directivos.

4.3. Vínculos operativos entre ciberinteligencia y análisis empresarial

En el entorno digital contemporáneo, las fronteras entre distintas disciplinas de análisis se han vuelto cada vez más porosas. Pues lo que antes eran compartimentos estancos —seguridad informática por un lado, inteligencia comercial por otro— hoy tienden a entrelazarse de forma natural, a medida que las organizaciones dependen más intensamente de la infraestructura tecnológica para sostener sus decisiones estratégicas. En este contexto, la relación entre la ciberinteligencia y el análisis de negocios se ha ido consolidando como una alianza operativa clave, no tanto por afinidad metodológica, sino por necesidad funcional.

Un claro ejemplo de esta interdependencia es la forma en que las herramientas de ciberinteligencia se han convertido en garantes de la integridad de los entornos analíticos. Puesto que no es posible construir estrategias de negocio fiables si la fuente de datos está contaminada por una filtración, un acceso indebido o una alteración maliciosa. En otras palabras, sin seguridad en el dato, no hay confianza en la decisión. Así, el BI requiere de un respaldo activo que vigile, audite y proteja la información crítica, y esa es precisamente la función de la ciberinteligencia en este ámbito.

De igual manera, los sistemas de inteligencia empresarial pueden contribuir, sin ser diseñados expresamente para ello, al fortalecimiento de la defensa digital. Las plataformas de análisis que monitorean variables como el comportamiento del cliente, la navegación en línea o los accesos a recursos internos son también capaces de detectar desviaciones que, con el enfoque adecuado, pueden alertar sobre incidentes de seguridad. Así, un modelo predictivo utilizado para identificar patrones de abandono de clientes puede, con algunos ajustes, servir para reconocer movimientos anómalos de usuarios comprometidos o accesos no autorizados.

En efecto, esta sinergia se vuelve especialmente evidente en sectores como el financiero. Y para una mejor comprensión de lo expuesto acudiremos a un caso paradigmático que revela los desafíos que aún persisten en la integración entre ciberinteligencia y análisis de negocio. Dicho incidente afectó a la fintech Revolut en 2022.

Un fallo técnico en su sistema de pagos en Estados Unidos, derivado de una discrepancia entre los marcos financieros estadounidense y europeo, permitió que actores maliciosos explotaran una debilidad durante varios meses, desfalcando más de 20 millones de dólares. La mecánica del fraude consistía en realizar transferencias que, al ser rechazadas, generaban reembolsos indebidos que luego eran retirados mediante cajeros automáticos[2]. Lo más llamativo de este suceso es que los sistemas de monitoreo de Revolut no lograron detectar el fraude de forma autónoma, y fue un banco asociado el que advirtió la anomalía al notar una discrepancia en los saldos esperados.

---

2 Caso Revolut: https://thehackernews.com/2023/07/hackers-steal-20-million-by-exploiting.html

Este hecho pone de relieve no sólo la necesidad de robustecer los controles técnicos, sino también de mejorar la integración entre los modelos de análisis de negocio y los sistemas de ciberseguridad, especialmente en entornos digitales complejos y multinacionales.

A tenor de lo expuesto, podrá llegarse a la conclusión de que ante este nuevo paradigma, no se trata simplemente de la necesidad de coordinar esfuerzos, sino de crear un lenguaje común entre dos mundos que hasta hace poco se desconocían. La inteligencia empresarial aporta contexto, escalabilidad y capacidad predictiva; la ciberinteligencia añade precisión, alerta temprana y vigilancia activa.

Juntas, forman una arquitectura más robusta para navegar la complejidad de las decisiones digitales. Este enfoque conjunto ha demostrado ser crucial, por ejemplo, en operaciones financieras donde la combinación de modelos de comportamiento transaccional y monitoreo de infraestructura ha permitido a varias entidades anticipar fraudes complejos y contenerlos antes de que generaran daños significativos.

Hoy esta convergencia se materializa en centros de fusión de inteligencia (fusion centres) donde analistas de ciberseguridad, datos y negocio comparten infraestructura cloud segura bajo arquitecturas Zero Trust.

Programas como el NATO Industry Advisory Group (2024) y el Europol Innovation Lab promueven alianzas público-privadas para el intercambio de indicadores de amenaza y métricas económicas, permitiendo una visión conjunta de riesgos cibernéticos y financieros.

La tendencia actual apunta hacia un modelo de Inteligencia Corporativa Integrada (ICI), en el que seguridad, operaciones y estrategia de datos convergen. Esta integración exige analistas híbridos, capaces de interpretar cómo las dinámicas del mercado interactúan con los vectores de amenaza digital y viceversa.

5. TECNOLOGÍAS Y HERRAMIENTAS CLAVE EN CIBERINTELIGENCIA E INTELIGENCIA DE NEGOCIOS

En el núcleo de la transformación digital global se encuentran dos fuerzas complementarias, que son la seguridad de la información y el aprovechamiento estratégico de los datos. En este sentido, la ciberinteligencia y la inteligencia de negocios, no solo encarnan estas fuerzas, sino que dependen de un ecosistema tecnológico sofisticado para operar eficazmente. Por ende, las herramientas que sustentan ambas disciplinas no solo ejecutan tareas técnicas, también estructuran el pensamiento, la anticipación y la toma de decisiones.

Por tanto, comprender estas tecnologías además de ser una cuestión técnica, es una necesidad estratégica para cualquier profesional que desee entender cómo se protege y explota la información en el mundo actual.

5.1. Herramientas y tecnologías en ciberinteligencia

Como ya sabemos, la ciberinteligencia es una disciplina dinámica que combina análisis, defensa, anticipación y acción. Así pues, para realizar estas funciones, se apoya en tecnologías que permitan navegar en un océano de datos digitales, detectar patrones ocultos y responder con rapidez ante amenazas inminentes.

a) Herramientas OSINT: rastrear lo visible y lo oculto

Las herramientas de inteligencia de fuentes abiertas permiten explorar el entorno digital en busca de pistas. Algunas de las más eficaces son:

- **Maltego:** especializada en el análisis de relaciones e identidades digitales. Un analista puede, por ejemplo, rastrear el origen de una campaña de desinformación correlacionando dominios, correos electrónicos y redes sociales.
- **TheHarvester:** esta herramienta extrae datos clave como correos, dominios y subdominios desde buscadores públicos, ayudando a establecer la superficie de ataque de una organización.
- **Shodan:** se trata de un buscador de dispositivos conectados. Es especialmente útil para detectar servidores vulnerables, cámaras no protegidas o sistemas industriales (ICS) expuestos a internet.

Por ejemplo, un grupo de investigadores utilizó Shodan en 2019 para descubrir que cientos de sistemas de control industrial (SCA-

DA) estaban accesibles sin autenticación en múltiples países, lo que encendió las alertas sobre la ciberseguridad de infraestructuras críticas. Y cómo no, ayudó a mejorar los sistemas de protección.

En 2025, los analistas emplean frameworks OSINT automatizados, como SpiderFoot HX y Recon-ng 2.0, integrados con IA generativa para correlacionar datos de miles de fuentes en segundos. Además, la UE ha impulsado su propio estándar OSINT-EU, garantizando trazabilidad y verificación ética de datos recolectados.

b) Análisis forense digital y sandboxing[3]

El análisis forense digital permite reconstruir cómo ocurrió un incidente de seguridad. Existe una amplia gama de herramientas que ayudan a entender no sólo el qué, sino también el cómo de una amenaza. Algunas de ellas son:

- **Autopsy**: la cual permite examinar dispositivos y recuperar datos, incluso borrados.
- **Wireshark**: se centra en inspeccionar el tráfico de red, revelando conexiones sospechosas, intrusiones o exfiltración de datos.
- **Cuckoo sandbox**: esta herramienta analiza el comportamiento de malware en un entorno controlado, observando qué archivos crea, modifica o elimina.

Desde 2024, la incorporación de análisis forense basado en blockchain garantiza la integridad de la evidencia digital, registrando cada acceso y modificación en cadenas verificables.

c) Plataformas de inteligencia de amenazas (TIPs)

Las TIPs permiten integrar, analizar y correlacionar información sobre amenazas desde múltiples fuentes. Plataformas como *Threat Connect* o *Anomali ThreatStream* proporcionan una visión unificada y

3 ***Sandboxing***: "*capa extra de protección, una medida de prevención para detectar aquellas amenazas que los endpoints (dispositivo informático remoto)no son capaces de localizar, debido a que no han estado configurados para ello*" Vía: Sandboxing: qué es, cómo funciona y cómo te protege ante malware

en tiempo real del panorama de amenazas, con capacidades de automatización y respuesta.

Además, incorporan taxonomías como MITRE ATT&CK, que clasifican tácticas, técnicas y procedimientos (TTPs) utilizados por grupos criminales, permitiendo mapear el ciclo de vida de un ataque.

En 2025, los TIPs se fusionan con soluciones XDR (Extended Detection and Response), creando ecosistemas inteligentes que combinan telemetría de red, endpoints y nube para obtener visibilidad integral. Además, la UE y la OTAN operan centros de fusión de inteligencia cibernética conjunta (EU-NATO Cyber Fusion Network) que automatizan alertas entre agencias.

d) IA y Machine Learning: auge de la inteligencia autónoma

La aplicación de inteligencia artificial (IA en español y AI en inglés) permite detectar amenazas desconocidas mediante algoritmos que identifican desviaciones del comportamiento habitual. Empresas como *Darktrace* o *Vectra AI* aplican redes neuronales para modelar el tráfico normal y detectar anomalías en segundos.

De hecho, *Darktrace* ha sido utilizada por empresas financieras para detectar movimientos laterales silenciosos en su red antes de que un atacante logre robar datos datos. Lo que sería casi imposible aplicando los métodos tradicionales.

Desde 2023, la IA generativa se ha incorporado al análisis cibernético. Modelos especializados como Microsoft Security Copilot y Google Sec-PaLM 2 son capaces de resumir alertas, priorizar incidentes y generar informes ejecutivos automáticos para decisores estratégicos.

Asimismo, el concepto de ciberdefensa cognitiva ha emergido, combinando IA, análisis conductual y psicología adversaria para anticipar movimientos de actores hostiles.

5.2. Herramientas y tecnologías básicas en inteligencia de negocios

A diferencia de la ciberinteligencia, que protege, la inteligencia de negocios extrae valor. Dado que su meta es transformar datos en información de valor para la toma de decisiones, anticipar oportunidades y optimizar procesos.

a) Plataformas de visualización y análisis

- **Power BI (Microsoft)**: esta herramienta se encarga de integrar datos desde diversas fuentes (ERP, Excel, bases SQL) para crear dashboards visuales en tiempo real.
- **Tableau**: como plataforma destaca por su potencia en visualizaciones dinámicas y análisis colaborativo.
- **Qlik Sense**: su punto fuerte se encuentra en exploración guiada de datos y autoservicio analítico.

En 2025, estas plataformas incluyen módulos de BI conversacional, donde los usuarios formulan preguntas en lenguaje natural y obtienen respuestas visuales instantáneas, impulsadas por IA.

Empresas como SAP Analytics Cloud ya incorporan modelos de predicción de riesgos integrados con indicadores ESG.

b) Herramientas de minería de datos y modelado predictivo

Existiendo una amplia gama de herramientas, podemos mencionar a RapidMiner y KNIME, las cuales permiten aplicar modelos de clasificación, regresión y agrupamiento sin necesidad de conocimientos profundos en programación. Por otro lado, también se encuentran los algoritmos como Random Forest, K-means o redes neuronales artificiales, que permiten predecir comportamientos de clientes, demanda de productos o riesgos financieros. Las soluciones modernas aplican aprendizaje profundo explicable (XAI), que detalla por qué se toma una decisión analítica. Esto mejora la confianza y transparencia, especialmente en sectores regulados como banca o salud.

c) Bases de datos y almacenamiento avanzado

La inteligencia de negocios se nutre de estructuras de datos robustas, como puede ser SQL Server y Oracle Database, herramientas tradicionales al mismo tiempo que muy potentes en operaciones empresariales. No obstante, también pueden emplearse herramientas optimizadas para Big Data y realizar consultas a gran escala en tiempo real, como son BigQuery (Google), Amazon Redshift y Snowflake. Desde 2024, el enfoque Data Mesh se consolida como paradigma, descentralizando la gestión de datos por dominios y garantizando mayor resiliencia, interoperabilidad y gobernanza entre unidades organizativas.

d) Inteligencia artificial aplicada a la inteligencia de negocios

La llamada "BI aumentada" utiliza IA para automatizar descubrimientos en los datos, detectar correlaciones inusuales o generar alertas proactivas. Por ejemplo, *Salesforce Einstein Analytics* utiliza algoritmos de IA para recomendar automáticamente ajustes en campañas de marketing, mejorando el ROI (siglas en inglés que hacen referencia al retorno de inversión).

5.3. Comparativa y sinergia entre disciplinas

Características	Ciberinteligencia	Inteligencia de negocios
Objetivo	Prevenir amenazas y proteger activos digitales	Mejorar decisiones y rendimiento organizacional
Enfoque	Seguridad, anticipación, respuesta a incidentes	Rentabilidad, eficiencia, competitividad
Tecnologías clave	TIPs, OSINT, sandboxing, IA en seguridad	BI dashboards, minería de datos, predicción automatizada
Casos de uso	Detectar intrusiones, analizar malware	Prever demanda, segmentar clientes, optimizar operaciones
Actores principales	CSIRT, analistas de ciberseguridad	Analistas de datos, responsables de operaciones

Ambos campos convergen progresivamente en modelos de inteligencia integral, donde la seguridad de la información y la explotación estratégica de datos coexisten en ecosistemas unificados basados en la confianza digital.

5.4. Convergencia estratégica: cuando ciberinteligencia e inteligencia de negocios se encuentran

Durante mucho tiempo, la ciberinteligencia y la inteligencia de negocios evolucionaron en paralelo, cada una en su propio ecosistema, con sus herramientas, lenguajes y objetivos específicos. Una se centraba en la protección: blindar datos, redes y sistemas frente a ataques o vulnerabilidades. La otra, en la optimización: extraer valor estratégico de los datos para mejorar la toma de decisiones y aumentar la rentabilidad organizacional.

Sin embargo, esa separación como estamos viendo, está desapareciendo. Hoy asistimos a una convergencia natural y necesaria entre ambas disciplinas, impulsada por la digitalización de los procesos empresariales, el aumento del riesgo cibernético y la necesidad de tomar decisiones informadas en tiempo real y con máxima precisión.

Por su parte, las organizaciones han comprendido que no pueden hablar de inteligencia sin integrar ambos enfoques, dado que la ciberinteligencia proporciona el marco de seguridad necesario para confiar en los datos, mientras que la inteligencia de negocios permite explotarlos de manera eficiente para obtener ventajas competitivas. Son, en esencia, las dos caras de la misma moneda.

Ejemplos actuales:

- En **fraudes financieros**, los modelos de BI predicen patrones transaccionales, mientras la ciberinteligencia verifica correlaciones con tácticas conocidas de crimen digital.
- En **compliance**, los sistemas de BI monitorizan indicadores normativos y la ciberinteligencia alerta sobre vulneraciones de datos que podrían derivar en sanciones (como el GDPR o la Ley de IA de la UE de 2024).

En la **gestión de reputación digital**, la combinación de monitoreo OSINT y análisis de BI permite identificar campañas de desinformación que afectan directamente las métricas comerciales.

En 2025, numerosas organizaciones han creado **fusion centers corporativos**, donde los equipos de BI, ciberseguridad y análisis estratégico operan en plataformas comunes bajo principios **Zero Trust y Compliance by Design**, integrando prevención, contexto y rendimiento.

Hoy, los analistas pueden combinar herramientas de ciberinteligencia, que rastrean campañas de desinformación o ataques coordinados en redes sociales, con plataformas de BI que miden el impacto de estas acciones en variables clave como las ventas, el tráfico web o la opinión del cliente.

En los entornos más avanzados, esta sinergia ha dado lugar a centros de fusión de inteligencia, donde analistas de datos, expertos en ciberseguridad y responsables estratégicos trabajan juntos, compartiendo plataformas y datos en tiempo real. Este enfoque colaborativo permite responder a crisis de manera más ágil y prevenir amenazas con una visión más rica y multidimensional.

No obstante, este nuevo paradigma también está transformando el perfil profesional requerido. Puesto que. ya no basta con ser un buen analista de seguridad o un brillante especialista en datos. Las organizaciones demandan profesionales híbridos, capaces de entender cómo se relacionan las vulnerabilidades tecnológicas con las dinámicas de negocio, y cómo los patrones del mercado pueden esconder riesgos latentes de seguridad.

Así, la convergencia entre ciberinteligencia e inteligencia de negocios no es simplemente un fenómeno técnico o estructural. Es una evolución en la forma de pensar la inteligencia: más integradora, más estratégica, más alineada con los desafíos complejos del presente. Y sobre todo, más humana, porque exige pensar en redes, anticipar consecuencias y construir confianza en un entorno cada vez más incierto.

5.5. Tendencias emergentes: lo que se espera

Si prestamos atención a la velocidad con la que está evolucionando la tecnología, hace que tanto la ciberinteligencia como la inteligencia de negocios se encuentren en una transformación constante. De hecho, las herramientas que hoy consideramos punteras, probablemente mañana podrían encontrarse obsoletas frente a nuevas soluciones capaces de procesar más datos, anticiparse a amenazas más complejas o automatizar decisiones con una precisión casi humana.

Así pues, en este escenario de cambio acelerado, resulta imprescindible vislumbrar las tendencias que están emergiendo y que marcarán el rumbo de ambas disciplinas en los próximos años.

Una de las tendencias más prometedoras en el campo de la ciberinteligencia es el desarrollo y adopción del XDR (*Extended Detection and Response*). Esta tecnología busca integrar en una única plataforma todas las fuentes relevantes de detección de amenazas, como son *endpoints*, redes, servidores, servicios en la nube y más.

A diferencia de las soluciones tradicionales, que fragmentaban la información en silos operativos, el XDR permite una visibilidad global del entorno digital, facilitando respuestas más rápidas y contextualmente más precisas. Tanto es así, que empresas de seguridad avanzadas ya están incorporando XDR como un nuevo estándar para enfrentar ataques sofisticados que se extienden por múltiples vectores.

En paralelo, en el ámbito de la inteligencia de negocios, avanza con fuerza el concepto de BI autónomo o inteligencia aumentada. Y no se trata de otra cosa que sistemas capaces de descubrir *insights* de manera proactiva, sin necesidad de que el analista formule preguntas o configure visualizaciones.

Estas plataformas, impulsadas por inteligencia artificial, pueden detectar correlaciones, anomalías o patrones emergentes y así, presentar recomendaciones sin intervención humana. Esta autonomía, además de acelerar la toma de decisiones, permite democratizar el acceso a la inteligencia de datos, extendiéndola a usuarios sin formación técnica.

Otra tendencia que es compartida entre ambas disciplinas es la exploración de tecnologías descentralizadas, en particular el uso de *blockchain* para asegurar la integridad, trazabilidad y veracidad de la información. En ciberinteligencia, por ejemplo, ya se experimenta con bases de datos distribuidas para almacenar indicadores de compromiso y eventos de seguridad, evitando que la manipulación maliciosa de logs comprometa la integridad del análisis. Por su parte, en la inteligencia de negocios, la cadena de bloques se utiliza para validar transacciones comerciales, contratos inteligentes y datos críticos del ecosistema corporativo.

Finalmente, una tendencia con implicaciones aún más profundas es la aparición de la computación cuántica. Aunque todavía se encuentra en etapas iniciales, esta tecnología promete revolucionar el procesamiento de datos y también plantea un serio desafío para la seguridad de la información.

Los algoritmos de cifrado actuales, sobre los que se sustentan gran parte de las comunicaciones seguras, podrían quedar obsoletos frente a la capacidad de procesamiento de un ordenador cuántico. Por ello, tanto la ciberinteligencia como el análisis de datos están comenzando a integrar modelos de criptografía post-cuántica, que buscan resistir esta amenaza futura y garantizar la privacidad y seguridad a largo plazo.

No obstante, estas tendencias no deben verse como elementos aislados, sino como piezas de una evolución convergente. Nos dirigimos hacia un entorno donde la seguridad, la inteligencia automatizada y la ética del dato deberán coexistir para construir sistemas robustos, transparentes y sostenibles.

Por ende, la tarea de los analistas no solo será interpretar datos, sino hacerlo con una visión crítica, anticipando los riesgos y responsabilidades que trae consigo cada nuevo avance tecnológico.

a) Extended Detection and Response (XDR): integra múltiples fuentes de detección (nube, endpoints, servidores) para una visibilidad global.

b) BI autónomo: plataformas impulsadas por IA que descubren patrones sin intervención humana.

c) Blockchain: mejora la trazabilidad e integridad de datos en ambos campos.

d) Computación cuántica: plantea desafíos al cifrado y abre la era de la criptografía post-cuántica.

e) Ética del dato y sostenibilidad digital: surgen como nuevos ejes de gobernanza analítica.

6. TENDENCIAS ACTUALES EN EL SECTOR

Las disciplinas de ciberinteligencia e inteligencia de negocios no son estáticas, como hemos podido ir apreciando en líneas anteriores. Al contrario, están entre las más dinámicas de nuestro tiempo, evolucionando a un ritmo que responde —y a veces anticipa— los cambios tecnológicos, políticos y sociales de una era marcada por la incertidumbre, la hiperconectividad y la digitalización masiva.

Por tanto, comprender las tendencias actuales en ambos campos no solo es útil para quienes trabajan en ellos, sino imprescindible para cualquier profesional que gestione información sensible o tome decisiones basadas en datos. A continuación, analizaremos los fenómenos más relevantes que se encuentran configurando el presente inmediato de estas disciplinas.

6.1. La inteligencia como servicio (intelligence as a service)

Uno de los cambios más profundos en la última década ha sido el paso de la inteligencia como función interna a la inteligencia como servicio (IaaS).

Empresas especializadas ahora ofrecen análisis de amenazas, gestión de riesgos o inteligencia de datos en la nube, accesibles bajo demanda.

Ejemplos destacados incluyen:

- Recorded Future y Group-IB, en el ámbito de la ciberinteligencia.
- Looker (Google) y Azure Synapse Analytics (Microsoft), en inteligencia de negocios.

Este modelo democratiza el acceso a capacidades avanzadas y reduce costes operativos, pero plantea interrogantes estratégicos: ¿puede delegarse el pensamiento crítico?

La tecnología amplía las capacidades humanas, pero no sustituye el juicio analítico, que sigue siendo el núcleo de la inteligencia.

En 2025, los servicios IaaS evolucionan hacia ecosistemas híbridos, donde los gobiernos y grandes corporaciones integran plataformas comerciales con unidades soberanas de análisis. La OTAN, por ejemplo, ha adoptado un modelo de *Intelligence Cloud Framework* que conecta en tiempo real fuentes militares, civiles y privadas bajo entornos seguros de datos compartidos.

6.2. Automatización y análisis en tiempo real

Durante décadas, tanto la ciberinteligencia como la inteligencia de negocios se centraban en analizar hechos pasados para entender el presente o prever el futuro. No obstante, en la actualidad, la expectativa es analizar en tiempo real.

Ésto ha generado una creciente adopción de tecnologías de *streaming* de datos, como Apache Kafka o Amazon Kinesis, las cuales permiten procesar eventos a medida que ocurren. En términos de ciberinteligencia, esto significa detectar un comportamiento anómalo en una red mientras está ocurriendo. Mientras que en inteligencia de negocios, quiere decir que pueden verse los cambios en los KPIs de una empresa segundo a segundo y ajustar campañas, precios o procesos operativos de forma inmediata.

Por consiguiente, el impacto es significativo pues la inteligencia deja de ser un proceso post-evento para convertirse en un agente que actúa *con* el evento. Pero esta capacidad técnica requiere nuevos marcos éticos, porque con ella también aumentan los riesgos de reacción impulsiva y automatizada ante señales ambiguas.

6.3. Intersección entre privacidad, ética y análisis

El auge del análisis masivo de datos ha generado una tensión creciente entre eficiencia y ética.

En ciberinteligencia, el rastreo de perfiles y comunicaciones plantea dilemas sobre privacidad; en BI, la hipersegmentación puede derivar en manipulación comercial o discriminación algorítmica.

Los marcos regulatorios, como el Reglamento General de Protección de Datos (GDPR) y la Ley de IA de la Unión Europea (2024), establecen límites estrictos sobre el uso automatizado de información personal.

Surge la figura del "Oficial de Ética de Datos" (Data Ethics Officer), responsable de garantizar que las prácticas analíticas respeten principios de proporcionalidad, transparencia y equidad.

Además, se consolida la inteligencia ética, un enfoque que busca equilibrar el poder tecnológico con la responsabilidad social, especialmente en ámbitos de vigilancia, defensa y seguridad nacional.

6.4. Soberanía digital y geopolítica de los datos

La información es ahora un activo geoestratégico. Las tensiones entre China, EE. UU. y la UE, o el conflicto Rusia-Ucrania, demuestran que el control de los flujos de datos es tan relevante como el dominio territorial.

La soberanía digital surge como respuesta: cada país busca garantizar que los datos críticos se almacenen y procesen dentro de su jurisdicción, bajo marcos legales nacionales.

La Unión Europea impulsa la European Data Space Strategy, que crea espacios sectoriales (salud, energía, defensa, transporte) para compartir información de manera segura entre socios comunitarios.

Simultáneamente, iniciativas como GAIA-X promueven infraestructuras de nube soberana que reducen la dependencia de proveedores externos y fortalecen la autonomía tecnológica europea.

En América Latina, países como Brasil y México desarrollan estrategias similares inspiradas en este modelo.

6.5. Hiperpersonalización de la inteligencia

La tendencia más destacada desde 2025 es la convergencia entre ciberinteligencia, inteligencia de negocios e inteligencia artificial estratégica, dando origen a lo que algunos organismos denominan Inteligencia Total Integrada (ITI).

Este enfoque busca eliminar las barreras entre defensa, economía y tecnología, consolidando ecosistemas de análisis que operen sobre datos globales pero bajo principios éticos y soberanos.

Ejemplo de ello es el proyecto EUROINTEL 2030, impulsado por la Comisión Europea, que aspira a integrar en una única infraestructura la información procedente de organismos de defensa, instituciones financieras y entidades académicas, garantizando la interoperabilidad y la protección de la privacidad.

En este contexto, los analistas del futuro deberán combinar pensamiento estratégico, competencias tecnológicas y sensibilidad ética.

La inteligencia del siglo XXI no será solo técnica, sino también humanista, anticipatoria y cooperativa, capaz de equilibrar seguridad, desarrollo y libertad en un entorno digital globalizado.

Bibliografía:

- Cabral, B., & Martínez-Rocha, R. (2016). La cultura de la información, como un bien de la humanidad, que debe ser impulsado desde la bibliotecología. *Códices*, 12(2), 79-95.
- Caudillo, D., Montes, M., & Castro, M. (2020). Efectividad de un curso de Gestión de la Información para promover alfabetización informativa en universidad. *Estudios λambda. Teoría y práctica de la didáctica en lengua y literatura*, 5(1), 32-58.
- Ching, F. (2016). *Manual de dibujo arquitectónico* (5ª ed.). Gustavo Gili.
- Echeverría, M., & Gárate, M. (2020). *Vivir los valores CETYS: Actividades para aprender a través del cine.* Instituto Educativo del Noroeste.
- European Union Agency for Cybersecurity (ENISA). (2024). Threat Landscape Report 2024. ENISA Publications.
- Gartner. (2024). Strategic Predictions for 2025: The Digital Intelligence Landscape. Gartner Research.
- Gómez, A. (2015). *Enciclopedia de la Seguridad Informática* (2ª ed., Vol. 2). Grupo Editorial Ra-Ma.
- González A. Lominchar J. (2025) *Geopolítica del Ciberespacio.* Tirant lo Blanch.
- Kotler, P., & Armstrong, G. (2012). *Marketing* (14ª ed.). Pearson Educación.
- Lominchar J. (2023) *Ciberinteligencia y gobernanza: el arma secreta de las organizaciones en la economía digital.* Tirant lo Blanch.
- Lominchar J. Zunzarren y Medina (2023). *Ciberinteligencia en la geopolítica y geoeconomía actual.* Tirant lo Blanch.

- Maymí-Sugrañes, H., Peterson, H., & Sánchez-Jofras, J. F. (Coords.). (2019). *Persistencia y Cambio de la Globalización: Reflexiones para el siglo XXI.* Instituto Educativo del Noroeste.
- McKinsey & Company. (2025). Global Trends in Data Analytics and Cyber Intelligence. McKinsey Insights.
- North Atlantic Treaty Organization (NATO). (2024). Emerging Security Challenges Division Annual Report. NATO HQ.
- Paredes, A. (2022). *Redacción para principiantes.* Ediciones Peruanas; Alfaomega.
- Pinzás, J. (2012). *Leer pensando: introducción a la visión contemporánea de la lectura* (3ª ed.). Pontificia Universidad Católica del Perú.
- Sabando Suárez, P. (2020). *El Sistema Nacional de Salud.* Ediciones Díaz de Santos.
- United Nations Office for Disarmament Affairs (UNODA). (2024). Cybersecurity and International Peace: 2024 Review. United Nations.

Capítulo 2
El rol del analista de ciberinteligencia e inteligencia de negocios

Objetivos del capítulo

Con el presente capítulo se pretende que el lector:

- Comprenda en qué consiste el rol del analista de ciberinteligencia y del analista de inteligencia de negocios dentro de sus respectivos entornos.
- Identifique las funciones principales, responsabilidades y competencias esperadas de estos profesionales.
- Distinga estos perfiles de otros roles relacionados en el ámbito del análisis de datos e informaciones.
- Explore cómo la labor de estos analistas influye directamente en la toma de decisiones estratégicas dentro de una organización.
- Analice ejemplos reales y prácticos de proyectos liderados por analistas que generaron impacto.
- Reconozca las diferentes clasificaciones y categorías profesionales que existen dentro del campo de la ciberinteligencia y de la inteligencia empresarial.

1. INTRODUCCIÓN

En el entramado complejo de la sociedad digital y las organizaciones contemporáneas, como vimos anteriormente, el dato ha dejado de ser un insumo estático para convertirse en un activo estratégico. Y es en este contexto donde los analistas de ciberinteligencia y de inteligencia de negocios emergen como figuras clave. Pues son quienes desde distintas trincheras, operan como traductores del caos informativo, como arquitectos del conocimiento operativo y como guardianes de la integridad decisional.

En los últimos años, esta transformación se ha acelerado debido a la expansión del entorno posdigital, donde la automatización, la inteligencia artificial y las plataformas distribuidas han multiplicado tanto las oportunidades como los riesgos. Esto ha incrementado la necesidad de contar con analistas capaces de interpretar señales débiles, correlacionar sucesos dispares y anticipar escenarios que impacten en la seguridad o competitividad de las organizaciones. Su papel ya no se limita a observar, sino a orientar, priorizar y traducir información técnica en implicaciones directivas.

Este capítulo se adentra en el corazón de ambos perfiles, buscando no solo definir sus funciones y responsabilidades, sino también iluminar las diferencias sustanciales que los separan de otros roles técnicos y analíticos dentro del ecosistema de datos. Ya que, más allá del título o el organigrama, el valor de estos analistas se manifiesta en su capacidad para transformar incertidumbre en orientación, datos en señales, y riesgos en oportunidades.

Además, se mostrará cómo estos analistas se convierten en un punto de convergencia entre áreas tradicionalmente desconectadas: seguridad, operaciones, estrategia, recursos humanos, marketing o ciberdefensa. Su trabajo articula una visión transversal que permite a las organizaciones tomar decisiones informadas con una perspectiva holística, reduciendo puntos ciegos y mejorando la resiliencia ante amenazas complejas o cambios abruptos del entorno competitivo.

En un mundo donde la velocidad y la precisión se han vuelto criterios innegociables, entender el perfil, el alcance y el impacto del analista de inteligencia —tanto en su vertiente cibernética como empresarial— es esencial para formar profesionales íntegros, dotados de criterio técnico, visión estratégica y sensibilidad ética.

La ética, precisamente, adquiere un peso creciente ante el uso intensivo de datos sensibles, modelos predictivos y sistemas de automatización. El analista moderno debe saber no solo cómo obtener y procesar información, sino también cómo evaluarla bajo principios de proporcionalidad, legalidad y minimización de daño. De esto dependerá su credibilidad profesional y la confianza que las organizaciones depositen en su trabajo.

Así pues, este capítulo no se limitará a describir funciones desde la teoría. A través de ejemplos reales y una clasificación detallada, el lector podrá aproximarse a lo que implica ser analista hoy, en el cruce entre tecnología, estrategia y toma de decisiones.

Los ejemplos incluidos mostrarán casos reales y adaptados del ámbito corporativo, gubernamental y de ciberseguridad, revelando cómo la labor del analista influye directamente en la mitigación de riesgos, la anticipación de incidentes y la detección de oportunidades estratégicas de negocio. También se analizarán las rutas de especialización más comunes y las competencias que hoy demanda el mercado global, proporcionando una visión actualizada para quienes aspiren a desarrollar esta profesión.

Más allá de su dimensión funcional, el analista ocupa una posición estratégica dentro del ecosistema organizacional. No solo procesa información, sino que contribuye a estructurar el marco interpretativo desde el cual los decisores comprenden riesgos y oportunidades. Su influencia no es jerárquica, sino cognitiva.

2. DESCRIPCIÓN DEL PUESTO Y RESPONSABILIDADES

En el mundo actual, el cual se caracteriza por el crecimiento exponencial de los datos y la digitalización acelerada de los procesos, el rol del analista de inteligencia ha adquirido una centralidad incuestionable. Tanto en el ámbito de la ciberinteligencia como en el de la inteligencia de negocios, estos profesionales cumplen funciones que ya no son de apoyo técnico únicamente, sino que se integran directamente en el núcleo de la estrategia organizacional.

Esto implica que las organizaciones ya no consideran al analista como un rol secundario o accesorio, sino como un agente estratégico cuya labor se conecta directamente con la sostenibilidad del negocio, la protección de sus activos y la anticipación de escenarios de riesgo. De hecho, en múltiples sectores —desde banca y energía hasta educación, salud o administración pública— la presencia del analista es ya un estándar operativo indispensable.

Por ello, definir con precisión qué hace un analista de inteligencia no es una tarea sencilla, pues su labor es transversal, adaptable y profundamente contextual. No obstante, existe un núcleo común que puede delinearse: el analista es quien observa, interpreta y proyecta. Así pues, su trabajo consiste en dar sentido a volúmenes extensos de información —estructurada o no— y convertirlos en narrativas útiles para la toma de decisiones, la prevención de riesgos o la identificación de oportunidades.

Esa tríada —observar, interpretar y proyectar— constituye la esencia de cualquier analista moderno. En un contexto donde la información es abundante pero la atención es limitada, el valor del analista radica precisamente en filtrar lo relevante, descartar lo redundante y ofrecer conclusiones accionables. Su producto final nunca es "el dato", sino **la inteligencia**: conocimiento validado, coherente y orientado a la acción.

Analista de ciberinteligencia: centinela digital y constructor de alertas estratégicas

El analista de ciberinteligencia, se trata de un figura que opera en un entorno eminentemente técnico, pero su impacto trasciende lo meramente operativo. Su labor comienza con la recolección sistemática de datos desde fuentes abiertas (OSINT), bases de datos internas, redes sociales, foros clandestinos, registros de red, *dark web* y señales electrónicas interceptadas (SIGINT). A partir de esa materia prima, su función principal es detectar amenazas latentes o emergentes: desde vulnerabilidades técnicas hasta indicios de campañas de desinformación o espionaje industrial, etc.

La amplitud del espectro de fuentes hace que este perfil deba mantenerse en constante actualización tecnológica.

A ello se suma la creciente integración de herramientas de inteligencia artificial para detectar patrones anómalos, automatizar búsquedas complejas o correlacionar eventos en tiempo real. Aun así, la última etapa —la interpretación analítica— sigue dependiendo del juicio humano, especialmente ante amenazas híbridas o actores con alto grado de sofisticación.

Sin embargo, el rol del analista no se limita a identificar el peligro; también debe contextualizarlo. Ello implica comprender quién podría estar detrás del riesgo, cuál es su motivación, qué impacto potencial tendría en la organización y cómo podría evolucionar. Es decir, no se trata simplemente de decir "hay una amenaza", sino de articular un diagnóstico claro, con lenguaje comprensible para los responsables de la toma de decisiones.

Para lograrlo, el analista integra dimensiones técnicas con elementos geopolíticos, económicos, socioculturales e incluso psicológicos propios del comportamiento de los actores hostiles. Esta capacidad de contextualizar es lo que diferencia a un técnico de ciberseguridad de un verdadero analista de ciberinteligencia: el primero detecta un incidente; el segundo explica su relevancia, su impacto y sus posibles horizontes de evolución.

Por eso, además de habilidades técnicas (en redes, protocolos, malware, criptografía), el analista de ciberinteligencia necesita competencias analíticas, comunicativas y estratégicas.

Se suman también competencias emergentes, como pensamiento crítico aplicado a sistemas automatizados, comprensión de métricas de riesgo cibernético, nociones de gobernanza digital y dominio de estándares internacionales como MITRE ATT&CK, NIST 800-53 o marcos de ciberresiliencia empresarial. Esta combinación es la que permite que su valoración sea escuchada y comprendida por equipos directivos.

Sus responsabilidades suelen incluir:

- Monitoreo continuo del entorno digital en busca de indicadores de compromiso (IoCs).
- Elaboración de informes de inteligencia táctica, operativa y estratégica.
- Evaluación de riesgos asociados a incidentes detectados o amenazas en desarrollo.
- Generar recomendaciones de medidas de mitigación.
- Prestar soporte a equipos de ciberseguridad, cumplimiento normativo o gestión de crisis.
- Participar de manera constante en simulacros, análisis forenses y revisión de incidentes pasados.

En organizaciones con mayor madurez, estas responsabilidades pueden ampliarse hacia la automatización de flujos de inteligencia mediante SOAR/SIEM, desarrollo de modelos de alertas avanzadas, participación en ejercicios de red team/blue team o contribución a equipos de threat hunting proactivos.

En estas organizaciones, el analista también contribuye al diseño de programas de ciberresiliencia y a la formación de una cultura de seguridad digital, alineando sus hallazgos con políticas corporativas más amplias.

Este papel formativo resulta esencial para evitar que la inteligencia quede encapsulada en un departamento técnico. El analista debe ser capaz de democratizar el conocimiento, sensibilizar a empleados y directivos, e impulsar una cultura donde la seguridad sea asumida como responsabilidad colectiva.

Analista de inteligencia de negocios: arquitecto del conocimiento corporativo

Por su parte, el analista de inteligencia de negocios actúa como puente entre los datos y las decisiones empresariales. Su misión es identificar patrones, correlaciones y anomalías que ayuden a la organización a comprender mejor su entorno operativo, a prever tendencias y a optimizar sus recursos. Aunque su trabajo se basa en datos más "tradicionales" —ventas, finanzas, logística, comportamiento del cliente—, eso no significa que su impacto sea menos estratégico.

Su trabajo se ha ampliado hacia el análisis de experiencia del cliente, gestión de datos no estructurados, integración de fuentes externas (benchmark sectorial, análisis competitivo) y construcción de modelos predictivos que permiten anticipar fluctuaciones de demanda o detectar problemas operativos antes de que se materialicen.

Ello se debe a que este tipo de profesional se encarga de modelar escenarios futuros, interpretar el rendimiento de diferentes áreas de la empresa y plantear soluciones concretas basadas en evidencia cuantitativa. Por consiguiente, su labor precisa de un equilibrio entre conocimiento técnico, visión de negocio y sensibilidad para presentar sus análisis de manera clara y útil para distintos perfiles (gerentes, directivos, áreas operativas, etc).

Su capacidad de comunicación es clave: un análisis técnicamente riguroso pero mal presentado puede ser ignorado. Por ello, los analistas de BI dominan técnicas de storytelling, visualización avanzada y generación de insights que permitan a los líderes comprender el "por qué" detrás de los números.

Las funciones típicas de este rol incluyen:

- La recolección y transformación de datos a partir de diversas fuentes (ERP[4], CRM[5], bases de datos internas, redes sociales).
- Diseño de *dashboards* interactivos y reportes personalizados.
- Aplicar modelos estadísticos y predictivos para así lograr anticipar comportamientos.
- Análisis de KPIs[6] y desempeño operativo.
- Generación de insights accionables para campañas, productos o decisiones financieras.
- Apoyo a la planificación estratégica a corto, medio y largo plazo.

En empresas altamente digitalizadas, este rol también puede incluir la experimentación A/B, análisis de cohortes, segmentación avanzada mediante machine learning o integración con arquitecturas de datos modernas como data lakes o plataformas cloud.

Además, también conviene tener presente que en algunas organizaciones, el analista de BI también colabora estrechamente con equipos de marketing, ventas o innovación, detectando oportunidades de mejora o anticipando crisis en mercados cambiantes.

Esta colaboración cruzada convierte al analista en un facilitador de conocimiento entre departamentos que tradicionalmente operaban de manera aislada. Su trabajo ayuda a reducir silos informativos y a impulsar decisiones alineadas con la estrategia global.

Más allá de la descripción: un rol en evolución

Igualmente, se considera importante destacar que, en ambos casos, el analista ya no es visto como un técnico aislado, sino como un actor clave del ecosistema de las organizaciones. Pues su valor no

---

4 **ERP**: sistema de planificación de recursos.

5 **CRM**: gestión de relaciones con el cliente.

6 **KPIs**: indicadores clave de rendimiento.

reside únicamente en el análisis, sino también en su capacidad para traducir complejidad en claridad, ambigüedad en orientación y datos en decisiones.

Esta capacidad de síntesis es especialmente valiosa en contextos de incertidumbre extrema o en escenarios donde la inmediatez demanda reducir tiempos de análisis sin comprometer la calidad del resultado.

Además, en la práctica, los límites entre ambas disciplinas se están desdibujando. Tanto es así que, no es raro encontrar analistas de BI que deben lidiar con incidentes de seguridad, o analistas de ciberinteligencia que deben comprender variables comerciales para evaluar correctamente el impacto de una amenaza.

Esta convergencia responde al fenómeno de la "inteligencia integrada", donde los datos corporativos, operativos y de seguridad se unifican para ofrecer una visión completa del negocio y sus riesgos. La frontera entre negocio y ciberseguridad se ha vuelto difusa.

Ambos perfiles comparten una realidad exigente, que no es otra que trabajar con información imperfecta, bajo presión, con urgencia, y con la necesidad de justificar cada recomendación. Su formación, por tanto, debe ser integral: técnica, analítica, estratégica y ética.

Este contexto obliga a desarrollar resiliencia cognitiva, capacidad de priorización y dominio de técnicas de análisis estructurado que permitan sostener la objetividad incluso en condiciones de presión temporal.

Diversidad organizacional y variaciones culturales

Otro aspecto para tener presente es que el rol del analista también está profundamente condicionado por el nivel de madurez organizacional. En entornos incipientes, estos profesionales suelen asumir un perfil generalista, abarcando desde la recopilación hasta la visualización de datos. En cambio, en empresas consolidadas los analistas se especializan y operan en equipos multidisciplinarios junto a ingenieros de datos, arquitectos de soluciones y científicos de datos entre otros.

En organizaciones multinacionales, además, la función del analista puede incluir la coordinación entre distintas sedes, la adaptación a regulaciones locales y la gestión de flujos de información globales que requieren precisión y consistencia.

Asimismo, su papel varía entre las diferentes culturas. En América Latina, su perfil suele ser flexible, adaptativo y multitarea. Mientras que en Europa, suele esperarse una rigurosidad metodológica ligada al cumplimiento normativo. Y por ejemplo, en Asia, se valora la capacidad de integración con sistemas automatizados y tecnologías de vanguardia.

Estas diferencias culturales influyen en el grado de autonomía, la forma de presentar informes, el nivel de formalización de los procesos y la velocidad con la que se adoptan nuevas metodologías analíticas.

Especializaciones emergentes y evolución futura

Como es posible imaginar a estas alturas, el título "analista" ya no remite a una sola función. Pues existen perfiles tácticos, operativos, estratégicos, visuales e híbridos, cada uno adaptado a distintas necesidades organizativas. Por lo que, esta diversidad amplía las posibilidades profesionales, pero también exige una preparación continua y multidimensional.

Algunas especializaciones emergentes incluyen analistas de inteligencia de amenazas con IA, analistas de inteligencia competitiva avanzada, analistas de riesgo normativo digital o perfiles híbridos especializados en fraude, compliance y análisis de comportamiento.

Ahora bien, con el avance de la inteligencia artificial y la automatización del análisis, se espera que el rol del analista se vuelva aún más crítico. No para reemplazar máquinas, sino para garantizar que las decisiones se basen en datos relevantes, comprensibles y éticamente interpretados.

La supervisión humana será esencial para evitar sesgos, errores de automatización y decisiones basadas exclusivamente en correlaciones estadísticas sin profundidad contextual.

Responsabilidades clave del analista de ciberinteligencia vs. analista de Inteligencia de negocios

Responsabilidad	Analista de ciberinteligencia	Analista de inteligencia de negocios
Recolección de datos	OSINT, SIGINT, *logs* de red, *dark web*, bases de datos internas y fuentes especializadas	Bases de datos empresariales (ERP, CRM), hojas de cálculo, redes sociales, sistemas de ventas
Procesamiento y análisis de información	Identificación de amenazas, análisis de vulnerabilidades, elaboración de perfiles de riesgo	Identificación de patrones, análisis de tendencias, segmentación de clientes, predicción de demanda
Elaboración de informes	Informes tácticos, operativos y estratégicos dirigidos a equipos de seguridad o alta dirección	Dashboards, reportes ejecutivos y análisis de KPIs dirigidos a áreas de negocio
Evaluación de riesgos y amenazas	Valoración del impacto potencial de incidentes cibernéticos o ataques dirigidos	Valoración del impacto de decisiones comerciales o desviaciones operativas
Soporte a la toma de decisiones	Aporta información clave para decisiones de seguridad y respuesta ante crisis	Apoya decisiones estratégicas, financieras, comerciales y operativas
Uso de herramientas especializadas	Maltego, Wireshark, ThreatConnect, Cuckoo Sandbox, MISP, plataformas OSINT	Power BI, Tableau, Qlik Sense, SQL, Python para análisis de datos, herramientas de minería y modelado
Colaboración interdepartamental	Con equipos de seguridad informática, legal, recursos humanos y comunicación	Con marketing, finanzas, operaciones, dirección general y desarrollo de productos
Desarrollo de cultura organizacional	Promueve la conciencia sobre amenazas digitales y buenas prácticas de seguridad	Fomenta el pensamiento analítico, el uso del dato en la toma de decisiones y la eficiencia operativa

La convergencia entre ambos roles se hace más evidente a medida que las organizaciones digitalizan todos sus procesos. Por ello, muchas empresas ya incorporan estructuras donde ambos analistas colaboran para detectar riesgos, anticipar comportamientos y diseñar estrategias basadas en datos e inteligencia contextual.

Las responsabilidades descritas pueden entenderse en tres planos complementarios. En un primer nivel, el técnico, el analista gestiona datos, aplica metodologías y emplea herramientas especializadas. En un segundo nivel, el analítico, interpreta información, formula hipótesis y construye escenarios plausibles bajo condiciones de incertidumbre. Finalmente, en un nivel estratégico, contribuye al proceso decisional al priorizar riesgos, estructurar alternativas y aportar claridad en contextos complejos. La verdadera madurez profesional del analista reside en su capacidad para integrar coherentemente estos tres planos.

3. DIFERENCIAS CON OTROS ROLES EN EL ANÁLISIS DE DATOS

Encontrándonos en un ecosistema cada vez más orientado al dato, donde convergen profesionales de múltiples disciplinas técnicas y estratégicas, resulta fundamental distinguir con claridad el rol del analista de inteligencia frente a otros perfiles que operan dentro del universo del análisis.

Esta diferenciación es particularmente importante en organizaciones donde la digitalización ha dado lugar a estructuras complejas de datos: equipos de ciencia de datos, unidades de ciberseguridad, arquitecturas de Big Data, áreas de compliance y analítica de negocio pueden coexistir, y sin una delimitación clara, los solapamientos generan ineficiencias o lagunas de responsabilidad.

Ciertamente, esta diferenciación no es meramente terminológica; implica comprender la naturaleza específica de su aporte, sus competencias distintivas y el enfoque particular que aplica al tratamiento de la información.

La terminología puede confundir, especialmente porque muchos puestos comparten palabras como “analista”, “datos”, “inteligencia” o “estrategia”.

Sin embargo, el aporte del analista de inteligencia se distingue por su énfasis en el contexto, la interpretación y la orientación a decisiones, no únicamente en el dato como tal. Su foco está en el porqué y el para qué, no solo en el cómo.

El analista de inteligencia —ya sea especializado en ciberinteligencia o en inteligencia de negocios— se diferencia por su capacidad para convertir información en conocimiento orientado a la toma de decisiones, siempre dentro de un marco contextual, estratégico y prospectivo. Ya que, mientras que otros perfiles pueden centrarse en la preparación técnica de los datos, el desarrollo de modelos complejos o la gestión de infraestructura, el analista de inteligencia opera como puente crítico entre el dato y la acción.

Esta capacidad de proyectar escenarios y anticipar impactos es una de las competencias más distintivas del rol. El analista no se limita a describir lo que ocurrió, sino que interpreta lo que podría ocurrir y, más importante aún, lo que significa para la organización. Su producto no es el informe técnico, sino la orientación estratégica.

Científico de datos vs. analista de inteligencia

El científico de datos, también conocido como *data scientist* es, sin duda, uno de los perfiles más reconocidos en el ámbito del análisis. Pues su trabajo se caracteriza por la construcción de modelos estadísticos y algoritmos avanzados para resolver problemas mediante técnicas como el *machine learning* o el procesamiento de lenguaje natural (NLP). Por tanto, este perfil en concreto requiere un dominio profundo de matemáticas, estadística y programación, y su objetivo es producir herramientas predictivas o automatizadas.

Su producto principal suele ser un modelo funcional o un sistema capaz de aprender patrones. En muchos casos, el científico de datos trabaja en etapas previas a la toma de decisiones, diseñando herramientas que otros utilizarán para obtener conclusiones. Es un rol altamente técnico, orientado a abstracciones matemáticas y optimización algorítmica.

En cambio, el analista de inteligencia trabaja con una lógica más interpretativa y menos algorítmica. Aunque bien puede utilizar modelos estadísticos, su foco no está en el desarrollo de tecnología sino en la lectura crítica del entorno, el análisis de patrones, la evaluación de riesgos o escenarios, y la formulación de hipótesis útiles para la decisión. En tanto que el científico de datos formula preguntas matemáticas, el analista de inteligencia traduce datos en narrativas estratégicas. O lo que es lo mismo, uno construye sistemas y el otro genera significado.

El analista puede usar los modelos construidos por el data scientist, pero su fortaleza radica en interpretarlos con criterio estratégico.

Tiene una responsabilidad narrativa: transformar resultados cuantitativos en implicaciones reales, comprensibles y accionables para líderes que no necesariamente dominan la estadística avanzada.

Ingeniero de datos vs. analista de inteligencia

El ingeniero de datos (*data engineer*) es el profesional responsable de diseñar, construir y mantener los sistemas que permiten recolectar, almacenar y transformar datos. Su función aunque a priori parezca imperceptible es realmente esencial, pues sin una arquitectura sólida, ni el análisis ni la inteligencia serían posibles. Este perfil domina bases de datos, lenguajes de procesamiento (como SQL, Spark o Scala), herramientas de integración y flujos ETL[7].

En la práctica, es quien garantiza que los datos viajen, estén limpios, disponibles y correctamente estructurados para su uso posterior. Su aporte está en la eficiencia del ecosistema de datos, la automatización y la calidad del dato, aspectos que son críticos pero invisibles si se realizan adecuadamente.

En cambio, el analista de inteligencia no suele intervenir en estos procesos. Dado que su punto de partida es el dato ya disponible. En consecuencia, en lugar de construir *pipelines*[8], su tarea es navegarlos, comprender qué información es relevante, cómo se conecta con otros elementos del contexto, y qué implicaciones tiene. Es decir, mientras el ingeniero prepara el terreno, el analista extrae valor de lo que brota en él.

Esta separación es clave: el ingeniero asegura la infraestructura, el analista asegura el sentido. Sin ese puente interpretativo, el dato —por muy bien almacenado o procesado que esté— carece de impacto organizacional.

---

7 **ETL**: "*Extracción, transformación y carga (ETL) es el proceso consistente en combinar datos de diferentes orígenes un gran repositorio central llamado almacenamiento de datos*" Vía: https://aws.amazon.com/es/what-is/etl/#:~:text=Extracci%C3%B3n%2C%20transformaci%C3%B3n%20y%20carga%20(ETL)%20es%20el%20proceso%20consistente,central%20llamado%20almacenamiento%20de%20datos.

8 ***Pipeline***: en informática, cadena de procesos conectados.

Analista de datos generalista vs. analista de inteligencia

La figura del analista de datos suele definirse por su rol transversal en áreas como marketing, finanzas o ventas. Si bien suele enfocarse en el análisis de KPIs, la elaboración de reportes periódicos y el soporte a procesos operativos mediante *dashboards* y visualizaciones, su trabajo puede tener impacto estratégico. Además, suele estar más orientado a lo descriptivo y al seguimiento de métricas establecidas.

El analista de datos se caracteriza por su cercanía a la operación diaria y por un enfoque más rutinario, centrado en indicadores establecidos y reportes regulares. Su misión responde a preguntas concretas: ¿qué pasó? ¿cuánto? ¿dónde?

El analista de inteligencia, por su parte, tiene una misión más exploratoria, contextual y adaptativa. Ya que, busca detectar cambios en el entorno, anticiparse a riesgos o visualizar oportunidades.

Esto es, que no se limita a responder preguntas ya formuladas, sino que muchas veces plantea nuevas preguntas a partir de señales débiles o datos dispersos. Por lo que podríamos decir que su trabajo es menos repetitivo y más investigativo, requiriendo una capacidad crítica constante.

Su enfoque es prospectivo: se formula preguntas que aún no existen, identifica anomalías que podrían transformarse en amenazas u oportunidades y analiza relaciones ocultas entre eventos. Se mueve entre la anticipación y la explicación, no solo entre la medición y la descripción.

Analista de seguridad vs. analista de ciberinteligencia

En el ámbito de la ciberseguridad, puede parecer que el analista de ciberinteligencia se solapa con perfiles como el analista SOC (*Security Operations Center*) o el analista de incidentes. Sin embargo, hay diferencias importantes como veremos a continuación.

El analista SOC responde ante alertas inmediatas, realiza tareas de detección técnica y ejecuta procedimientos ante amenazas conocidas. Por consiguiente, su trabajo verdaderamente es más técnico-operativo.

El analista SOC opera con ventanas temporales muy cortas, siguiendo protocolos y playbooks estandarizados. Su objetivo es contener, mitigar y resolver incidentes en tiempo real.

En cambio, el analista de ciberinteligencia, trabaja con una visión más amplia, anticipatoria y geopolítica. Se interesa por el origen de las amenazas, los actores implicados, sus motivaciones, y el modo en que estos se adaptan a las circunstancias. Asimismo, analiza campañas, patrones de comportamiento y vincula lo técnico con lo estratégico.

Su perspectiva abarca capas más profundas: analiza ecosistemas adversarios, tendencias criminales, entornos normativos, conflictos internacionales y estrategias ofensivas de grupos organizados. Mientras el analista SOC apaga incendios, el analista de ciberinteligencia estudia por qué se iniciaron y cómo evitar los siguientes.

Consultor de negocios vs. analista de inteligencia de negocios

Existe otra figura conocida como el consultor de negocios. Y este rol suele trabajar desde fuera de la organización, orientado a generar diagnósticos o soluciones estratégicas basadas en análisis del entorno, procesos o estructura. Aunque también trabaja con datos, su enfoque suele ser macroeconómico, organizacional o comercial. Además, sus intervenciones tienden a ser puntuales, ligadas a proyectos o auditorías específicas.

En la mayoría de los casos, el consultor opera con una visión externa que, aunque valiosa, carece de la continuidad y la inmersión que posee un analista interno. Su valor recae en la objetividad y en el benchmarking entre múltiples organizaciones.

El analista de BI, en cambio, forma parte de la estructura interna y trabaja con datos en tiempo real, de manera continua y cercana a las operaciones diarias. Es un observador permanente del comportamiento organizacional, capaz de emitir recomendaciones sostenidas, contextualizadas y accionables con mayor agilidad y realismo.

Esto le permite detectar patrones que un consultor externo no podría observar: fluctuaciones anómalas, cuellos de botella operativos o comportamientos recurrentes que requieren intervención estratégica.

Zonas grises y colaboración interdisciplinaria

Si nos atenemos a la práctica, o lo que es lo mismo el día a día, los límites entre estos roles no siempre son nítidos. Especialmente en entornos ágiles o en equipos reducidos, es habitual encontrar zonas grises donde las responsabilidades se solapan. Por ejemplo, un analista de inteligencia puede colaborar estrechamente con científicos de datos, compartiendo hipótesis o validando resultados. Del mismo modo, puede participar en el diseño de soluciones junto a ingenieros de datos o en presentaciones con consultores externos.

En organizaciones más avanzadas, aparecen células híbridas —como equipos de inteligencia integrada, squads analíticos o war rooms digitales— donde estos perfiles trabajan de forma conjunta, compartiendo herramientas, marcos analíticos y metodologías de validación.

Este trabajo interdisciplinario es una de las grandes fortalezas del analista de inteligencia y su formación lo posiciona como un facilitador entre áreas. Ello se debe a que es capaz de dialogar con técnicos, estrategas y líderes. Más que competir por espacios, estos perfiles se enriquecen mutuamente cuando se articulan en estructuras colaborativas.

Su rol de mediador intelectual permite evitar distorsiones: traduce la complejidad técnica al lenguaje estratégico y convierte la visión estratégica en necesidades analíticas concretas. Es un conector natural de equipos que, sin su intervención, podrían trabajar en silos.

El impacto organizacional y la cultura del dato

Otra distinción clave es el impacto cultural que genera el analista de inteligencia dentro de la organización. A diferencia de otros perfiles que operan más desde lo técnico, este profesional incide directamente en la forma en que se perciben y procesan los datos. Además, fomenta el pensamiento crítico, introduce metodologías de análisis comparativo y promueve una cultura basada en la evidencia.

En muchas organizaciones, este cambio cultural es tan valioso como el análisis en sí. Introducir la lógica analítica implica cuestionar supuestos, desafiar inercias y fundamentar decisiones en datos verificables, no en percepciones o intuiciones.

Por esta razón, en contextos donde la intuición o la jerarquía han guiado históricamente las decisiones, el analista de inteligencia introduce una lógica de pregunta, contraste y validación, que transforma los procesos y las mentalidades.

Este enfoque incrementa la transparencia organizacional, mejora la rendición de cuentas y fortalece la gobernanza interna, contribuyendo a organizaciones más resilientes, eficientes y responsables.

Proyecciones futuras: el analista frente a la automatización

Viviendo en un escenario de acelerada automatización y expansión de la inteligencia artificial, muchos roles técnicos están siendo redefinidos. Sin embargo, el analista de inteligencia no solo mantiene su relevancia, sino que la refuerza. Pues a medida que los sistemas sean capaces de procesar más datos con mayor velocidad, el valor diferencial residirá en quién es capaz de interpretar, priorizar y dar sentido a esa información.

La automatización multiplica los datos disponibles, pero también amplifica la necesidad de pensamiento crítico. Sin una figura humana que interrogue, contraste y contextualice, cualquier organización corre el riesgo de tomar decisiones basadas en correlaciones erróneas o interpretaciones incompletas.

Dado que, si bien los algoritmos pueden detectar anomalías o generar predicciones, no necesariamente comprenden el entorno político, la historia institucional o los matices culturales. Es allí donde entra en juego el analista como lector contextual, como arquitecto de significados y mediador entre la máquina y la decisión humana.

Su papel futuro será aún más híbrido: combinará el dominio de herramientas automatizadas con una capacidad superior de interpretación estratégica. La tecnología será su aliada, no su sustituta.

Más allá de las diferencias funcionales o técnicas, existe una distinción de fondo que define al analista de inteligencia. Mientras que perfiles como el data scientist o el ingeniero de datos trabajan principalmente con modelos estructurados y variables cuantificables, el analista de inteligencia opera en contextos de incertidumbre estructural, donde los datos pueden ser incompletos, ambiguos o incluso contradictorios. Su labor no consiste únicamente en optimizar modelos, sino en gestionar hipótesis competitivas, evaluar escenarios plausibles y reducir la ambigüedad estratégica para el decisor.

4. IMPACTO DEL ANALISTA EN LA TOMA DE DECISIONES EMPRESARIALES

El valor del analista de inteligencia —ya sea enfocado en ciberinteligencia o en inteligencia de negocios— se desprende con mayor claridad cuando se analiza su influencia sobre las decisiones que moldean el rumbo de una organización. Pues lejos de ser un mero recolector o procesador de datos, este profesional actúa como catalizador de decisiones informadas, sostenibles y contextualizadas, en un entorno empresarial donde la incertidumbre es la norma y no la excepción.

En otras palabras, el analista de inteligencia se convierte en un filtro cualificado entre el ruido informativo y la decisión ejecutiva. En contextos donde abundan informes, cuadros de mando y alertas automáticas, su intervención permite priorizar lo verdaderamente relevante, identificar puntos ciegos y evitar decisiones impulsivas basadas en percepciones fragmentadas o sesgos individuales.

De hecho, en muchas organizaciones, las decisiones estratégicas, tácticas y operativas se ven condicionadas por la disponibilidad, calidad e interpretación de los datos. En este tipo de situaciones, el analista no solo proporciona información, la convierte en comprensión y la traduce en acción. Por lo que, como puede intuirse, su impacto no es lineal ni uniforme; varía según el tipo de organización, su cultura interna y su nivel de madurez en el uso del dato como activo estratégico.

En organizaciones con baja madurez analítica, el analista suele dedicar gran parte de su esfuerzo a explicar la importancia del dato y a construir confianza en sus recomendaciones. En organizaciones más avanzadas, su rol se alinea con comités de dirección, oficinas de riesgos o áreas de transformación digital, donde su voz se integra de manera natural en los procesos formales de decisión.

Desde la información hasta la ventaja

El trabajo del analista se refleja en distintos planos de decisión:

- Táctico: en este nivel, el analista colabora con áreas operativas —por ejemplo, seguridad, marketing o logística— para ajustar procesos, detectar anomalías o mejorar rendimientos. Un analista de inteligencia de negocios puede alertar sobre una caída inesperada en la conversión de ventas online tras una campaña específica. Por otro lado, uno de ciberinteligencia puede detectar un patrón de acceso inusual que permita contener una filtración de datos antes de que escale.
- Operativo: aquí el analista traduce los hallazgos en ajustes concretos en flujos, sistemas o protocolos. Su análisis puede justificar la reestructuración de un canal de distribución, la incorporación de nuevas medidas de protección en la infraestructura tecnológica o el rediseño de procedimientos críticos.
- Estratégico: en el plano más alto, el analista orienta la toma de decisiones que afectan la dirección general de la organización. Puede anticipar tendencias de mercado, identificar riesgos reputacionales o proponer medidas preventivas ante ciberamenazas complejas. Por lo que no se trata solo de un informante, es también un asesor confiable cuya perspectiva se convierte en parte del discurso estratégico de la empresa.

Este despliegue multinivel convierte al analista en una pieza clave de cohesión: sus análisis tácticos alimentan decisiones operativas, y la agregación de ambas capas nutre la reflexión estratégica. La inteligencia, así, deja de ser una actividad aislada para convertirse en un hilo conductor que alinea el día a día con la visión de largo plazo.

Impacto cualitativo

Ahora bien, si nos centramos en las contribuciones de este rol, una de las más importantes es su capacidad para dar sentido a la información numérica, filtrando lo irrelevante, descubriendo relaciones significativas y contextualizando los datos dentro de una narrativa coherente. Y justamente este valor no es reemplazable por la automatización, ya que requiere juicio humano, conocimiento del contexto y sensibilidad organizacional.

Este impacto cualitativo se traduce en confianza. Directivos y mandos intermedios recurren al analista cuando necesitan no solo cifras, sino explicaciones, escenarios y recomendaciones. El analista aporta matices, condiciones y advertencias que rara vez aparecen en un simple dashboard automatizado.

Por ejemplo, un conjunto de indicadores de desempeño puede parecer estable, pero el analista es capaz de advertir señales sutiles que anticipan un deterioro estructural: la disminución progresiva de la retención de clientes clave, la correlación entre incidencias técnicas y quejas no reportadas, o el cambio en el comportamiento digital de un segmento estratégico.

Del mismo modo, puede señalar que una aparente mejora en determinados indicadores oculta un riesgo a largo plazo: crecimiento basado en clientes poco rentables, dependencia excesiva de un solo proveedor, o aumento de ingresos acompañado de deterioro en la satisfacción del cliente o en la calidad del servicio.

De forma similar, en ciberinteligencia, el analista puede detectar patrones de comportamiento que no alertan de forma automática en los sistemas, pero que —desde una lectura geopolítica o socioeconómica— adquieren un significado nuevo, como el inicio de una campaña coordinada de desinformación o una operación de hacktivismo dirigida.

Esta lectura ampliada permite elevar las decisiones de seguridad a la categoría de decisiones estratégicas: no se trata solo de bloquear una IP o parchear un sistema, sino de comprender qué mensaje se pretende enviar, qué intereses están en juego y cómo puede afectar al posicionamiento de la organización frente a sus stakeholders.

Decisiones más informadas, menos reactivas

Las organizaciones que integran al analista de inteligencia en su estructura de decisiones tienden a evolucionar hacia modelos menos reactivos y más proactivos. Esto se debe a que, en lugar de actuar ante el problema, actúan ante la señal; en vez de adaptarse a los cambios, los anticipan. Por ende, estas actitudes o acciones permiten reducir costos, proteger activos, fortalecer la reputación y mejorar la capacidad de innovación.

En la práctica, esta proactividad se materializa en la adopción de alertas tempranas, escenarios "qué pasaría si..." y planes de contingencia diseñados antes de que las crisis estallen. El analista contribuye así a transformar la gestión de crisis en gestión de riesgos, y la gestión de riesgos en gestión de oportunidades.

Por consiguiente, dicho impacto no es sólo técnico, también lo es a nivel cultural. Con cada informe, recomendación o presentación, el analista introduce un modelo mental distinto, que no es otro que el del análisis pausado frente al impulso, el de la evidencia frente a la especulación y el de la planificación frente a la improvisación.

Con el tiempo, este modelo mental termina impregnando reuniones, comités y procesos clave: se normaliza la pregunta "¿qué evidencias tenemos?" antes de decidir, se incorporan escenarios alternativos, y se vuelve habitual revisar supuestos en lugar de darlos por sentados.

Ciberinteligencia e inteligencia de negocios

Aunque ambos perfiles comparten la lógica del análisis y la toma de decisiones basada en datos, su impacto se produce en ámbitos distintos:

Por un lado, el analista de ciberinteligencia contribuye decisivamente a decisiones de seguridad, cumplimiento normativo, continuidad operativa y defensa de activos digitales. Su influencia es esencial en situaciones de crisis o en sectores críticos (finanzas, salud, energía, defensa).

Sin embargo, el analista de inteligencia de negocios incide en decisiones comerciales, estratégicas, financieras y de producto. Pues sus análisis pueden redirigir inversiones, ajustar estrategias de marketing, replantear modelos de precios o rediseñar procesos internos.

Como podemos ver ambos perfiles convergen cuando se trata de garantizar decisiones sólidas, sustentadas y alineadas con los objetivos de la organización.

En organizaciones avanzadas, ambos roles se coordinan de forma creciente: por ejemplo, una decisión sobre el lanzamiento de un nuevo servicio digital requiere tanto el análisis de viabilidad comercial como la evaluación de riesgos de ciberseguridad, privacidad y cumplimiento. La inteligencia integrada se convierte así en una condición de competitividad.

Casos de referencia

Empresas líderes como Amazon, Telefónica, BBVA o Roche han incorporado estructuras analíticas robustas donde el rol del analista es central. En muchas de ellas, las decisiones críticas —desde el lanzamiento de un nuevo servicio hasta la respuesta a una vulnerabilidad crítica— se toman tras la validación del equipo de inteligencia. No por intuición, sino por interpretación inteligente de los datos.

Estos equipos suelen estar organizados en células multidisciplinares que combinan perfiles de negocio, tecnología, ciberseguridad y cumplimiento. El analista de inteligencia actúa como hilo conductor, integrando visiones y asegurando que ninguna decisión relevante se tome sin un mínimo de contraste analítico.

Y en sectores como la defensa nacional o la inteligencia pública, analistas de ciberinteligencia han sido clave para evitar ataques, anticipar movimientos hostiles o proteger infraestructuras sensibles, contribuyendo así a la seguridad estratégica de los Estados.

En estos contextos, un único informe bien fundamentado puede marcar la diferencia entre una respuesta a tiempo y un incidente con consecuencias irreversibles. La responsabilidad del analista adquiere, por tanto, una dimensión no solo organizacional, sino también social y, en ocasiones, geopolítica.

En definitiva, el analista de inteligencia transforma la lógica de la decisión empresarial. Pues su presencia introduce una capa de profundidad, rigurosidad y previsión que permite a las organizaciones ser menos vulnerables, más conscientes y competitivas. No es solo quien "informa", es quien ayuda a pensar mejor.

Dicho de otro modo: el analista no solo aporta información, sino un **modo de razonar**. Su mayor contribución no es un informe concreto, sino la consolidación de una forma de decidir basada en evidencia, contexto y anticipación, que permanece incluso cuando cambian las herramientas o las tecnologías.

El impacto real del analista no se mide únicamente por la precisión técnica de sus informes, sino por su capacidad para generar ventaja cognitiva dentro de la organización. En entornos complejos, anticipar riesgos, redefinir prioridades estratégicas o alertar sobre escenarios no evidentes puede resultar más determinante que optimizar indicadores operativos. Su aportación no consiste solo en informar, sino en ampliar el marco de comprensión desde el cual se toman decisiones.

5. EJEMPLOS PRÁCTICOS DE PROYECTOS LIDERADOS POR ANALISTAS

Uno de los métodos más efectivos de comprender el verdadero alcance del trabajo de un analista de inteligencia, tanto en el ámbito de la ciberinteligencia como en el de la inteligencia de negocios, es observar proyectos reales donde su labor fue determinante. Estos ejemplos no solo ilustran qué tipo de iniciativas lideran, sino que también muestran cómo sus análisis impactan directamente en la eficiencia, la seguridad y la estrategia de organizaciones complejas.

Además, estos casos permiten visualizar algo que a menudo no se aprecia en los organigramas: el analista actúa como eje de conexiones entre áreas, tiempos y niveles de decisión. Cada proyecto se convierte en un laboratorio donde se pone a prueba su capacidad para combinar datos, contexto y criterio, y donde se evidencian las consecuencias prácticas de una buena (o mala) inteligencia.

Como hemos ido viendo, el analista no actúa como un técnico de apoyo, sino como un impulsor de soluciones estratégicas. Hasta el punto de que, en muchos casos es quien detecta el problema, diseña la metodología de análisis, selecciona las herramientas adecuadas, coordina con equipos técnicos y comunica los hallazgos a la alta dirección. Así pues, lo que define su intervención no es únicamente el dominio de los datos, es también su capacidad de transformar una situación difusa en una decisión informada.

En esta faceta, el analista funciona casi como un "director de orquesta" del conocimiento: identifica las piezas dispersas, marca el ritmo del análisis, coordina a los especialistas y asegura que el resultado final sea comprensible y útil para quienes deben decidir. Esta combinación de liderazgo intelectual y capacidad de ejecución es una de las constantes que se observan en los casos que siguen.

Caso 1. Optimización de la cadena de suministro en SKF (inteligencia de negocios)

Contexto previo

SKF es una multinacional sueca fundada en 1907, líder mundial en soluciones de ingeniería y fabricación de rodamientos. Con operaciones en más de 130 países, su modelo de negocio depende críticamente de una cadena de suministro compleja, que involucra centros de producción, distribución, proveedores y clientes en múltiples zonas horarias, idiomas y marcos normativos.

Pues bien, a mediados de la década de los 2010, SKF enfrentaba una creciente presión por parte de sus clientes industriales, pues exigían una mayor agilidad en las entregas, visibilidad en tiempo real sobre los pedidos y una reducción en los costos logísticos. A ésto se sumaban desafíos derivados de la volatilidad en los precios del transporte y de las materias primas, así como las interrupciones generadas por desastres naturales, tensiones geopolíticas y barreras aduaneras.

A pesar de contar con sistemas ERP contundentes y bases de datos bien estructuradas, los equipos operativos no disponían de una visión integrada de los procesos logísticos. Ello se debía a que cada región gestionaba sus indicadores de rendimiento de forma aislada, lo que impedía tomar decisiones coordinadas a nivel global. Por lo que, resultaba necesario transformar los datos en inteligencia activa, transversal y en tiempo real.

Este contexto refleja una situación habitual en grandes corporaciones: abundancia de datos, pero ausencia de una visión integradora. El problema no era tecnológico, sino de inteligencia: sin un marco común de interpretación, cada región optimizaba parcialmente su desempeño, aun cuando ello perjudicaba la eficiencia global.

La intervención de los analistas de inteligencia de negocios

Ante este desafío, el equipo directivo de SKF convocó a un grupo de analistas de BI con un mandato claro: reorganizar el modelo de análisis de la cadena de suministro, promoviendo una transición desde el enfoque reactivo hacia una lógica predictiva y colaborativa.

Se analizó cómo se estaban recopilando y utilizando los datos logísticos en cada región. Seguidamente, se detectó inconsistencias en la definición de KPIs, duplicidades en los informes y cuellos de botella en el acceso a la información. Posteriormente se desarrolló una arquitectura de datos común, estructurada por capas funcionales: inventario, distribución, producción y servicio al cliente. Además. se propuso una normalización de las métricas clave (por ejemplo, redefiniendo los tiempos de entrega efectivos vs. estimados).

El rol del analista fue, en este caso, tanto técnico como político: no solo diseñó nuevos indicadores, sino que negoció su adopción con responsables regionales, alineando intereses locales con objetivos globales. Esta dimensión de gestión del cambio es un componente frecuente, aunque poco visible, del trabajo analítico.

Se empleó Power BI para crear dashboards dinámicos, adaptados a diferentes perfiles: operadores logísticos, supervisores regionales, directivos globales. Así, estas herramientas permitieron identificar puntos críticos en tiempo real, visualizar tendencias e incluso anticipar rupturas de stock. Por otro lado, se aplicaron algoritmos de regresión y análisis de series temporales para prever demoras en la entrega, identificar patrones de saturación y estimar comportamientos de proveedores críticos. Finalmente, se procedió al diseño de sesiones de formación para los equipos locales, promoviendo una cultura analítica y el uso sistemático de la herramienta como apoyo a la toma de decisiones.

La formación resultó clave para evitar que los dashboards se convirtieran en meros "paneles decorativos". Los analistas se aseguraron de que los usuarios entendieran qué significaba cada indicador, cómo interpretar las tendencias y cómo traducirlas en decisiones concretas del día a día.

El impacto fue inmediato y significativo. SKF logró reducir los costos logísticos en un 12% durante el primer año tras la implementación. Mejorar los niveles de servicio, alcanzando un 98% de entregas a tiempo en mercados clave. Disminuir la dependencia de informes estáticos, favoreciendo una toma de decisiones más ágil y basada en datos compartidos. E incluso, aumentar la colaboración entre regiones, generando sinergias que antes eran imposibles de identificar. Los analistas de BI cumplieron con el objetivo técnico de mejorar el control de la cadena de suministro y transformaron la relación entre los datos y las decisiones logísticas dentro de la organización. Lo que provocó que este rol fuera reconocido como esencial en la evolución de SKF hacia un modelo más resiliente, digital y orientado al cliente.

Este caso ilustra cómo un proyecto liderado por analistas puede pasar de ser "una mejora de reporting" a convertirse en un pilar de la estrategia corporativa. Los resultados económicos fueron importantes, pero el cambio más profundo estuvo en la forma de coordinar y pensar la operación global.

Caso 2. MadPot: la estrategia de Amazon para anticiparse a amenazas cibernéticas (ciberinteligencia)

Contexto previo

Amazon, el gigante tecnológico y logístico global, procesa diariamente millones de transacciones, almacena información crítica de millones de clientes y gestiona infraestructuras tecnológicas a gran escala a través de *Amazon Web Services* (AWS). Esta posición privilegiada también lo convierte en un blanco constante para cibercriminales, grupos de hacktivismo y actores estatales que buscan vulnerar sus sistemas, robar información o alterar sus operaciones.

Durante el transcurso de solo siete meses, entre finales de 2022 y mediados de 2023, Amazon experimentó un incremento significativo en la cantidad de amenazas cibernéticas detectadas: pasó de 100 millones a más de 750 millones de intentos diarios. Estas cifras no sólo reflejaban una mayor exposición, sino también una evolución en la sofisticación y persistencia de los ataques.

Por tanto, los métodos tradicionales de defensa, los cuales estaban basados en firewalls, antivirus y detección reactiva etc, ya no eran suficientes. Es decir, Amazon necesitaba una solución integral que protegiera su infraestructura y le permitiera anticiparse a las amenazas antes de que impactaran. Y es aquí donde entra en juego el papel de los analistas de ciberinteligencia.

La escala del problema hacía inviable un enfoque puramente manual o reactivo. La organización necesitaba no solo más herramientas, sino una nueva forma de pensar la defensa: pasar de ser "objetivo" a ser observador activo del adversario.

Intervención de los analistas de ciberinteligencia

El equipo de analistas de ciberinteligencia de Amazon propuso efectuar un cambio radical de paradigma: dejar de esperar que ocurrieran los ataques para actuar, y comenzar a observar directamente cómo operaban los atacantes en sus entornos naturales. De esta manera, fue como nació MadPot, una red distribuida de *honeypots* diseñados estratégicamente para simular vulnerabilidades reales y atraer intencionalmente a los actores maliciosos.

Lo que se planteó concretamente fue que los *honeypots* no fueran simples trampas técnicas, sino plataformas de aprendizaje activo. Cada analista debía registrar, clasificar y correlacionar los métodos de ataque, herramientas empleadas, geolocalización del atacante, y vinculación con amenazas conocidas o emergentes.

La decisión de convertir los honeypots en laboratorios de inteligencia marcó la diferencia: el objetivo ya no era solo "engañar" al atacante, sino aprender de él de forma sistemática. El analista asumió un rol de investigador, construyendo conocimiento acumulativo sobre tácticas, técnicas y procedimientos.

Amazon implementó miles de instancias de MadPot en múltiples ubicaciones, simulando desde servidores vulnerables hasta sistemas de pago mal configurados. Lo que permitió que los analistas pudieran supervisar y configurar su comportamiento para adaptarse dinámicamente a nuevas tácticas de los atacantes.

Este despliegue masivo requería también capacidad de priorización: no todos los eventos observados eran igual de relevantes. Los analistas tuvieron que diseñar criterios para distinguir ruido de patrones verdaderamente peligrosos o novedosos.

Los datos recopilados por MadPot se integraban en una estructura visual que permitía mapear las relaciones entre IPs, vectores de ataque, malware detectado y actores identificados. Ésto facilitó detectar campañas organizadas, redes de bots y ataques dirigidos a infraestructuras críticas.

La visualización se convirtió en una herramienta clave de comprensión y comunicación. Gracias a ella, fue posible explicar a otros equipos —no necesariamente técnicos— la lógica de las campañas y la magnitud de las amenazas detectadas.

Así, a partir de los patrones detectados, los analistas definieron nuevas reglas de prevención, ajustes automáticos en firewalls, y alertas tempranas para otras plataformas dentro de AWS. La inteligencia generada por MadPot era aplicada directamente al entorno operativo.

De esta forma, el ciclo de inteligencia se cerraba de manera ejemplar: obtención, análisis, producción y difusión se integraban en un sistema vivo, donde cada nuevo ataque servía para reforzar la defensa futura.

El impacto del proyecto fue profundo y multifacético, dado que Amazon logró monitorear más del 25% de las direcciones IP de Internet, lo que le dio una ventaja estratégica en términos de visibilidad global de amenazas. Por otro lado, Identificó más de 100 campañas activas de ataque en tiempo real antes de que se materializaran contra su infraestructura. Lo que redujo drásticamente el tiempo de respuesta ante incidentes críticos. Y finalmente compartió inteligencia con *partners* y agencias gubernamentales, fortaleciendo su reputación como líder en ciberseguridad.

El caso de MadPot marcó un antes y un después en el enfoque corporativo hacia la ciberdefensa. El analista de ciberinteligencia no solo interpretó datos, también se convirtió en un estratega, en un arquitecto de observación del adversario y en un actor clave en la protección del ecosistema digital global.

El proyecto evidencia cómo, cuando se sitúa al analista en el centro del diseño de la solución, la organización deja de limitarse a "reaccionar" y pasa a influir en el propio terreno de juego de la ciberseguridad.

Caso 3. Target y el poder de anticipar decisiones personales a través del análisis predictivo (inteligencia de Negocios)

Contexto previo

Target Corporation, una de las mayores cadenas minoristas de Estados Unidos, compite en un mercado altamente saturado, donde cada ventaja competitiva en la relación con el cliente puede marcar la diferencia. En este caso, nos remontamos a principios del año 2010, cuando Target enfrentaba un desafío estratégico que era lograr que sus clientes regresaran a las tiendas de forma recurrente y fortalecer la relación con segmentos clave del mercado, como las familias jóvenes.

Uno de los momentos de mayor valor para una marca minorista es cuando un cliente experimenta un cambio de etapa vital —como mudarse, casarse o tener un hijo—, ya que suele modificar sus hábitos de consumo y su fidelidad a determinadas marcas. El problema era que estas transiciones no siempre se comunicaban explícitamente, y cuando llegaban a conocimiento del área de marketing, ya era demasiado tarde para influir de forma relevante.

Fue entonces cuando los analistas de inteligencia de negocios de Target propusieron una idea disruptiva que consistía en usar los datos de compra para anticipar eventos personales importantes en la vida de sus clientes, y así adaptar sus campañas publicitarias en el momento justo. Específicamente, el foco inicial del proyecto fue detectar embarazos antes de que fueran públicamente conocidos.

Este caso muestra hasta qué punto la inteligencia de negocios puede ir más allá de lo operativo y entrar en la esfera íntima de la vida del cliente, lo que multiplica tanto el potencial comercial como las implicaciones éticas.

Intervención de los analistas de inteligencia de negocios

Los analistas comenzaron cruzando bases de datos del histórico de compras con información de tarjetas de fidelización. De tal modo, detectaron patrones comunes entre mujeres que, tras confirmar un embarazo, empezaban a comprar productos específicos como lociones sin fragancia, suplementos vitamínicos y bolsas de algodón, etc. A partir de estos patrones, se creó un sistema de puntuación que asignaba una probabilidad estimada de embarazo a las clientas, segmentándolas por trimestre gestacional de forma aproximada. Y gracias a esta clasificación Target pudo saber cuándo enviar promociones personalizadas sin necesidad de preguntar directamente.

El diseño de este sistema exigió a los analistas una combinación de rigor estadístico, conocimiento del comportamiento de consumo y capacidad para traducir probabilidades en decisiones comerciales concretas.

Asimismo, los analistas trabajaron con los departamentos de marketing para ajustar el contenido de los catálogos enviados a estas clientas. Por ejemplo, una mujer con alta probabilidad de estar en su segundo trimestre recibiría ofertas para cochecitos, cunas o ropa prenatal, integradas sutilmente entre otros productos para no generar alarma. Pues bien, el sistema fue probado durante meses en distintas regiones, se ajustaron las variables, se refinaron los algoritmos y se analizaron reacciones de los clientes para mejorar el tono y el momento de contacto.

Aquí se evidencia cómo el analista no solo "lanza un modelo", sino que participa en un proceso iterativo de calibración donde los resultados cuantitativos se contrastan con respuestas humanas y percepciones sociales.

A consecuencia de todo esto, Target logró captar a miles de futuras madres antes que la competencia, generando una fidelización temprana que se tradujo en ingresos sostenidos durante años y las campañas personalizadas obtuvieron tasas de respuesta significativamente más altas que las generales.

Y es que, lo que comenzó como un proyecto se convirtió en una referencia mundial en cuanto a uso de análisis predictivo y personalización basada en datos reales.

Sin embargo, también generó debate ético cuando tuvo lugar uno de los incidentes más conocidos cuando un padre indignado llamó a una de las tiendas reclamando que su hija adolescente recibiera publicidad sobre productos para embarazadas. Aunque días después llamó para disculparse, pues su hija efectivamente estaba embarazada, pero lo que sucedió es que él no lo sabía aún.

Este caso ilustra cómo el analista de inteligencia de negocios también interpreta señales ocultas, genera conocimiento accionable y transforma la relación entre empresa y cliente. Además, deja claro que el poder del análisis implica responsabilidades. Ya que, la personalización extrema debe manejarse con sensibilidad, transparencia y sobre todo respeto por la privacidad.

El caso Target se ha convertido en un ejemplo clásico de hasta dónde puede llegar la analítica y dónde deben comenzar los límites éticos. Enseña a futuros analistas que el éxito técnico y comercial debe ir acompañado de reflexión sobre impacto social, reputación y confianza.

Caso 4. American Express: inteligencia de negocios para prevenir el fraude y anticipar necesidades del cliente

Contexto previo

American Express, es una de las principales compañías de servicios financieros a nivel mundial y cuenta con millones de clientes que utilizan sus tarjetas de crédito y productos asociados en distintos países, industrias y contextos culturales. Como cabría esperar, este volumen masivo de transacciones conlleva riesgos significativos, tanto en términos de fraude financiero como en la pérdida de oportunidades comerciales por desconocimiento del comportamiento del cliente.

En un contexto en el que los fraudes eran cada vez más sofisticados con ataques basados en ingeniería social, compras dispersas y robo de identidad digital, entre otros, la compañía se propuso el desafío de anticiparse a estos riesgos antes de que causaran daño. Al mismo tiempo, deseaban aumentar la fidelización a través de recomendaciones inteligentes y personalizadas, maximizando así el valor de vida del cliente.

La compañía entendió que no era posible separar completamente la gestión del riesgo de la gestión comercial: conocer bien al cliente era imprescindible tanto para protegerlo mejor como para ofrecerle propuestas de valor más ajustadas a su realidad.

Intervención de los analistas de inteligencia de negocios

El equipo de BI de American Express desempeñó un papel central en este proceso dual, que fue proteger a la empresa y, a la vez, fortalecer el vínculo con sus usuarios. Así pues, la actividad de los analistas fue clave en diversas fases:

En primer lugar, desarrollaron modelos de análisis en tiempo real basados en patrones de comportamiento. Por ejemplo, si un cliente que habitualmente compra en Nueva York comenzaba a hacer transacciones en múltiples países en cuestión de horas, el sistema lo detectaba como una anomalía. E incluso no se analizaba únicamente la geolocalización, también se captaban variables como el tipo de comercio, el monto, la frecuencia y el canal de pago.

El enfoque conductual permitió pasar de reglas fijas (si X, entonces Y) a modelos adaptativos que aprendían de cada cliente individual, reduciendo fricciones y mejorando la precisión de las alertas.

Igualmente, en lugar de aplicar reglas rígidas los analistas propusieron sistemas que "aprendían" del comportamiento del cliente, lo que permitió reducir los falsos positivos donde se bloqueaban las operaciones legítimas por error.

Esta reducción de falsos positivos tuvo un impacto directo en la experiencia del usuario, evitando situaciones molestas donde se bloquean compras legítimas, y reforzando la percepción de que la compañía "conoce" a su cliente.

Además de prevenir riesgos, el mismo modelo se utilizó para entender qué productos podrían interesar a un cliente. Por ejemplo, alguien que comenzó a comprar pasajes internacionales y reservar hoteles con frecuencia podría recibir ofertas para *upgrades*[9] de tarjetas con beneficios en viajes.

Por último, los analistas diseñaron *dashboards* e informes personalizados para agentes de servicio al cliente y gerentes de producto. Esto permitió tener una visión integral de cada usuario con su comportamiento, riesgos asociados y oportunidades de fidelización.

De este modo, el analista no se limitó a construir modelos "en la trastienda", sino que se preocupó por cómo esa inteligencia llegaba al front-office y se traducía en conversaciones más informadas y relevantes con el cliente.

---

9 ***Upgrades:*** entiéndase en este contexto como "mejoras".

La repercusión fue notoria, pues se produjo una reducción significativa de pérdidas por fraude, al detectar y detener transacciones sospechosas antes de que se consolidaran.

Al mismo tiempo, se generó una mayor satisfacción de los clientes tras minimizar bloqueos innecesarios y mejorar la capacidad de respuesta ante incidentes reales. Asimismo, se experimentó un incremento en la tasa de conversión de productos personalizados después de identificar mejor las necesidades y comportamientos de cada segmento. Y ello permitió construir una cultura interna más analítica, en la que las decisiones comerciales y operativas se apoyan en inteligencia de datos.

American Express logró convertir el análisis en una ventaja competitiva sostenible, demostrando que el valor de un analista no solo está en sus modelos, sino en su capacidad para comprender la realidad del cliente y convertirla en decisiones estratégicas.

Este caso muestra que el éxito de la inteligencia de negocios no se mide solo en indicadores financieros inmediatos, sino también en la consolidación de relaciones de largo plazo y en la madurez analítica que la organización va desarrollando.

Caso 5. Inteligencia artificial en defensa cibernética (ciberinteligencia)

Contexto previo

En los últimos años instituciones públicas, financieras y grandes corporaciones se han visto desbordadas por un tipo de ciberamenaza más difícil de contener. Los ataques avanzados y persistentes, muchas veces impulsados por grupos organizados o incluso respaldados por Estados. Estas amenazas evolucionan constantemente, emplean métodos de evasión sofisticados y, en muchos casos, no son detectadas por herramientas tradicionales.

Ante este panorama, las estrategias de ciberseguridad reactivas comenzaron a mostrarse insuficientes y las organizaciones necesitaban sistemas capaces de aprender, adaptarse y responder en tiempo real a patrones no conocidos. Fue así como diversas instituciones —desde bancos multinacionales hasta entidades de defensa— comenzaron a integrar soluciones basadas en inteligencia artificial en sus centros de análisis de amenazas.

El salto a la inteligencia artificial no fue solo una decisión tecnológica, sino una respuesta estratégica ante un adversario cada vez más automatizado y distribuido. La cuestión clave ya no era solo "detectar más", sino "detectar mejor y antes".

Intervención de los analistas de ciberinteligencia

El papel de los analistas en estos entornos fue crucial para implementar la tecnología, configurarla, interpretarla y alinear sus resultados con los objetivos de protección organizacional. Pues lejos de ceder su rol a la automatización, e rol analista se convirtió en el nexo entre los modelos matemáticos y la acción concreta de defensa.

Las funciones de los analistas en estos proyectos cubrieron un amplio espectro. Ya que, antes de desplegar modelos de aprendizaje automático, seleccionaron cuidadosamente qué datos alimentaban los sistemas. Pues no se trataba solo de logs de red, sino de indicadores de comportamiento interno, tráfico atípico, señales de ingeniería social o combinaciones inusuales entre usuarios, accesos y horarios.

Esta fase de selección y curación de datos es crítica: un sistema de IA es tan bueno como lo son los datos que lo alimentan. Aquí el analista aportó su conocimiento del entorno operativo, evitando sesgos y vacíos que podrían distorsionar las alertas generadas.

Los analistas configuraron el sistema para que diferenciara entre anomalías inofensivas —como un nuevo empleado accediendo desde otro país— y posibles indicadores de compromiso real. Como, por ejemplo, movimientos laterales en la red, cambios de privilegios o exfiltración de datos en horarios no habituales. A medida que el modelo arrojaba alertas, eran estos profesionales quienes decidían si se trataba de un verdadero incidente o de un falso positivo. Además, como podrá deducirse, este proceso de retroalimentación era clave para afinar el sistema y evitar una sobrecarga de alertas sin valor operativo.

Este diálogo constante entre máquina y analista conformó un ciclo de mejora continua: cada validación o descarte enriquecía el modelo, haciendo que el sistema fuese cada vez más preciso y útil para la operación diaria.

No obstante, los analistas no trabajaron solos. Ya que, participaron en simulacros, definieron protocolos de respuesta ante ciberincidentes y se coordinaron con departamentos legales, recursos humanos y comunicación para actuar con rapidez y coherencia ante una posible crisis.

Esto demuestra que la ciberinteligencia efectiva no se limita al entorno técnico: implica coordinar a toda la organización para gestionar impactos legales, reputacionales y humanos derivados de un posible ataque.

Los beneficios de estos sistemas integrados de IA fueron notables, pues se redujo el tiempo de detección de amenazas de días o semanas a minutos, permitiendo una respuesta mucho más ágil y eficaz. Ello contribuyó a que se evitaran incidentes críticos que podrían haber comprometido la integridad de infraestructuras financieras, sanitarias o gubernamentales. Al mismo tiempo, se fortaleció la ciberresiliencia institucional, gracias a la capacidad del sistema para aprender de cada intento de ataque y adaptarse a nuevas tácticas.

Por todos estos motivos, el analista de ciberinteligencia se consolidó como un perfil estratégico que supervisa, ajusta y contextualiza la inteligencia artificial, dotándola de sentido organizacional y criterio humano.

Por último, este caso nos ayuda a observar cómo la automatización no reemplaza al analista, sino que amplifica su alcance. La IA potencia la vigilancia, pero sigue siendo el analista quien interpreta, prioriza y decide, cumpliendo un rol insustituible en la defensa de los activos digitales más sensibles.

En síntesis, la lección principal de este caso es que la tecnología, por sofisticada que sea, necesita una mente analítica que la oriente. El verdadero valor estratégico reside en la combinación entre sistemas avanzados y analistas capaces de comprender el contexto y decidir con responsabilidad.

6. CLASIFICACIÓN Y CATEGORÍAS

Con el paso del tiempo y a medida que la figura del analista de inteligencia se ha consolidado como un actor clave en la toma de decisiones organizacionales, también se ha diversificado en una pluralidad de funciones, herramientas, niveles de incidencia y grados de especialización.

El ecosistema analítico contemporáneo no se compone de un solo tipo de profesional, pues realmente es un entramado dinámico de roles que interactúan, se solapan y evolucionan en función del contexto institucional.

Aunque cualquier clasificación es una simplificación, podemos identificar algunas grandes familias de analistas que permiten trazar una cartografía funcional del campo como veremos a continuación.

Esta cartografía no pretende ser exhaustiva ni cerrada. Más bien, ofrece un marco de referencia que ayuda a entender dónde se sitúan los distintos analistas dentro de la organización, qué tipo de decisiones influyen y cómo se relacionan entre sí. En la práctica, muchos profesionales transitan entre categorías a lo largo de su carrera.

A) Analista funcional especializado

Es el perfil más frecuente en organizaciones con estructura tradicional y se trata de un analista vinculado a un área concreta —finanzas, seguridad, operaciones, ventas, recursos humanos, etc—, y cuyo campo de acción está definido por las necesidades de esa unidad. Su valor reside en su conocimiento profundo del dominio funcional, lo que le permite traducir datos en decisiones directamente útiles.

Por ejemplo, un analista de inteligencia de negocios en el área de marketing puede ser responsable de definir indicadores clave de desempeño (KPIs) para campañas publicitarias, identificar perfiles de consumidores y sugerir estrategias de segmentación basadas en comportamiento. En cambio, su homólogo en el área de logística trabajará con modelos de previsión de demanda o de optimización de rutas.

Aunque no suelen tener una visión sistémica de toda la organización, su conocimiento operativo los convierte en piezas clave para mejorar la eficiencia diaria y evitar desviaciones críticas.

En muchos casos, estos analistas actúan como "propietarios del dato" dentro de su área: son quienes mejor conocen sus fuentes, sus limitaciones y su utilidad real. Esto les permite detectar rápidamente anomalías, incoherencias y oportunidades de mejora que podrían pasar desapercibidas para perfiles más alejados de la operación.

B) Analista estratégico transversal

A diferencia del analista funcional, este rol tiene una mirada holística. Y normalmente suele trabajar en entornos directivos o como parte de oficinas de transformación digital, innovación o inteligencia corporativa. Entre sus labores además de informar, se encuentra el activar procesos de cambio identificando debilidades estructurales, proponiendo escenarios futuros, evaluando riesgos geopolíticos o anticipando posibles alteraciones.

Este tipo de analista necesita habilidades técnicas y poseer una comprensión profunda del modelo de negocio, la cultura institucional y el contexto externo. Igualmente, debe ser capaz de integrar datos estructurados y no estructurados, operar con indicadores ambiguos y presentar resultados a audiencias no técnicas con alto poder de decisión.

Otro aspecto para destacar es que, este profesional suele localizarse en multinacionales, agencias gubernamentales y organizaciones con alta complejidad organizativa. Su papel no es ejecutar, sino pensar desde el dato.

En la práctica, este perfil suele participar en comités estratégicos, proyectos de transformación y ejercicios de prospectiva. Su trabajo se centra en conectar señales débiles, tendencias y riesgos para ayudar a la organización a reposicionarse antes de que los cambios externos la obliguen a reaccionar.

C) Analista táctico-operacional

Nos encontramos pues con el perfil que se ubica en la primera línea de acción. Ya que, su trabajo consiste en monitorear, alertar y reaccionar ante eventos que requieren una intervención inmediata. En ciberinteligencia, son quienes detectan anomalías en los flujos de red, correlacionan indicadores de compromiso y activan protocolos de contención. Por otro lado, en inteligencia de negocios, pueden encargarse del seguimiento de métricas clave en tiempo real y del soporte a operaciones sensibles.

Aunque no definen estrategias, son los ojos y oídos del sistema. Pues la calidad de su trabajo puede marcar la diferencia entre una intervención efectiva o una crisis mal gestionada. Por último, respecto a dónde encontrar a este tipo de analistas, es habitual que trabajen en centros de operaciones (SOC, NOC) o como parte de equipos de soporte a operaciones logísticas o comerciales.

Este tipo de analista suele trabajar bajo presión temporal, con ventanas de decisión muy cortas. Por ello, requiere una gran capacidad de priorización, manejo de estrés y aplicación disciplinada de procedimientos sin perder la capacidad de juicio crítico.

D) Analista híbrido multidominio

El analista híbrido surge de la necesidad de integrar diferentes tipos de inteligencia dentro de una misma persona o equipo. Ya no es raro encontrar analistas que conocen tanto el lenguaje técnico de la ciberseguridad como el enfoque estratégico del negocio o que pueden moverse con fluidez entre herramientas de minería de datos y análisis político o reputacional.

Se trata de un profesional que se ha formado en la intersección de disciplinas, o que ha acumulado experiencia transversal en distintas áreas. Y verdaderamente, resulta muy valioso en entornos ágiles, *startups* o estructuras con recursos limitados, donde se requiere polivalencia y autonomía. Además, conviene tener presente que su habilidad predominante no es únicamente técnica, también están la cognitiva y cultural, pues es capaz de cruzar lenguajes, traducir necesidades, mediar entre mundos distintos y generar valor donde antes solo había silos organizativos.

En el futuro cercano, este perfil híbrido tenderá a ganar protagonismo, especialmente en organizaciones que apuestan por modelos menos jerárquicos y más basados en equipos pequeños, altamente cualificados y autosuficientes.

El analista como figura en movimiento

El universo del análisis de inteligencia está lejos de estar completamente trazado. Pues conforme surgen nuevos desafíos, tecnologías y entornos de datos más complejos, también emergen perfiles analíticos que no se ajustan con facilidad a las categorías tradicionales. Estos analistas de nueva generación encarnan una evolución natural del campo, ya que incorporan competencias técnicas avanzadas, sensibilidad ética, enfoque multidisciplinario y visión sistémica.

Más que hablar de "puestos fijos", conviene pensar en configuraciones de capacidades. Las organizaciones más maduras diseñan equipos en función de problemas concretos, combinando distintos tipos de analistas según la naturaleza del reto a abordar.

A) Analista de resiliencia digital

En un contexto donde la ciberseguridad no se limita a prevenir ataques, sino a garantizar la continuidad operativa de toda una organización, ha surgido la figura del analista de resiliencia digital. Ciertamente, es un rol que combina elementos de la inteligencia de amenazas, la gestión del riesgo, la planificación de crisis y la cultura organizacional.

No se centra exclusivamente en identificar brechas técnicas, además analiza cómo impactan los incidentes en los procesos críticos, la reputación institucional y la toma de decisiones bajo presión. En entornos regulados, su labor es clave para cumplir con marcos normativos como el DORA[10] en Europa o el NIST[11] en Estados Unidos.

Así pues, se trata de un analista que opera tanto en la prevención como en la recuperación, y cuya mirada está orientada a proteger la capacidad de adaptación organizacional frente a lo inesperado.

Este perfil participa en la definición de planes de continuidad de negocio, pruebas de estrés, simulacros de crisis y ejercicios de redteaming. Su misión última no es evitar cualquier incidente —algo imposible—, sino asegurar que la organización pueda absorber el impacto, aprender y regresar a un estado operativo aceptable en el menor tiempo posible.

B) Analista de ética algorítmica y riesgo reputacional

La expansión del uso de inteligencia artificial, sistemas automatizados de toma de decisiones y algoritmos predictivos ha dado lugar a

---

10 **DORA**: "*Digital Operational Resilience Act) es una regulación de la Unión Europea que tiene como objetivo mejorar la resiliencia operativa y la ciberseguridad en el sector financiero, específicamente en relación con los riesgos relacionados con las tecnologías de la información y la comunicación*" Vía:https://www.incibe.es/empresas/blog/que-es-el-reglamento-dora#:~:text=El%20reglamento%20DORA%20(Digital%20Operational,y%20la%20comunicaci%C3%B3n%20(TIC).

11 **NIST**: Instituto Nacional de Estándares y Tecnología del Departamento de Comercio de EE. UU.

nuevos riesgos éticos, legales y sociales. Es por ello que, ante este nuevo panorama empieza a consolidarse un perfil poco habitual hace una década, que no es otro que el del analista que evalúa el impacto de decisiones algorítmicas desde una perspectiva de equidad, transparencia y legitimidad.

Este analista colabora con comités de ética, equipos legales o unidades de innovación para revisar si los sistemas de *scoring*[12] penalizan injustamente a ciertos grupos, si las decisiones automatizadas pueden ser explicadas racionalmente o si los modelos entrenados reproducen sesgos históricos, etc.

Es decir, su labor no es técnica en el sentido clásico, aunque requiere comprensión de los modelos subyacentes. Más bien, se configura como un "intérprete crítico del algoritmo", actuando como conciencia institucional frente a la opacidad de los sistemas complejos.

Su trabajo cobra especial relevancia en sectores como banca, seguros, recursos humanos, sanidad o administraciones públicas, donde una decisión algorítmica injusta puede afectar derechos fundamentales o erosionar gravemente la confianza ciudadana.

C) Analista OSINT avanzado

Aunque el uso de fuentes abiertas (OSINT) ha sido tradicional en el mundo de la inteligencia, en los últimos años se ha desarrollado un nuevo tipo de analista con competencias específicas en rastreo, verificación y explotación de información pública a gran escala, especialmente en entornos digitales volátiles como redes sociales, canales cifrados o foros de acceso restringido.

Por tanto, este perfil resulta clave para detectar campañas de desinformación, rastrear amenazas híbridas o monitorizar fenómenos sociales en tiempo real. Tanto es así, que en contextos de conflicto,

---

12 **Sistema scoring**: "*El scoring es un sistema de evaluación bancaria que permite predecir la posibilidad de impago de un préstamo analizando de forma automática la solvencia del cliente. Esto permite al banco tomar decisiones sobre el riesgo de los clientes de manera objetiva*". Vía:https://www.ing.es/ennaranja/comprar-casa/guia-comprar-casa/que-es-scoring/#:~:text=El%20scoring%20es%20un%20sistema,los%20clientes%20de%20manera%20objetiva.

procesos electorales o gestión de reputación, sus aportes son cada vez más valorados.

En definitiva, es un analista con fuertes capacidades técnicas y una aguda sensibilidad para interpretar contextos sociopolíticos digitales, donde la verdad y la falsedad a menudo conviven en capas superpuestas.

Entre sus herramientas habituales se encuentran plataformas de monitorización, sistemas de verificación de contenidos multimedia, análisis de redes sociales y técnicas de atribución digital. Su valor añadido reside en transformar el océano caótico de información abierta en evidencias útiles y verificadas.

Trayectorias profesionales

Un aspecto esencial de la clasificación del analista no es solo el tipo de análisis que realiza, sino cómo evoluciona su rol a lo largo del tiempo.

Un elevado número de profesionales comienzan con tareas operativas o tácticas, pero a medida que adquieren experiencia, conocimiento institucional y criterio situacional, avanzan hacia posiciones de mayor influencia estratégica.

Por ende, podemos identificar tres grandes etapas en esta progresión:

- **Etapa inicial** (*junior o técnico especializado*): se enfoca en la ejecución de tareas analíticas específicas, el manejo de herramientas y la interpretación de patrones conocidos. Además, suele requerir supervisión y trabaja con marcos metodológicos establecidos.
- **Etapa intermedia** (*analista senior*): se caracteriza por una mayor autonomía, capacidad de integrar múltiples fuentes, generar recomendaciones y dialogar con áreas estratégicas. A menudo lidera proyectos, coordina equipos o actúa como referente técnico.
- **Etapa avanzada** (*consultor interno, asesor o jefe de inteligencia*): su función no es únicamente analítica, sino transformacional. De hecho, participa en la planificación estratégica, asesora a

la alta dirección, representa la inteligencia organizacional en foros clave y contribuye a definir la cultura del dato.

Como observamos, esta progresión no es lineal ni idéntica en todas las organizaciones. En muchos casos, los analistas más valiosos no son los que "suben" jerárquicamente, sino aquellos que amplían su impacto, multiplican su influencia y desarrollan una mirada más rica y multidimensional sobre el entorno.

En este sentido, la carrera del analista de inteligencia se parece más a una expansión de radio de influencia que a una simple escalera jerárquica. Lo decisivo no es solo el cargo, sino el alcance real de sus recomendaciones y su capacidad para moldear la forma en que la organización piensa y decide.

Perspectiva comparada internacional

Aunque las funciones básicas del analista de inteligencia son reconocibles en casi cualquier lugar del mundo —transformar datos en conocimiento accionable, anticipar riesgos e identificar oportunidades—, su estructura profesional y su reconocimiento institucional varían considerablemente entre países. La clasificación del analista no sólo se construye únicamente a partir de competencias individuales, también desde modelos culturales, jurídicos y estratégicos que definen cómo una sociedad entiende la información, la seguridad y el conocimiento.

En Estados Unidos por ejemplo, el rol del analista está profundamente integrado en las estructuras de seguridad nacional, defensa y diplomacia. La llamada *Intelligence Community* (IC) está compuesta por 18 agencias federales que operan bajo marcos muy definidos, como la *National Intelligence Priorities Framework* (NIPF). Allí, los analistas no se clasifican solo por temas, sino también por fuentes: HUMINT (inteligencia humana), SIGINT (de señales), GEOINT (geoespacial), entre otras.

El modelo estadounidense se caracteriza por una fuerte especialización, formación continua en tradecraft (metodologías analíticas) y una separación clara entre analistas y operativos. Así pues, la figura del analista es profesionalizada y altamente estandarizada. No obstante, en el sector privado, especialmente en empresas tecnológicas, financieras o energéticas, el analista asume funciones más híbridas, muchas veces conectadas con la ciberinteligencia, la gestión de riesgos corporativos y la protección de infraestructuras críticas.

Este enfoque ha convertido al analista en una profesión con identidad propia, sujeta a estándares, certificaciones y comunidades de práctica. Sin embargo, también puede generar compartimentos muy separados que dificultan, en ocasiones, la visión integral entre dominios distintos.

Si nos enfocamos en el ámbito europeo, la figura del analista se desarrolla bajo marcos más descentralizados. Algunos países (como el Reino Unido, Francia o Alemania) han adoptado modelos de profesionalización cercanos al estadounidense, especialmente en inteligencia militar o antiterrorista. Sin embargo, otros contextos mantienen estructuras más administrativas o políticas, donde el análisis se vincula estrechamente con los gabinetes de asesoría estratégica o con think tanks estatales.

En cambio, en el plano corporativo, Europa ha sido pionera en la integración de analistas de inteligencia económica, orientados a anticipar movimientos de competidores, riesgos normativos o disrupciones tecnológicas. Asimismo, se ha desarrollado con fuerza el perfil del analista ético, en parte por la normativa del RGPD y por una cultura de derechos digitales más consolidada.

En el ámbito empresarial europeo, la sensibilidad hacia la privacidad y la regulación ha impulsado una visión del analista más ligada a la responsabilidad social y al cumplimiento normativo, no solo a la competitividad económica.

Asimismo, en muchos países de LATAM, el analista de inteligencia se desenvuelve en entornos con limitaciones estructurales, bajo presupuesto y escasa tradición institucional. Consecuentemente esto obliga a una mayor polivalencia. Es decir, un solo profesional puede encargarse de recolectar información, procesarla, contextualizarla y presentarla en múltiples formatos, sin el soporte de grandes equipos o marcos especializados.

No obstante, esta limitación también ha dado lugar a perfiles altamente adaptativos, que desarrollan capacidades contextuales, sentido crítico y flexibilidad metodológica. En el ámbito empresarial, el analista suele integrarse a áreas de compliance, riesgos o auditoría, mientras que en el sector público actúa como asesor estratégico o técnico en gabinetes ministeriales, organismos de seguridad o planificación estatal.

Pese a las diferencias estructurales, el analista latinoamericano tiende a desarrollar una mirada más amplia y empática, al tener que lidiar con datos incompletos, contextos inciertos y decisiones políticas complejas.

Este entorno desafiante convierte al analista latinoamericano en un ejemplo de resiliencia profesional: aprende a trabajar con lo disponible, a construir sistemas de información informales y a interpretar realidades complejas donde la ambigüedad es la norma.

En última instancia, en lo que respecta a los países asiáticos con fuerte desarrollo tecnológico —como Corea del Sur, Singapur o Japón—, el analista tiende a estar más vinculado a la innovación, el comercio internacional y la vigilancia tecnológica. Por otro lado, en regiones en desarrollo o en zonas de conflicto, el rol del analista se relaciona frecuentemente con la gestión de crisis, análisis de conflictividad social o apoyo a operaciones humanitarias y de seguridad.

Así pues, aunque las herramientas pueden ser similares, el propósito del análisis cambia: desde garantizar la estabilidad institucional hasta gestionar flujos migratorios o anticipar catástrofes naturales.

Esto confirma que la figura del analista de inteligencia es, en esencia, adaptable: se moldea según las prioridades de cada sociedad y se convierte en un mediador entre datos, contexto y decisiones, ya sea en clave de seguridad, desarrollo, competitividad o resiliencia.

Conclusión del capítulo 2

El recorrido realizado a lo largo de este capítulo permite comprender al analista de inteligencia como una figura crítica en cualquier organización moderna, independientemente de su sector o nivel de madurez digital. Hemos visto que su valor no radica solo en procesar datos, sino en interpretarlos con criterio, traducirlos en conocimiento accionable y orientar decisiones que repercuten en la seguridad, la competitividad y la resiliencia institucional. Los ejemplos analizados demuestran que su impacto es tangible —ya sea anticipando amenazas, optimizando procesos, detectando oportunidades o previniendo riesgos de alto impacto— y que su aportación se multiplica cuando trabaja de forma colaborativa y transversal.

Asimismo, la clasificación presentada evidencia que el mundo del análisis no es homogéneo, sino un ecosistema diverso donde conviven perfiles tácticos, operativos, estratégicos e híbridos, cada uno con funciones específicas y niveles de incidencia distintos. Esta diversidad, lejos de fragmentar el campo, lo enriquece y permite que las organizaciones construyan sistemas de inteligencia más completos y adaptados a su realidad. El analista, en consecuencia, evoluciona y se transforma continuamente, integrando nuevas competencias tecnológicas, éticas y contextuales.

De cara al siguiente capítulo, resulta fundamental profundizar en las competencias profesionales y las capacidades transversales que caracterizan a un analista de inteligencia eficaz. Porque, más allá de los modelos, las herramientas o los sistemas empleados, la verdadera diferencia la marca el profesional que sabe observar, sintetizar, anticipar y comunicar. El capítulo siguiente abordará precisamente ese conjunto de habilidades, destrezas y estándares que permiten al analista desempeñar su labor con rigor, profundidad y responsabilidad.

Bibliografía:

- Ávalos Morer, J. M. (2017). Perfil del analista de inteligencia: Descripción, aprendizaje y barreras. Sociedad de Estudios Internacionales.
- Arteaga, F., & Ríos, D. (Eds.). (2023). El analista de inteligencia en la era digital. Real Instituto Elcano.
- Díaz-Caneja Greciano, J. M. (2015). Inteligencia: Un enfoque integral. Ministerio de la Presidencia.
- Jordán, J. (2011). Introducción al análisis de inteligencia. Grupo de Estudios en Seguridad Internacional.
- LISA Institute. (s.f.). Análisis de inteligencia: qué es y para qué sirve un analista de inteligencia.
- Lominchar, J. (2023). Ciberinteligencia y gobernanza: el arma secreta de las organizaciones en la economía digital. Tirant Lo Blanch.

- López, J. A. (2004). Inteligencia estratégica. Intelligence Resource Program.
- Navarro, M. Á. E. (2014). Inteligencia estratégica en América Latina. Army University Press.
- Oficina de las Naciones Unidas contra la Droga y el Delito. (2010). Sistemas policiales de información e inteligencia.
- Universidad Europea. (2021). ¿Cuál es el perfil del analista de inteligencia?

Capítulo 3

Competencias y habilidades clave

Objetivos del capítulo:

Este capítulo tiene como finalidad desarrollar, con profundidad y enfoque ensayístico, el conjunto de competencias que definen al analista de inteligencia como profesional del juicio y del pensamiento aplicado, atendiendo a la evolución progresiva de los entornos VUCA-BANI-BETA. A lo largo del capítulo se persigue que el lector:

- Comprenda cómo la transformación del entorno condiciona de manera directa las exigencias cognitivas, técnicas, humanas y éticas del analista.
- Identifique las competencias técnicas como condición necesaria pero claramente insuficiente para un análisis de calidad.
- Reconozca el papel central del razonamiento analítico, crítico y estratégico en contextos de incertidumbre estructural.
- Integre la dimensión humana, relacional y ética como parte inseparable del ejercicio analítico.
- Asuma la formación y el entrenamiento continuo como un requisito estructural del rol, no como una fase inicial.

1. INTRODUCCIÓN: COMPETENCIAS ANALÍTICAS EN LA EVOLUCIÓN DE LOS ENTORNOS

La figura del analista de inteligencia no puede comprenderse al margen del entorno en el que desarrolla su actividad. Durante décadas, el marco VUCA permitió describir escenarios caracterizados por la volatilidad, la incertidumbre, la complejidad y la ambigüedad. En ese contexto, el analista era concebido fundamentalmente como un experto técnico: alguien capaz de reducir la incertidumbre mediante un mejor acceso a la información, la aplicación rigurosa de metodologías analíticas y la explotación sistemática de datos disponibles. El valor del analista se medía, en gran medida, por su dominio instrumental y por su capacidad para producir informes coherentes dentro de marcos relativamente estables.

El tránsito hacia entornos BANI supuso una ruptura progresiva de este modelo. La fragilidad de los sistemas, la ansiedad asociada a la toma de decisiones, la no linealidad de los fenómenos y la creciente incomprensibilidad de los procesos pusieron de manifiesto que el análisis no se enfrentaba únicamente a problemas de información, sino a problemas de interpretación bajo presión. En este escenario, el analista ya no podía limitarse a aplicar técnicas: debía gestionar tensiones emocionales, expectativas organizativas contradictorias y escenarios donde el error dejaba de ser excepcional para convertirse en estructural.

La emergencia del entorno BETA (*Brittle, Exponential, Transformative, Anxiety-driven*) intensifica estas exigencias hasta un punto cualitativamente distinto. Los sistemas son estructuralmente frágiles, los cambios se producen de forma exponencial, las transformaciones son constantes y la presión psicológica sobre quienes analizan y deciden se convierte en permanente. En este contexto, el analista no puede prometer certeza ni control. Su función central es sostener el juicio profesional, aportar sentido cuando la información es fragmentaria y asumir la responsabilidad de interpretar la realidad aun sabiendo que toda conclusión es provisional.

Desde esta perspectiva, las competencias dejan de ser un listado de habilidades y se transforman en un sistema integrado de capacidades cognitivas, técnicas, humanas y éticas. Este capítulo parte del desarrollo original para ampliarlo y profundizarlo, con el objetivo de mostrar que el verdadero valor del analista contemporáneo reside en su capacidad para pensar con rigor cuando el entorno ya no ofrece garantías.

Más que un conjunto de habilidades aisladas, las competencias del analista configuran un sistema integrado orientado al ejercicio del juicio profesional en contextos de incertidumbre estructural. No se trata únicamente de saber aplicar técnicas, sino de comprender cuándo, por qué y con qué límites utilizarlas.

2. MARCO INTEGRADO DE COMPETENCIAS DEL ANALISTA DE INTELIGENCIA

La evolución progresiva de los entornos VUCA, BANI y BETA obliga a replantear de manera profunda qué significa ser competente como analista de inteligencia. En los primeros marcos VUCA, la competencia se asociaba principalmente al dominio de métodos, técnicas y procedimientos: quien conocía el ciclo de inteligencia, manejaba bases de datos y aplicaba metodologías analíticas estructuradas era considerado un profesional solvente. El análisis se concebía como un problema esencialmente técnico.

Con la transición hacia entornos BANI, esta visión empezó a mostrar sus límites. La fragilidad de los sistemas y la ansiedad decisional pusieron de manifiesto que dos analistas con idéntica formación técnica podían producir análisis de calidad muy distinta. La diferencia ya no residía solo en el conocimiento, sino en la capacidad para gestionar presión, ambigüedad, contradicciones internas y expectativas externas. La competencia empezó a adquirir una dimensión claramente humana y relacional.

El entorno BETA lleva esta evolución un paso más allá. En sistemas frágiles, acelerados y sometidos a transformación constante, el elemento verdaderamente diferencial es el criterio analítico. Este criterio no puede reducirse a una técnica ni a una certificación: es una capacidad madura que integra conocimiento, experiencia, autoconciencia y responsabilidad ética. El analista competente en entornos BETA es aquel capaz de sostener decisiones interpretativas sabiendo que no existen soluciones óptimas ni certezas duraderas.

Desde esta perspectiva ampliada, las competencias del analista deben entenderse como un sistema integrado, no como un inventario de habilidades independientes.

A partir del desarrollo original de este capítulo, y profundizando en él, pueden distinguirse cuatro grandes dimensiones competenciales que interactúan de forma constante:

En primer lugar, las competencias técnicas instrumentales proporcionan la base operativa del análisis. Permiten acceder a la información, procesarla y representarla. Sin ellas, el análisis es inviable. Sin embargo, su presencia por sí sola no garantiza la calidad del juicio ni la fiabilidad de las conclusiones.

En segundo lugar, las competencias analíticas y cognitivas sostienen el razonamiento. Incluyen la capacidad de formular hipótesis, establecer relaciones causales, evaluar evidencias, gestionar la incertidumbre y aceptar la provisionalidad de las conclusiones. Estas competencias son las que permiten transformar información en conocimiento significativo.

En tercer lugar, las competencias relacionales y comunicativas conectan el análisis con la decisión. El analista no trabaja en el vacío: interactúa con decisores, equipos multidisciplinares y estructuras organizativas con intereses, tiempos y lenguajes propios. La capacidad para traducir complejidad en mensajes comprensibles y responsables es parte esencial de la competencia profesional.

Por último, las competencias éticas y metacognitivas actúan como eje transversal del sistema. Incluyen la autovigilancia intelectual, la conciencia de los propios sesgos, la gestión del poder simbólico del análisis y la asunción de responsabilidad sobre el impacto de las conclusiones. En entornos BETA, donde el error es estructural y las decisiones tienen consecuencias reales, estas competencias se convierten en un requisito de fiabilidad profesional.

La fortaleza del analista no reside en destacar de forma aislada en una de estas dimensiones, sino en mantener un equilibrio dinámico entre todas ellas. La carencia grave en cualquiera compromete el conjunto del proceso analítico y, con ello, la credibilidad del análisis.

3. COMPETENCIAS TÉCNICAS: CONDICIÓN NECESARIA, NO SUFICIENTE

Las competencias técnicas constituyen la infraestructura del análisis de inteligencia y, durante mucho tiempo, fueron consideradas el principal indicador de profesionalidad. En entornos VUCA, el dominio técnico permitía reducir la incertidumbre mediante un mejor acceso a la información, una explotación más eficiente de los datos y la aplicación rigurosa de metodologías analíticas. El analista era valorado, ante todo, por su capacidad para manejar herramientas, bases de datos y procedimientos.

Con la transición hacia entornos BANI, estas competencias no perdieron relevancia, pero comenzaron a mostrar sus límites. La fragilidad de los sistemas, la aceleración de los flujos informativos y la presión temporal evidenciaron que la técnica, por sí sola, no protegía frente al error ni garantizaba interpretaciones fiables. Dos analistas con idéntico dominio técnico podían llegar a conclusiones muy diferentes ante un mismo problema.

En entornos BETA, el riesgo principal ya no es la carencia técnica, sino la dependencia excesiva de la técnica. La proliferación de herramientas avanzadas, sistemas de automatización y capacidades de procesamiento masivo puede generar una ilusión de control especialmente peligrosa en sistemas frágiles e interconectados. El analista competente debe ser capaz de utilizar la técnica sin delegar en ella el juicio.

3.1. Gestión y consulta de bases de datos

El dominio de lenguajes de consulta estructurada, como SQL, permite al analista interactuar de forma autónoma con bases de datos complejas, realizar cruces de información, identificar patrones y evaluar la consistencia de los datos disponibles. Esta competencia proporciona una independencia operativa esencial, ya que reduce la dependencia de intermediarios técnicos y permite al analista explorar directamente la información en función de sus propias hipótesis y preguntas analíticas.

Sin embargo, la relevancia de esta competencia va mucho más allá de la eficiencia operativa. El acceso directo a los datos sitúa al analista frente a una cuestión central del análisis contemporáneo: los datos no son un reflejo neutro de la realidad, sino construcciones parciales, condicionadas por decisiones previas de diseño, recopilación, categorización y almacenamiento. Saber consultar una base de datos implica también saber leer críticamente su estructura, comprender qué variables se han considerado relevantes, cuáles se han excluido y qué supuestos epistemológicos subyacen a su diseño.

En entornos VUCA, esta capacidad permitía detectar incoherencias, errores o lagunas informativas que podían corregirse mediante una mejor explotación del dato. En entornos BANI, donde la presión temporal y la ansiedad decisional se intensifican, esta competencia adquiere un valor añadido: permite al analista evaluar rápidamente la fiabilidad de la información disponible y evitar conclusiones precipitadas basadas en datos incompletos o mal interpretados.

En entornos BETA, esta comprensión crítica se vuelve absolutamente central. La fragilidad de los sistemas, la integración de múltiples fuentes heterogéneas y la aceleración de los flujos de información incrementan exponencialmente el riesgo de interpretaciones erróneas derivadas de datos sesgados, descontextualizados o desactualizados. El analista que domina la consulta de bases de datos, pero carece de criterio para interpretar su lógica interna, puede generar análisis técnicamente sofisticados pero conceptualmente equivocados.

La competencia del analista no reside, por tanto, en extraer grandes volúmenes de información, sino en formular las preguntas adecuadas al dato.

Saber qué consultar, qué no consultar y, sobre todo, cuándo los datos disponibles no permiten sostener una conclusión sólida es una manifestación clara de madurez analítica. En este sentido, la gestión de bases de datos no es solo una habilidad técnica, sino una práctica cognitiva que conecta directamente con el juicio profesional.

Finalmente, en entornos BETA, donde la tentación de delegar la interpretación en sistemas automatizados es elevada, el analista debe mantener una posición activa y responsable frente al dato. La capacidad de interrogar las bases de datos de forma crítica, comprender sus límites y resistir la ilusión de exhaustividad constituye una de las garantías fundamentales de fiabilidad del análisis de inteligencia contemporáneo.

3.2. Lenguajes de programación aplicados al análisis

El conocimiento funcional de lenguajes de programación como Python o R permite al analista automatizar tareas repetitivas, reproducir análisis complejos y explorar grandes volúmenes de información que resultarían inabordables mediante procedimientos manuales. Esta competencia amplía de forma significativa la capacidad analítica, especialmente en contextos donde la velocidad de los flujos informativos y la diversidad de fuentes exigen respuestas ágiles y adaptativas.

En entornos VUCA, el uso de lenguajes de programación aportó principalmente eficiencia y escalabilidad. Scripts sencillos permitían limpiar datos, generar estadísticas descriptivas o automatizar consultas recurrentes. En este marco, la programación era percibida como una extensión técnica del análisis tradicional, orientada a reducir tiempos y mejorar la productividad.

El paso a entornos BANI introdujo una nueva dimensión. La ansiedad decisional, la no linealidad de los fenómenos y la fragilidad de los sistemas hicieron que la automatización dejara de ser solo una ventaja operativa para convertirse también en una fuente potencial de riesgo. Modelos aparentemente robustos podían producir resultados inconsistentes ante pequeñas variaciones en los datos de entrada, generando una falsa sensación de estabilidad analítica.

En el entorno BETA, estos riesgos se intensifican. La automatización y el uso de lenguajes de programación introducen problemas de opacidad de modelos, dependencia de supuestos implícitos y pérdida de trazabilidad del razonamiento. Herramientas habituales en el trabajo del analista —como bibliotecas de análisis de datos (pandas, NumPy), aprendizaje automático (scikit-learn), análisis textual (NLTK, spaCy) o visualización (Matplotlib, Seaborn)— incorporan decisiones metodológicas que no siempre son evidentes para quien las utiliza.

Lo mismo ocurre con entornos más especializados, como plataformas de análisis de redes, sistemas de minería de datos o herramientas de análisis predictivo integradas en soluciones comerciales.

El riesgo no reside en el uso de estas herramientas, sino en su utilización acrítica. Un modelo de clasificación entrenado con datos incompletos, un algoritmo de clustering aplicado sin una comprensión clara de sus supuestos o un sistema de análisis automatizado de fuentes abiertas puede generar resultados técnicamente sofisticados pero conceptualmente erróneos. En entornos BETA, donde los sistemas son frágiles y las consecuencias de las decisiones son reales, estos errores pueden amplificarse rápidamente.

Por ello, la competencia del analista no consiste en saber programar de forma avanzada, sino en comprender qué hace el código, qué no hace y qué decisiones analíticas se han incorporado en él. Esto implica entender los supuestos de los modelos, los criterios de entrenamiento, los sesgos potenciales y las limitaciones inherentes a cada herramienta. El analista debe ser capaz de auditar su propio análisis, incluso cuando este se apoya en sistemas complejos o parcialmente automatizados.

En este sentido, lenguajes como Python o R no deben concebirse como sustitutos del razonamiento analítico, sino como extensiones del pensamiento. Automatizar no equivale a delegar el juicio. La responsabilidad última sobre los resultados obtenidos recae siempre en el analista, no en el algoritmo, la librería o la plataforma utilizada. Esta asunción de responsabilidad es una de las competencias más críticas del analista en entornos BETA.

Finalmente, el uso de programación aplicada al análisis refuerza una idea central de este capítulo: en contextos de alta complejidad, la técnica sin criterio no reduce el riesgo, sino que puede incrementarlo. El analista verdaderamente competente es aquel que sabe cuándo utilizar la automatización, cuándo limitarla y cuándo prescindir de ella para preservar la fiabilidad del juicio.

3.3. Visualización y representación analítica

La visualización no es neutra. Toda representación de la información implica una selección, una jerarquización y la construcción de una narrativa implícita sobre la realidad analizada. Al decidir qué variables se muestran, cuáles se omiten, cómo se agrupan los datos o qué escala se utiliza, el analista introduce necesariamente una interpretación previa que condiciona la lectura posterior del decisor.

En entornos VUCA, la visualización cumplía principalmente una función aclaratoria: ayudaba a sintetizar información compleja y a facilitar la comprensión de tendencias generales. Sin embargo, a medida que el entorno evolucionó hacia escenarios BANI, caracterizados por la sobrecarga informativa, la ansiedad decisional y la no linealidad de los fenómenos, la representación visual adquirió un peso mucho mayor. Un gráfico mal diseñado, una escala engañosa o una visualización excesivamente simplificada podían inducir a conclusiones erróneas y generar una falsa sensación de claridad.

En el entorno BETA, estos riesgos se intensifican de forma significativa. La fragilidad de los sistemas y la presión por tomar decisiones rápidas convierten la visualización en un elemento crítico del proceso analítico. Representaciones aparentemente neutras pueden amplificar percepciones de urgencia, minimizar riesgos reales o sobredimensionar amenazas marginales. En este contexto, la visualización deja de ser un complemento del análisis para convertirse en un instrumento de influencia cognitiva.

El analista debe ser consciente de que toda visualización encierra una toma de posición. Elegir mostrar una serie temporal agregada en lugar de datos desglosados, representar correlaciones sin contextualizar su causalidad o utilizar códigos de color que refuercen determinadas interpretaciones son decisiones analíticas con consecuencias reales. En entornos BANI y BETA, donde la presión emocional y organizativa es elevada, estas decisiones pueden condicionar de forma decisiva la respuesta del decisor.

Por ello, la competencia del analista en materia de visualización no se limita al dominio de herramientas o técnicas gráficas. Implica una responsabilidad cognitiva y ética sobre la forma en que la información es presentada y, por tanto, interpretada. El analista debe preguntarse no solo si la visualización es técnicamente correcta, sino si es proporcional, honesta y adecuada al nivel de incertidumbre existente.

Además, en contextos BETA, la tentación de simplificar en exceso para ganar rapidez puede resultar especialmente peligrosa. Una visualización excesivamente depurada puede ocultar incertidumbres relevantes, eliminar matices críticos o transmitir una sensación de certeza que el análisis no puede sostener. La madurez profesional del analista se manifiesta, en estos casos, en su capacidad para representar la complejidad sin falsearla, incluso cuando ello incomoda al decisor o retrasa la toma de decisiones.

En última instancia, la visualización analítica debe entenderse como una extensión del razonamiento, no como un recurso estético o comunicativo aislado. Asumir esta perspectiva permite al analista utilizar la representación visual como una herramienta para clarificar el pensamiento, hacer explícitas las incertidumbres y facilitar decisiones más informadas, sin renunciar a la honestidad intelectual ni a la responsabilidad ética que exige el análisis de inteligencia en entornos BETA.

3.4. Análisis de datos no estructurados y fuentes abiertas

La proliferación de fuentes abiertas ha transformado radicalmente el ecosistema informativo en el que opera el analista de inteligencia. Medios digitales, redes sociales, foros especializados, documentos públicos, imágenes, vídeos y flujos continuos de información generan un volumen de datos no estructurados sin precedentes.

En este contexto, el acceso a la información ya no constituye una ventaja competitiva; la ventaja reside en la capacidad para interpretar críticamente ese flujo informativo.

En entornos VUCA, las fuentes abiertas ampliaron el horizonte informativo del analista y permitieron contrastar datos procedentes de canales tradicionales. El principal reto residía en gestionar la diversidad de formatos y la heterogeneidad de las fuentes. Sin embargo, la evolución hacia entornos BANI puso de manifiesto problemas más profundos: la saturación informativa, la velocidad de propagación de narrativas y la dificultad para distinguir entre información relevante, ruido y manipulación deliberada.

En el entorno BETA, estas dificultades se intensifican de forma significativa. La fragilidad de los sistemas informativos, la viralidad exponencial de determinados contenidos y la transformación constante de las plataformas convierten el análisis de fuentes abiertas en un ejercicio de alto riesgo cognitivo. La desinformación, la propaganda y las operaciones de influencia no son anomalías, sino elementos estructurales del entorno informativo contemporáneo.

Por ello, el análisis de datos no estructurados exige competencias específicas en extracción, análisis textual y evaluación crítica de la fiabilidad de la información. Herramientas de recopilación automatizada, técnicas de análisis semántico o sistemas de detección de patrones pueden resultar útiles, pero nunca sustituyen el criterio del analista. El riesgo de delegar la interpretación en sistemas automatizados es especialmente elevado cuando se trabaja con contenidos cargados de intencionalidad política, emocional o ideológica.

Un elemento central de esta competencia es la conciencia de los sesgos inducidos por la propia arquitectura del entorno informativo. Algoritmos de recomendación, cámaras de eco, dinámicas de viralización y lógicas de plataforma condicionan qué contenidos se visibilizan y cuáles permanecen ocultos.

El analista debe ser capaz de identificar estas dinámicas y evitar confundir popularidad con relevancia o visibilidad con representatividad.

En entornos BANI y BETA, la actitud analítica debe ser necesariamente escéptica, pero no cínica. El escepticismo profesional implica cuestionar las fuentes, contrastar narrativas, evaluar intenciones y reconocer los límites del conocimiento disponible. Implica también aceptar que, en muchos casos, la información no permite conclusiones firmes, sino únicamente hipótesis plausibles y escenarios de probabilidad.

Finalmente, el análisis de fuentes abiertas y datos no estructurados refuerza una idea central del análisis contemporáneo: más información no implica mejor comprensión. La competencia del analista reside en su capacidad para filtrar, contextualizar y dotar de sentido a un entorno informativo fragmentado y emocionalmente cargado.

En entornos BETA, esta capacidad se convierte en una de las principales garantías de fiabilidad del análisis de inteligencia.

3.5. Arquitectura de datos, seguridad y responsabilidad técnica

En entornos BETA, la fragilidad de los sistemas y la exposición creciente de infraestructuras críticas obligan al analista de inteligencia a comprender, al menos a nivel conceptual, los principios básicos de arquitectura de datos, flujos de información y ciberseguridad. Esta comprensión no responde a una necesidad técnica avanzada, sino a una exigencia de responsabilidad profesional: el analista opera sobre sistemas frágiles y altamente interconectados, donde un error técnico puede amplificarse con consecuencias operativas, legales o estratégicas significativas.

En entornos VUCA, la arquitectura de datos solía percibirse como una cuestión de soporte tecnológico, generalmente gestionada por perfiles especializados ajenos al análisis. El analista se situaba aguas abajo del sistema, trabajando con datos ya procesados y asumiendo implícitamente que la infraestructura era estable y confiable. Sin embargo, esta separación comenzó a erosionarse con la transición a entornos BANI, donde la fragilidad de los sistemas, las interrupciones operativas y los incidentes de seguridad pusieron de manifiesto que la infraestructura condiciona directamente la calidad y fiabilidad del análisis.

En el entorno BETA, esta realidad se intensifica. Los sistemas de información son frágiles, las arquitecturas se transforman constantemente y los flujos de datos atraviesan múltiples capas técnicas, organizativas y legales. El analista ya no puede permitirse ignorar cómo se almacenan, transmiten, protegen y acceden los datos con los que trabaja. Desconocer estos aspectos equivale a analizar sobre una base inestable, asumiendo riesgos que no siempre son visibles en el resultado final del análisis.

Comprender la arquitectura de datos implica saber identificar puntos críticos de vulnerabilidad, dependencias entre sistemas, posibles pérdidas de integridad o disponibilidad de la información, y limitaciones derivadas de la fragmentación de los flujos informativos. No se trata de auditar sistemas, sino de entender cómo la arquitectura condiciona lo que puede conocerse, lo que puede perderse y lo que puede ser manipulado.

La dimensión de seguridad introduce, además, una responsabilidad adicional. El acceso a información sensible —ya sea estratégica, personal, operativa o clasificada— implica obligaciones técnicas, legales y éticas que no pueden delegarse completamente en terceros. El analista es responsable no solo de lo que concluye, sino también de cómo protege la información que maneja, cómo limita su difusión y cómo previene usos indebidos o filtraciones accidentales.

En entornos BETA, donde los incidentes de seguridad pueden tener efectos en cascada, la negligencia técnica se convierte en un riesgo estratégico. Un análisis correcto elaborado sobre datos mal protegidos, comprometidos o mal gestionados pierde automáticamente su valor y puede generar daños colaterales significativos. Por ello, la competencia del analista incluye la capacidad de reconocer cuándo una debilidad técnica compromete la fiabilidad del análisis o la legitimidad de su uso.

Finalmente, la arquitectura de datos y la seguridad refuerzan una idea central de este capítulo: el análisis de inteligencia no es solo un ejercicio cognitivo, sino una práctica profesional situada en sistemas reales, con limitaciones técnicas, riesgos operativos y consecuencias éticas. En entornos BETA, la responsabilidad del analista se extiende más allá del contenido del análisis e incluye la forma en que este se sustenta técnicamente. Asumir esta responsabilidad es una condición indispensable de la madurez profesional del analista contemporáneo.

El dominio técnico aporta precisión y eficiencia, pero no sustituye la capacidad de interpretación contextual ni la responsabilidad ética del analista. Las herramientas amplifican el alcance del análisis, pero es el criterio humano el que determina su pertinencia, sus límites y su adecuada aplicación en cada situación concreta.

4. TÉCNICAS ESTRUCTURADAS Y APOYO METODOLÓGICO AL ANÁLISIS

Las técnicas estructuradas de análisis surgieron como respuesta a la creciente complejidad de los entornos VUCA, donde la volatilidad y la ambigüedad dificultaban el razonamiento intuitivo y aumentaban el riesgo de conclusiones apresuradas. Su objetivo inicial fue proporcionar al analista un marco disciplinado para ordenar el pensamiento, hacer explícitos los supuestos implícitos y reducir la influencia de sesgos cognitivos en la interpretación de la información.

Con la transición hacia entornos BANI, caracterizados por la fragilidad de los sistemas, la ansiedad decisional y la no linealidad de los fenómenos, estas técnicas adquirieron un valor adicional. Ya no se trataba únicamente de estructurar el análisis, sino de proteger al analista frente a la presión del contexto y de las expectativas organizativas.

Técnicas como el Análisis de Hipótesis Competidoras (ACH), los árboles de hipótesis, las matrices de impacto y probabilidad o los análisis de escenarios permitieron contrastar explicaciones alternativas y documentar razonamientos en situaciones de alta incertidumbre.

En entornos BETA, estas técnicas no garantizan certezas ni eliminan el error. Su valor principal reside en hacer visible el proceso analítico, permitiendo su discusión, revisión y mejora. En sistemas frágiles y acelerados, donde el error es estructural, la trazabilidad del razonamiento se convierte en un elemento clave de fiabilidad profesional. Saber explicar cómo se ha llegado a una conclusión es, en muchos casos, tan importante como la conclusión misma.

El uso de técnicas estructuradas se ve reforzado hoy por herramientas y aplicaciones específicas que facilitan su implementación y documentación.

Plataformas de análisis colaborativo, software de modelización de escenarios, herramientas de análisis de redes o aplicaciones de gestión del conocimiento permiten representar hipótesis, evidencias y relaciones de forma sistemática. Del mismo modo, soluciones integradas de análisis de inteligencia incorporan módulos específicos para la aplicación de técnicas como ACH, análisis de actores o matrices de riesgo, favoreciendo la coherencia y la reutilización del razonamiento.

No obstante, en entornos BETA, estas herramientas introducen también nuevos riesgos. La formalización excesiva del análisis puede generar una ilusión de rigor que oculte supuestos no cuestionados o limite la exploración de explicaciones alternativas. El analista debe evitar convertir la técnica en un fin en sí mismo y recordar que las herramientas estructuradas son apoyos al pensamiento, no sustitutos del juicio profesional.

El uso riguroso de estas técnicas refuerza la fiabilidad del análisis no porque asegure conclusiones correctas, sino porque permite comprender cómo se ha llegado a ellas, identificar puntos débiles del razonamiento y facilitar la revisión crítica por parte de otros analistas o decisores. En este sentido, las técnicas estructuradas cumplen también una función organizativa y ética: protegen al analista frente a presiones indebidas y refuerzan la transparencia del proceso analítico.

En última instancia, la madurez profesional del analista en entornos BETA se manifiesta en su capacidad para combinar disciplina metodológica y flexibilidad cognitiva. Saber cuándo aplicar una técnica estructurada, cuándo adaptarla y cuándo prescindir de ella constituye una de las competencias más avanzadas del análisis de inteligencia contemporáneo.

5. COMPETENCIAS ANALÍTICAS: PENSAR CUANDO LA CERTEZA NO ES POSIBLE

El núcleo del valor profesional del analista de inteligencia reside en su capacidad para pensar mejor que otros cuando el entorno se vuelve incierto, frágil y acelerado. Esta afirmación, aparentemente simple, encierra una transformación profunda del rol analítico a medida que el contexto evoluciona de VUCA a BANI y, finalmente, a BETA. En entornos VUCA, el análisis aspiraba a reducir la incertidumbre mediante una mejor información y métodos más refinados. En entornos BANI, el objetivo se desplazó hacia la gestión de la ansiedad decisional y la adaptación a fenómenos no lineales. En entornos BETA, la incertidumbre deja de ser un problema para resolver para convertirse en una condición estructural del análisis.

En este escenario, la competencia analítica ya no puede medirse por la frecuencia de aciertos ni por la capacidad para producir respuestas rápidas, sino por la calidad del juicio en condiciones adversas. Pensar analíticamente en entornos BETA implica aceptar que no siempre es posible alcanzar conclusiones cerradas, que los datos pueden ser incompletos o contradictorios y que las decisiones deben tomarse aun cuando el conocimiento disponible es insuficiente.

Las competencias analíticas incluyen la capacidad de abstracción y síntesis, que permite al analista elevarse por encima del detalle operativo sin perder contacto con la realidad; el pensamiento relacional y causal, necesario para comprender cómo interactúan actores, variables y procesos en sistemas complejos; y la formulación de hipótesis, entendida no como un ejercicio académico, sino como una herramienta para explorar explicaciones alternativas y evitar conclusiones prematuras.

Asimismo, resulta central la evaluación crítica de fuentes, especialmente en entornos dominados por datos no estructurados, narrativas interesadas y flujos informativos contaminados. Herramientas de análisis de fuentes, matrices de fiabilidad, técnicas de contraste cruzado o sistemas de análisis colaborativo pueden apoyar esta tarea, pero no sustituyen la capacidad del analista para cuestionar la procedencia, intencionalidad y contexto de la información.

La gestión explícita de la incertidumbre constituye otra competencia clave. Analizar no es eliminar la incertidumbre, sino hacerla visible, delimitable y comunicable. Técnicas como el análisis de escenarios, los intervalos de probabilidad, los niveles de confianza o las evaluaciones de impacto permiten representar esa incertidumbre de forma estructurada. Herramientas de modelización, simulación o análisis prospectivo pueden facilitar este proceso, siempre que el analista mantenga el control conceptual sobre los supuestos utilizados.

En entornos BETA, analizar no es acertar siempre, sino razonar de forma defendible. Esto implica explicitar supuestos, documentar inferencias y asumir la provisionalidad de las conclusiones sin renunciar a la responsabilidad profesional. El analista competente es aquel que puede explicar no solo qué concluye, sino por qué concluye eso y no otra cosa, y bajo qué condiciones esas conclusiones dejarían de ser válidas.

Un elemento fundamental de esta competencia es la relación con el error. En contextos tradicionales, el error se interpretaba como un fallo a evitar. En entornos BETA, el error potencial es inevitable. La diferencia entre un analista inmaduro y uno competente no reside en la ausencia de error, sino en la capacidad para anticiparlo, acotarlo y aprender de él. Herramientas de revisión post-análisis, ejercicios de red teaming, análisis retrospectivos o evaluaciones de supuestos ayudan a institucionalizar este aprendizaje, pero requieren una cultura analítica que valore la honestidad intelectual por encima de la complacencia.

En este sentido, el analista verdaderamente competente es aquel capaz de convivir con el error potencial sin paralizarse, manteniendo la disciplina intelectual incluso cuando el entorno no ofrece garantías. Esta capacidad de sostener el pensamiento bajo presión, aceptar la incompletitud del conocimiento y seguir razonando con rigor constituye una de las competencias más exigentes —y menos visibles— del análisis de inteligencia contemporáneo.

En última instancia, las competencias analíticas definen al analista no como un productor de respuestas, sino como un gestor responsable del juicio en contextos donde la certeza ya no es una opción. En entornos BETA, esta forma de pensar no es solo una habilidad profesional, sino una condición indispensable para que el análisis de inteligencia conserve su sentido y su legitimidad.

5.1. Gobernanza del tiempo cognitivo y la atención analítica

En entornos BETA, una de las competencias menos visibles y, al mismo tiempo, más determinantes del analista es la gobernanza del tiempo cognitivo y de la atención analítica. El principal riesgo ya no es únicamente la falta de información, sino la erosión progresiva de la capacidad de pensar con profundidad en contextos de presión continua, interrupción constante y sobreestimulación informativa.

La aceleración de los flujos de datos, la multiplicación de herramientas y la expectativa de respuesta inmediata generan un entorno en el que el pensamiento analítico tiende a fragmentarse. En este contexto, la calidad del juicio no depende solo de qué se analiza, sino de cómo y en qué condiciones se piensa. El analista competente es aquel que sabe gestionar deliberadamente su atención, decidir cuándo profundizar, cuándo detener el análisis y cuándo revisar sus propias conclusiones antes de comunicarlas.

En entornos VUCA, la gestión del tiempo estaba orientada a la eficiencia operativa. En entornos BANI, comenzó a ser una herramienta para reducir la ansiedad decisional. En entornos BETA, se convierte en una condición de fiabilidad analítica. Pensar deprisa no equivale a pensar bien; responder antes no garantiza decidir mejor. La madurez profesional del analista se manifiesta en su capacidad para proteger espacios de razonamiento, incluso cuando el entorno organizativo penaliza la pausa reflexiva.

Esta competencia incluye saber cuándo no responder, cuándo solicitar más tiempo, cuándo reformular una pregunta mal planteada y cuándo reconocer que el análisis disponible no permite una conclusión sólida. Herramientas de gestión del trabajo analítico, prácticas de revisión diferida, pausas analíticas deliberadas o trabajo colaborativo secuencial pueden apoyar esta gobernanza del tiempo cognitivo, siempre que exista una cultura que valore la calidad del juicio por encima de la inmediatez.

En última instancia, la gestión consciente de la atención y del tiempo cognitivo no es una cuestión de productividad personal, sino una responsabilidad profesional. En entornos BETA, la degradación del pensamiento es un riesgo sistémico; saber protegerlo constituye una de las competencias más avanzadas —y menos reconocidas— del analista de inteligencia contemporáneo.

6. TRAMPAS COGNITIVAS Y LÍMITES DEL RAZONAMIENTO ANALÍTICO

Los entornos VUCA y BANI ya pusieron de manifiesto la influencia decisiva de los sesgos cognitivos en el análisis de inteligencia. La volatilidad, la ambigüedad y la presión por ofrecer respuestas rápidas favorecían atajos mentales que, si bien podían resultar funcionales en determinados contextos, introducían distorsiones sistemáticas en la interpretación de la información. En estos entornos, los sesgos aparecían como un riesgo relevante, pero en gran medida manejable mediante metodologías estructuradas y revisión colegiada.

En contextos BETA, estos sesgos no solo persisten, sino que se amplifican. La presión temporal constante, la sobrecarga informativa, la fragmentación de las fuentes y las expectativas institucionales crean un entorno especialmente propicio para errores de juicio. El analista se enfrenta a demandas de inmediatez, coherencia narrativa y alineamiento con decisiones ya en curso, lo que incrementa la probabilidad de razonamientos sesgados, autocensura analítica o aceptación acrítica de hipótesis dominantes.

Sesgos como el sesgo de confirmación, la heurística de disponibilidad, el exceso de confianza o el anclaje cognitivo no deben entenderse como fallos individuales ni como carencias formativas puntuales. Constituyen límites estructurales del pensamiento humano, profundamente arraigados en la forma en que procesamos la información bajo presión. El analista profesional no puede aspirar a eliminarlos, pero sí a reconocerlos, anticiparlos y gestionarlos de manera consciente.

La competencia clave en este ámbito no reside, por tanto, en la ausencia de sesgos, sino en la capacidad para hacerlos visibles, discutibles y gestionables. Técnicas estructuradas como el Análisis de Hipótesis Competidoras (ACH), los ejercicios de red teaming, el análisis de supuestos clave, las revisiones cruzadas entre analistas o las matrices de evidencia permiten confrontar explicaciones alternativas y reducir la dominancia de una única narrativa. Herramientas colaborativas de análisis, plataformas de gestión del conocimiento o sistemas de trazabilidad del razonamiento facilitan este proceso al documentar explícitamente hipótesis, evidencias y contraargumentos.

En entornos BETA, resulta especialmente relevante prestar atención a los sesgos inducidos por el contexto organizativo. Las expectativas del decisor, los marcos estratégicos predefinidos o la presión por confirmar líneas de acción ya adoptadas pueden generar un entorno donde ciertas conclusiones resultan implícitamente más aceptables que otras. El analista debe ser capaz de identificar estas dinámicas y proteger su razonamiento frente a ellas, incluso cuando ello implica incomodidad profesional o tensión con la jerarquía.

Pensar contra uno mismo constituye, en este sentido, una de las competencias más avanzadas del analista. Implica cuestionar las propias conclusiones, explorar activamente escenarios que contradicen la hipótesis dominante y aceptar que el análisis puede estar equivocado. Herramientas como los análisis retrospectivos, los pre-mortem analíticos o las evaluaciones post-decisionales ayudan a institucionalizar esta actitud crítica, siempre que exista una cultura organizativa que valore el aprendizaje por encima de la culpabilización.

Aceptar la posibilidad de error no equivale a relativizar la responsabilidad. Al contrario, en entornos BETA, donde el error es estructural y las consecuencias son reales, la madurez analítica se manifiesta en la capacidad para acotar el error, explicitar sus márgenes y comunicarlo de forma honesta al decisor. El analista fiable no es aquel que promete certezas, sino aquel que sabe dónde pueden fallar sus conclusiones y por qué.

En última instancia, las trampas cognitivas recuerdan un principio fundamental del análisis de inteligencia contemporáneo: el principal límite del análisis no es la falta de información ni la carencia de herramientas, sino la propia arquitectura del pensamiento humano bajo presión.

Reconocer este límite, trabajar activamente contra él y asumirlo como parte del oficio constituye una de las señas más claras de profesionalidad analítica en entornos BETA.

7. COMPETENCIAS BLANDAS Y DIMENSIÓN HUMANA DEL ANÁLISIS

En La dimensión humana del análisis de inteligencia ha ganado peso de forma progresiva a medida que el entorno ha evolucionado de VUCA a BANI y, finalmente, a BETA. En los primeros marcos VUCA, las denominadas habilidades blandas se consideraban un complemento útil para mejorar la comunicación del análisis, facilitar la interacción con decisores y suavizar la transmisión de conclusiones complejas. Su ausencia podía generar fricciones, pero rara vez se percibía como un riesgo estructural.

El tránsito hacia entornos BANI modificó sustancialmente esta percepción. La fragilidad de los sistemas, la ansiedad decisional y la presión emocional constante pusieron de manifiesto que el análisis no se desarrolla en un vacío racional. El analista comenzó a enfrentarse a tensiones psicológicas sostenidas, conflictos de prioridades, demandas contradictorias y escenarios donde el impacto emocional de la información era tan relevante como su contenido factual. En este contexto, las competencias blandas dejaron de ser un elemento accesorio para convertirse en un recurso de supervivencia profesional.

En el entorno BETA, estas competencias adquieren una dimensión aún más crítica.

La presión es continua, los márgenes de error son estrechos y la exposición del analista a contextos de crisis, incertidumbre prolongada y responsabilidad decisional se convierte en un rasgo estructural del rol. La sostenibilidad profesional del analista —su capacidad para mantener la calidad del juicio a lo largo del tiempo— depende en gran medida de su fortaleza emocional, de su capacidad para gestionar el estrés y de su habilidad para relacionarse de forma eficaz con otros actores del proceso decisional.

La escucha activa se convierte en una competencia clave para comprender no solo lo que el decisor solicita explícitamente, sino también sus preocupaciones implícitas, sus restricciones y sus marcos mentales. La empatía cognitiva, entendida como la capacidad para comprender cómo otros interpretan la realidad sin necesariamente compartir su visión, permite al analista adaptar el análisis sin traicionar su rigor. Estas competencias resultan especialmente relevantes en entornos interdisciplinarios, donde confluyen lenguajes, prioridades y culturas organizativas distintas.

La adaptabilidad y la resiliencia emocional permiten al analista sostener su desempeño en contextos de cambio constante y presión prolongada.

Herramientas como sesiones de de briefing analítico, revisión colectiva de informes, prácticas de mentoring o espacios estructurados de reflexión contribuyen a reforzar estas capacidades, siempre que formen parte de una cultura organizativa que reconozca el impacto humano del análisis de inteligencia.

La capacidad de negociación ocupa también un lugar central. El analista debe negociar tiempos, formatos, niveles de detalle y, en ocasiones, el propio contenido del análisis. Saber defender una conclusión impopular, matizar expectativas irreales o resistir presiones para simplificar en exceso constituye una competencia blanda con consecuencias directas sobre la calidad y la honestidad del análisis. En entornos BETA, esta capacidad marca con frecuencia la diferencia entre un análisis influyente y uno irrelevante o distorsionado.

La ética profesional actúa como eje vertebrador de esta dimensión humana. Interpretar la realidad y orientar decisiones implica ejercer una forma de poder simbólico: el analista contribuye a definir qué se percibe como riesgo, amenaza u oportunidad. Este poder exige responsabilidad, proporcionalidad y honestidad intelectual. La tentación de reforzar narrativas dominantes, suavizar conclusiones incómodas o adaptar el análisis a expectativas políticas o organizativas es especialmente elevada en contextos de presión.

En este sentido, la madurez ética del analista no se manifiesta en la adhesión a códigos abstractos, sino en decisiones cotidianas: qué se incluye, qué se omite, cómo se comunica la incertidumbre y hasta qué punto se protege la integridad del razonamiento frente a presiones externas. Herramientas como códigos de conducta, comités de revisión ética o protocolos de validación pueden apoyar esta labor, pero nunca sustituyen la responsabilidad individual del analista.

En última instancia, las competencias blandas y la dimensión humana del análisis recuerdan una realidad fundamental del oficio: el análisis de inteligencia es una actividad profundamente humana, ejercida por personas que piensan, sienten y deciden bajo presión. En entornos BETA, reconocer y gestionar esta dimensión no es una opción, sino una condición indispensable para preservar la calidad, la fiabilidad y la legitimidad del análisis de inteligencia contemporáneo.

8. COMUNICACIÓN DEL ANÁLISIS: DEL CONOCIMIENTO A LA DECISIÓN

La comunicación del análisis adquiere una relevancia creciente a medida que el entorno evoluciona de VUCA a BANI y, finalmente, a BETA. En los primeros marcos VUCA, comunicar inteligencia se concebía principalmente como un ejercicio de transmisión de conocimiento: el reto consistía en sintetizar información compleja y presentarla de forma comprensible a los decisores. La calidad del análisis se asociaba, en gran medida, a la solidez del contenido, mientras que la forma ocupaba un lugar secundario.

La transición hacia entornos BANI alteró de manera significativa esta lógica. La ansiedad decisional, la presión temporal y la necesidad de actuar en escenarios no lineales pusieron de manifiesto que un análisis técnicamente sólido podía fracasar si no era adecuadamente comunicado. La comunicación pasó a ser un elemento crítico del proceso analítico, capaz de amplificar o neutralizar el valor del conocimiento producido.

En el entorno BETA, esta dimensión se vuelve central. La fragilidad de los sistemas, la aceleración de los acontecimientos y la exposición constante de los decisores a múltiples estímulos informativos hacen que la comunicación del análisis sea, en sí misma, un acto de responsabilidad profesional. La claridad, la proporcionalidad y la honestidad dejan de ser virtudes deseables para convertirse en requisitos éticos. Comunicar mal un análisis no solo reduce su impacto, sino que puede inducir decisiones erróneas o desproporcionadas.

El analista debe ser capaz de adaptar el mensaje al destinatario, comprendiendo su nivel de conocimiento, sus restricciones temporales, sus responsabilidades y su marco decisional. Esto implica seleccionar el formato adecuado —informes ejecutivos, briefings orales, visualizaciones sintéticas, escenarios comparados— y ajustar el nivel de detalle sin traicionar la complejidad del análisis. Herramientas de presentación, dashboards analíticos, informes estructurados o sistemas de briefing digital pueden facilitar esta tarea, siempre que se utilicen con criterio y no como sustitutos del razonamiento.

Traducir complejidad en claridad no equivale a simplificar en exceso. En entornos BETA, uno de los riesgos más frecuentes es la ilusión de certeza generada por mensajes excesivamente contundentes o visualmente depurados. El analista debe encontrar el equilibrio entre ofrecer orientación útil y comunicar explícitamente los márgenes de incertidumbre. Técnicas como la explicitación de niveles de confianza, la presentación de escenarios alternativos o la inclusión de supuestos clave permiten comunicar la incertidumbre de forma estructurada y responsable.

Comunicar inteligencia implica también asumir responsabilidad sobre el impacto del mensaje. La forma en que se presenta una amenaza, un riesgo o una oportunidad condiciona la respuesta del decisor.

Un énfasis desproporcionado puede generar reacciones excesivas; una comunicación excesivamente prudente puede conducir a la inacción. En este sentido, la comunicación no es un acto neutral, sino una extensión del juicio analítico.

En entornos BANI y BETA, el analista se enfrenta además a presiones explícitas e implícitas para adaptar el mensaje a expectativas organizativas o narrativas dominantes. Resistir estas presiones forma parte de la competencia profesional. Herramientas como revisiones cruzadas de informes, briefings colegiados o protocolos de validación pueden apoyar esta resistencia, pero no sustituyen la responsabilidad individual del analista sobre lo que comunica y cómo lo comunica.

Finalmente, la comunicación del análisis debe entenderse como un proceso bidireccional. El analista no solo transmite información, sino que recibe feedback, aclara dudas y ajusta su razonamiento en función de nuevas preguntas o matices aportados por el decisor. Esta interacción refuerza la calidad del análisis y mejora su adecuación al contexto decisional.

En última instancia, comunicar inteligencia en entornos BETA implica aceptar que el análisis no culmina en el informe, sino en la decisión informada. El analista profesional no es solo un productor de conocimiento, sino un mediador responsable entre la complejidad de la realidad y la necesidad de actuar. Asumir esta función con rigor, honestidad y proporcionalidad constituye una de las competencias más exigentes y decisivas del análisis de inteligencia contemporáneo.

9. COLABORACIÓN INTERDISCIPLINARIA

La inteligencia en entornos BANI y BETA es necesariamente colectiva. La complejidad de los fenómenos contemporáneos, la fragmentación del conocimiento experto y la velocidad de los cambios hacen inviable un análisis sólido basado en una única disciplina o perspectiva. En este contexto, el analista deja de ser un especialista aislado para convertirse en un nodo de integración, capaz de articular conocimientos diversos en una interpretación coherente y útil para la decisión.

En entornos VUCA, la colaboración interdisciplinaria mejoraba la calidad del análisis al incorporar visiones complementarias —política, económica, tecnológica, social— a problemas complejos. Sin embargo, estas colaboraciones solían ser puntuales y relativamente estables. El analista actuaba como coordinador ocasional de aportaciones especializadas, generalmente dentro de marcos organizativos bien definidos.

La transición hacia entornos BANI transformó esta dinámica. La fragilidad de los sistemas, la no linealidad de los fenómenos y la presión decisional hicieron que la colaboración dejara de ser un valor añadido para convertirse en una condición de viabilidad del análisis. Ningún analista, por competente que sea, puede abarcar por sí solo la diversidad de variables que intervienen en escenarios complejos. La inteligencia comienza a producirse de forma distribuida, en equipos heterogéneos y, en muchos casos, bajo condiciones de urgencia.

En el entorno BETA, esta lógica se consolida y se intensifica. La colaboración interdisciplinaria ya no es solo necesaria para enriquecer el análisis, sino para detectar fallos, sesgos y puntos ciegos que un enfoque único no puede identificar. La diversidad cognitiva se convierte en una barrera frente al error estructural. El analista actúa como integrador entre disciplinas, traductor entre lenguajes técnicos y facilitador de decisiones compartidas, especialmente en contextos de crisis, incertidumbre prolongada y alta presión institucional.

Esta función integradora exige competencias específicas. La capacidad para trabajar en equipos diversos implica comprender lógicas profesionales distintas —jurídicas, tecnológicas, operativas, económicas— y aceptar que cada disciplina aporta una visión parcial de la realidad. El analista debe ser capaz de escuchar, sintetizar y relacionar estas perspectivas sin diluir su contenido ni imponer una jerarquía artificial.

La gestión de conflictos cognitivos ocupa un lugar central en este proceso. Las discrepancias entre expertos no son un problema para evitar, sino una fuente de valor analítico si se gestionan adecuadamente. Herramientas como sesiones de análisis colaborativo, talleres de escenarios, ejercicios de red teaming interdisciplinar o plataformas digitales de trabajo compartido permiten canalizar estas tensiones de forma productiva, siempre que exista una cultura organizativa que valore el debate informado y la discrepancia razonada.

En entornos BETA, el analista debe además resistir la tentación de buscar consensos rápidos que sacrifiquen la calidad del análisis. La presión por ofrecer una única narrativa coherente puede llevar a silenciar perspectivas incómodas o minoritarias. La competencia profesional se manifiesta, en estos casos, en la capacidad para preservar la diversidad de enfoques y reflejarla de forma honesta en el producto final, incluso cuando ello introduce complejidad en la comunicación.

La colaboración interdisciplinaria implica también el uso de herramientas y entornos tecnológicos que facilitan la integración del conocimiento: plataformas de gestión del conocimiento, sistemas de análisis colaborativo, repositorios compartidos, herramientas de mapeo de actores o software de análisis de redes. Estas soluciones pueden potenciar la inteligencia colectiva, pero también introducir riesgos de fragmentación o pérdida de coherencia si no existe una figura integradora clara. Ese papel corresponde, en gran medida, al analista.

En última instancia, la colaboración interdisciplinaria redefine la identidad profesional del analista en entornos BANI y BETA. Su valor no reside únicamente en lo que sabe, sino en su capacidad para conectar saberes, traducir complejidad y facilitar decisiones informadas en contextos donde ningún actor dispone de una visión completa. Asumir este rol con rigor, apertura y responsabilidad constituye una de las competencias más exigentes y estratégicas del análisis de inteligencia contemporáneo.

10. PENSAMIENTO CRÍTICO Y PENSAMIENTO ESTRATÉGICO

El pensamiento crítico y el pensamiento estratégico constituyen dos dimensiones inseparables del análisis de inteligencia contemporáneo. El primero protege al análisis frente a errores, manipulaciones y narrativas interesadas; el segundo orienta ese análisis hacia la anticipación, la priorización y la acción con propósito. En entornos VUCA, ambas formas de pensamiento aportaban valor, pero podían desarrollarse de manera relativamente independiente. En entornos BANI y, especialmente, BETA, su integración se convierte en una condición indispensable de la madurez profesional del analista.

El pensamiento crítico permite al analista cuestionar la información disponible, evaluar la solidez de las fuentes y detectar inconsistencias, sesgos o supuestos no explicitados. En entornos VUCA, esta competencia ayudaba a depurar el análisis y mejorar su rigor metodológico. Sin embargo, a medida que el entorno evolucionó hacia escenarios BANI, el pensamiento crítico adquirió una función adicional: proteger al analista frente a la presión emocional, la sobrecarga informativa y la tentación de aceptar explicaciones simples para problemas complejos.

En el entorno BETA, el pensamiento crítico se enfrenta a desafíos aún mayores. La fragilidad de los sistemas, la velocidad de los acontecimientos y la proliferación de narrativas interesadas convierten la crítica en un ejercicio contracorriente. Herramientas como el análisis de supuestos clave, las matrices de evidencia, los ejercicios de red teaming o la revisión cruzada de hipótesis permiten institucionalizar esta actitud crítica, siempre que el analista mantenga una disposición activa a cuestionar incluso sus propias conclusiones.

El pensamiento estratégico, por su parte, orienta el análisis hacia el futuro y la acción. No se limita a describir la realidad, sino que busca comprender dinámicas, anticipar escenarios y evaluar implicaciones. En entornos VUCA, el pensamiento estratégico se apoyaba en modelos relativamente estables y en proyecciones lineales. La transición a entornos BANI puso de manifiesto los límites de estos enfoques, obligando al analista a incorporar incertidumbre, discontinuidades y no linealidad en su razonamiento.

En entornos BETA, el pensamiento estratégico no puede aspirar a predecir con precisión, sino a preparar decisiones bajo incertidumbre. Técnicas como el análisis de escenarios, la prospectiva estratégica, la identificación de señales débiles o la evaluación de riesgos sistémicos permiten explorar futuros posibles sin caer en determinismos. Herramientas de simulación, modelización de escenarios o mapas de actores pueden apoyar este proceso, siempre que el analista mantenga el control conceptual sobre los supuestos utilizados.

La integración del pensamiento crítico y estratégico resulta especialmente relevante en contextos de presión institucional. El pensamiento crítico sin orientación estratégica puede derivar en análisis excesivamente prudentes o paralizantes; el pensamiento estratégico sin crítica puede conducir a narrativas atractivas, pero mal fundamentadas. El analista maduro es capaz de equilibrar ambos enfoques, cuestionando las bases del análisis mientras orienta sus conclusiones hacia la acción responsable.

En entornos BETA, esta integración constituye el núcleo de la credibilidad profesional del analista ante los decisores. La capacidad para explicar por qué una conclusión es razonable, bajo qué supuestos se sostiene y qué implicaciones estratégicas tiene permite generar confianza incluso cuando la incertidumbre es elevada. La credibilidad ya no se basa en la promesa de certeza, sino en la transparencia del razonamiento y en la coherencia entre análisis y acción.

Finalmente, el pensamiento crítico y estratégico refuerzan una idea central de este capítulo: el analista de inteligencia no es un observador pasivo de la realidad, sino un actor cognitivo que influye en la forma en que las organizaciones comprenden y responden a su entorno. Asumir esta responsabilidad con rigor, honestidad y sentido estratégico constituye una de las competencias más exigentes y valiosas del análisis de inteligencia contemporáneo.

11. COMPETENCIAS EMERGENTES EN LA ERA DE LA AUTOMATIZACIÓN

La incorporación progresiva de sistemas de inteligencia artificial, aprendizaje automático y automatización avanzada está transformando de forma sustancial el trabajo del analista de inteligencia. Estas tecnologías amplían la capacidad de procesamiento, permiten analizar grandes volúmenes de información y facilitan la detección de patrones que escaparían al análisis humano. Sin embargo, su integración introduce nuevas exigencias competenciales que van más allá del dominio técnico tradicional.

En entornos VUCA, la automatización se percibía principalmente como una herramienta de eficiencia. Algoritmos de clasificación, sistemas de minería de datos o herramientas de análisis automatizado permitían acelerar procesos y ampliar el alcance del análisis. En entornos BANI, estas tecnologías comenzaron a influir directamente en la toma de decisiones, generando una dependencia creciente de modelos y sistemas cuya lógica interna no siempre era plenamente comprendida por sus usuarios.

En el entorno BETA, esta dependencia se convierte en un riesgo estructural. Los sistemas algorítmicos operan sobre supuestos, datos de entrenamiento y criterios de optimización que pueden no ser evidentes. Herramientas de análisis predictivo, sistemas de detección automatizada de amenazas, plataformas de análisis de redes o soluciones basadas en inteligencia artificial generativa pueden producir resultados persuasivos pero conceptualmente frágiles si no se supervisan de forma crítica.

Por ello, emerge una competencia clave: la interacción crítica con sistemas algorítmicos. El analista debe ser capaz de supervisar resultados, detectar sesgos, comprender los límites de los modelos y, de forma especialmente relevante, decidir cuándo no automatizar. Esta capacidad implica reconocer que no todos los problemas analíticos son susceptibles de ser abordados mediante algoritmos y que, en determinados contextos, la automatización puede amplificar errores, sesgos o falsas certezas.

Herramientas de explicabilidad algorítmica, auditoría de modelos o validación cruzada pueden apoyar esta supervisión, pero no sustituyen el criterio del analista. La responsabilidad última sobre el uso de sistemas automatizados recae siempre en la persona que interpreta y comunica sus resultados. Delegar el juicio en la tecnología equivale, en entornos BETA, a renunciar a una de las funciones esenciales del análisis de inteligencia.

Junto a esta competencia técnica-crítica, adquiere una relevancia creciente la resiliencia cognitiva. La automatización no reduce necesariamente la carga mental del analista; en muchos casos la incrementa.

La presión por validar resultados automatizados, la velocidad de los flujos informativos y la transformación constante de las herramientas generan un entorno de exigencia cognitiva sostenida. Mantener la calidad del razonamiento en este contexto requiere entrenamiento específico y conciencia de los propios límites.

La resiliencia cognitiva puede fortalecerse mediante prácticas como la revisión deliberada del razonamiento, el uso consciente de pausas analíticas, la rotación de tareas, el trabajo colaborativo y la formación continua en pensamiento crítico aplicado a sistemas automatizados. Plataformas de apoyo a la toma de decisiones, entornos de simulación o ejercicios de validación de escenarios pueden contribuir a este entrenamiento, siempre que se utilicen como herramientas de apoyo y no como sustitutos del juicio humano.

En entornos BETA, la competencia emergente no es, por tanto, saber utilizar más tecnología, sino saber relacionarse críticamente con ella. El analista del futuro no será quien delegue el análisis en sistemas automatizados, sino quien sepa integrarlos de forma responsable en un proceso analítico consciente de sus límites, riesgos y consecuencias.

En última instancia, las competencias emergentes en la era de la automatización refuerzan una idea central de este capítulo: cuanto más sofisticadas son las herramientas, mayor es la exigencia de criterio, responsabilidad y madurez profesional del analista. En entornos BETA, la tecnología amplifica el análisis solo cuando está gobernada por un juicio humano sólido y éticamente responsable.

11.1. Del analista experto al analista garante del juicio

La evolución del rol analítico en entornos VUCA, BANI y BETA apunta hacia una transformación profunda de la identidad profesional del analista de inteligencia. Frente a la figura tradicional del analista experto —definido por su conocimiento especializado, su dominio técnico o su acceso privilegiado a la información— emerge progresivamente la figura del analista garante del juicio.

En sistemas cada vez más automatizados, interconectados y distribuidos, ninguna persona ni ningún órgano controla por completo la cadena de generación, procesamiento e interpretación de la información. En este contexto, el valor diferencial del analista no reside tanto en producir respuestas como en garantizar la calidad del razonamiento que sostiene las decisiones. El analista garante no promete certezas, sino coherencia; no elimina el riesgo, sino que lo delimita y lo hace explícito.

Este rol implica asumir una función de custodia cognitiva: supervisar la interacción entre datos, modelos, herramientas y narrativas; detectar incoherencias, simplificaciones indebidas o automatismos peligrosos; y preservar la integridad del juicio frente a presiones técnicas, organizativas o políticas. En entornos BETA, donde la tecnología amplifica tanto el acierto como el error, esta función se vuelve crítica.

Ser garante del juicio implica también una responsabilidad ética reforzada. El analista no solo responde por lo que concluye, sino por cómo se ha razonado, qué supuestos se han aceptado y qué incertidumbres se han comunicado o silenciado. Esta responsabilidad trasciende el informe y se proyecta sobre el conjunto del proceso decisional.

En este sentido, el futuro del análisis de inteligencia no se define por nuevas herramientas o metodologías, sino por la consolidación de una identidad profesional capaz de sostener el juicio humano en sistemas donde nadie más puede hacerlo de forma integral. Esta evolución no sustituye al analista experto, pero lo supera: en entornos BETA, la credibilidad del analista se construye menos sobre lo que sabe y más sobre la confianza que genera su forma de pensar.

12. FORMACIÓN Y ENTRENAMIENTO CONTINUO DEL ANALISTA

La evolución progresiva de los entornos VUCA, BANI y BETA demuestra con claridad que las competencias analíticas no se adquieren de una vez ni permanecen estables a lo largo del tiempo. A diferencia de otras funciones profesionales más estandarizadas, el análisis de inteligencia exige un entrenamiento continuo del pensamiento, ya que opera en contextos cambiantes, frágiles y sometidos a presión constante. La formación inicial proporciona una base necesaria, pero claramente insuficiente para sostener la calidad del juicio a lo largo de una carrera profesional.

En entornos VUCA, la formación del analista se centraba básicamente en el aprendizaje de metodologías, técnicas y marcos conceptuales relativamente estables. Cursos, manuales y procedimientos permitían alcanzar un nivel aceptable de competencia técnica. Sin embargo, incluso en estos contextos, la experiencia práctica y la exposición a casos reales marcaban una diferencia sustancial entre analistas noveles y analistas maduros.

La transición hacia entornos BANI puso de manifiesto los límites de una formación basada exclusivamente en contenidos. La ansiedad decisional, la no linealidad de los fenómenos y la presión temporal exigieron al analista desarrollar capacidades que no podían adquirirse únicamente mediante estudio teórico. El entrenamiento comenzó a orientarse hacia la práctica deliberada, el análisis crítico de casos complejos y la reflexión sistemática sobre errores y aciertos.

En el entorno BETA, esta necesidad se convierte en estructural. La fragilidad de los sistemas, la aceleración del cambio y la integración de tecnologías avanzadas hacen que el conocimiento técnico quede obsoleto con rapidez. En este contexto, la formación continua no es una opción de desarrollo profesional, sino una condición de fiabilidad analítica. El analista que deja de entrenar su pensamiento pierde progresivamente su capacidad de juicio, aunque conserve su experiencia o su posición organizativa.

La formación efectiva del analista en entornos BETA se apoya en varios pilares complementarios. La práctica deliberada permite entrenar el razonamiento en condiciones controladas, mediante ejercicios de análisis de escenarios, simulaciones, red teaming o evaluaciones prospectivas. El análisis de casos reales, especialmente aquellos en los que el análisis falló o resultó incompleto, constituye una de las herramientas más potentes para desarrollar criterio y humildad intelectual.

La escritura analítica desempeña también un papel central en este proceso. Redactar obliga a ordenar el pensamiento, explicitar supuestos y confrontar incoherencias internas. Herramientas de documentación analítica, repositorios de informes, bitácoras de razonamiento o sistemas de versionado del análisis facilitan este entrenamiento y permiten revisar la evolución del juicio a lo largo del tiempo.

El feedback estructurado completa este ciclo formativo. Revisiones cruzadas entre analistas, sesiones de debriefing, mentorías y evaluaciones colegiadas permiten identificar sesgos recurrentes, puntos ciegos y áreas de mejora. Plataformas colaborativas de análisis, entornos de trabajo compartido o herramientas de revisión documental pueden apoyar este proceso, siempre que exista una cultura organizativa que valore el aprendizaje por encima de la penalización del error.

En entornos BETA, la formación continua debe incorporar además una dimensión metacognitiva. El analista necesita desarrollar conciencia sobre cómo piensa, bajo qué condiciones su razonamiento se degrada y qué estrategias le permiten mantener la calidad analítica en situaciones de presión prolongada. Este entrenamiento incluye la gestión del tiempo cognitivo, la dosificación de la carga mental y la capacidad para reconocer cuándo es necesario detenerse, revisar o solicitar contraste externo.

Finalmente, la formación y el entrenamiento continuo refuerzan una idea central de este capítulo: el análisis de inteligencia no es una competencia estática, sino una práctica viva que se perfecciona —o se deteriora— con el tiempo. En entornos VUCA, BANI y, especialmente, BETA, la fiabilidad del analista depende menos de lo que sabe y más de cómo entrena su pensamiento. Asumir esta realidad y convertir el aprendizaje continuo en una disciplina profesional constituye una de las marcas distintivas del analista de inteligencia maduro.

13. CIERRE: EL ANALISTA COMO PROFESIONAL DEL JUICIO EN ENTORNOS BETA

El analista de inteligencia no es únicamente un productor de informes ni un intermediario técnico entre datos y decisiones. En entornos BETA, caracterizados por la fragilidad estructural, la aceleración exponencial del cambio y la presión decisional constante, el analista es, ante todo, un profesional del juicio.

Su aportación principal no reside en la cantidad de información que maneja ni en la sofisticación de las herramientas que utiliza, sino en la calidad del razonamiento que es capaz de sostener cuando la certeza deja de ser una opción viable.

A lo largo de este capítulo se ha mostrado cómo la evolución de los entornos VUCA, BANI y BETA transforma de manera profunda las exigencias del rol analítico. El dominio técnico, imprescindible pero insuficiente, debe integrarse con competencias analíticas avanzadas, capacidades humanas y relacionales, conciencia ética y una disposición permanente al aprendizaje. En este contexto, el valor del analista se mide por su capacidad para pensar con rigor bajo presión, gestionar la incertidumbre de forma explícita y asumir la responsabilidad de interpretar la realidad aun sabiendo que toda conclusión es provisional.

Sostener el juicio en entornos BETA implica aceptar límites: límites del conocimiento disponible, límites de los modelos, límites del propio pensamiento. Lejos de debilitar el análisis, esta aceptación constituye una de sus principales fortalezas. El analista maduro no promete certezas, sino criterio defendible; no elimina el riesgo, sino que lo delimita y lo comunica de forma honesta; no delega el juicio en la técnica, sino que utiliza las herramientas como extensiones conscientes de su razonamiento.

La dimensión ética atraviesa de forma transversal este perfil profesional. Interpretar la realidad, priorizar amenazas u oportunidades y orientar decisiones implica ejercer un poder simbólico con consecuencias reales. En entornos de alta presión y fragilidad estructural, la tentación de simplificar, acomodar o instrumentalizar el análisis es elevada. La integridad del analista se manifiesta, precisamente, en su capacidad para resistir estas dinámicas y preservar la honestidad intelectual incluso cuando ello genera incomodidad o tensión organizativa.

Este capítulo establece, así, la base competencial sobre la que se desarrollarán los procesos, herramientas y retos del rol analítico en los capítulos siguientes. No se trata de un catálogo de habilidades, sino de un marco de referencia para comprender qué significa ejercer el análisis de inteligencia como una práctica profesional madura, responsable y sostenible en el tiempo. En última instancia, el analista de inteligencia en entornos BETA no se define por lo que sabe hacer, sino por cómo piensa, cómo decide y cómo asume las consecuencias de su juicio.

En entornos BETA, la competencia central del analista no es la acumulación de herramientas ni la sofisticación tecnológica, sino la solidez del criterio. La tecnología amplifica capacidades, pero no sustituye el juicio humano. Pensar con rigor, reconocer límites y decidir bajo incertidumbre siguen siendo las competencias decisivas que distinguen al verdadero profesional de la inteligencia.

Bibliografía:

- Acento. (2025). *El pensamiento crítico y el estratégico como clave de las competencias técnicas y blandas.*
- Alkemy. (2024). *Cómo utiliza Alkymetrics la IA para identificar y medir las competencias blandas.*
- Asana. (2024). *Cómo desarrollar el pensamiento crítico en 7 pasos (incluye ejemplos).*
- Banco Interamericano de Desarrollo. (2024). *Habilidades blandas: qué son y por qué importan en la educación.*
- Fundación para el Pensamiento Crítico. (2003). *La mini-guía para el Pensamiento crítico: Conceptos y herramientas.*
- Identidad y Desarrollo. (2024). *Habilidades blandas y su importancia para el desarrollo.*
- Inteligenia. (2025). *El pensamiento crítico y su relevancia en el análisis de inteligencia.*
- IT Masters Mag. (2024). *Habilidades blandas: clave para el éxito profesional.*
- Knowlesys. (2025). *Pensamiento crítico en el trabajo de análisis de inteligencia.*
- López Juvinao, D. D., & Mendoza Fernández, D. L. (2014). *Pensamiento estratégico. Revista Científica Guillermo de Ockham,* 12(1), 155-165.
- Ortega, J. (2016). *Evaluación de las habilidades blandas en la educación superior. Calidad en la Educación,* (45), 49-83.

Capítulo 4
Formación y certificaciones

Objetivos del capítulo:

Con el presente capítulo se busca que el lector logre:

- Comprender cuáles son las principales formaciones, carreras y áreas de estudio que sirven como base para desempeñarse como analista de inteligencia.
- Reconocer la diversidad de trayectorias educativas posibles, según el tipo de análisis (ciberinteligencia, inteligencia de negocios, inteligencia criminal, etc.).
- Identificar la diferencia entre formación técnica, académica y especializada, así como sus aportes respectivos.
- Explorar programas educativos, instituciones y modalidades de formación continua recomendadas.
- Conocer las certificaciones más reconocidas en el ámbito profesional, qué competencias acreditan y cuál es su relevancia en el mercado laboral.
- Evaluar con criterio cómo elegir una formación o certificación según el perfil profesional y los objetivos de carrera.
- Reflexionar sobre la formación como un proceso continuo, estratégico y transformador en la vida del analista.
- Comprender la formación no solo como adquisición de conocimientos técnicos, sino como un proceso orientado a sostener el juicio profesional en entornos VUCA, BANI y BETA.

1. INTRODUCCIÓN

Hablar de formación en el ámbito de la inteligencia no es simplemente trazar un mapa de carreras o enumerar certificaciones. Más bien, supone adentrarse en el corazón de una profesión en constante redefinición, donde el conocimiento actúa simultáneamente como herramienta, brújula y defensa.

A diferencia de otros campos más consolidados, la inteligencia —ya sea cibernética, empresarial, criminal o estratégica— no responde a una única vía de acceso ni a un perfil homogéneo de entrada. Sus profesionales proceden de entornos diversos, con trayectorias que combinan la técnica con lo social, la tecnología con la seguridad, y la ciencia con la estrategia. Esta diversidad no constituye una anomalía, sino uno de los rasgos estructurales del campo.

En este contexto, la formación deja de ser un requisito previo y estático para convertirse en un proceso dinámico y adaptativo, marcado por la curiosidad intelectual, la especialización progresiva y la necesidad permanente de actualización. El analista contemporáneo debe asumir que su campo evoluciona con mayor rapidez que los programas formativos tradicionales, lo que obliga a repensar continuamente qué significa "estar formado".

Nuevas amenazas, tecnologías emergentes, fuentes de información cada vez más complejas y exigencias éticas renovadas hacen que la formación continua no sea un valor añadido, sino un rasgo esencial de la competencia profesional. En entornos caracterizados por la volatilidad, la fragilidad y la incertidumbre estructural, dejar de aprender equivale, en la práctica, a perder capacidad de juicio.

La evolución de los entornos VUCA, BANI y BETA refuerza esta idea. Si en contextos VUCA la formación permitía reducir la incertidumbre mediante un mayor dominio técnico, en entornos BANI comenzó a ser necesaria para gestionar la ansiedad decisional y la complejidad no lineal. En entornos BETA, la formación se orienta, ante todo, a sostener el razonamiento profesional en escenarios donde la certeza ya no es alcanzable y el error potencial es estructural.

Es por ello que, en este capítulo, exploraremos en profundidad las trayectorias académicas, técnicas y certificadas que conforman el entramado formativo del analista de inteligencia actual. Nos detendremos en las carreras más frecuentes, pero también en los caminos menos transitados que, sin responder a itinerarios convencionales, aportan un valor diferencial al perfil profesional.

Del mismo modo, analizaremos la creciente oferta de especializaciones, másteres, bootcamps y programas híbridos que intentan dar respuesta a una demanda profesional en expansión. Y, por supuesto, abordaremos el universo de las certificaciones, entendiéndolas no como sellos de prestigio vacío, sino como instrumentos de validación de competencias concretas, útiles en contextos laborales específicos y exigentes.

Más allá de ofrecer un catálogo de opciones formativas, este capítulo pretende situar la formación en el lugar que le corresponde dentro del perfil del analista: como un proceso estratégico orientado a desarrollar criterio, fortalecer la ética profesional y consolidar una visión analítica capaz de dialogar con la incertidumbre.

Porque, en última instancia, formarse como analista de inteligencia no consiste únicamente en acumular conocimientos o credenciales, sino en construir una manera de mirar, de pensar y de intervenir en la realidad con responsabilidad, rigor y conciencia de sus consecuencias

2. FORMACIÓN, CARRERAS Y ESTUDIOS RELACIONADOS

2.1. El perfil académico del analista: entre la ciencia de datos y las ciencias humanas

Uno de los rasgos más distintivos del analista de inteligencia contemporáneo es la heterogeneidad de su formación de base. No existe una única carrera que garantice el acceso al sector, ni un itinerario educativo estandarizado que asegure el desempeño profesional. Por el contrario, la inteligencia —en sus múltiples ramas— se nutre de saberes procedentes de disciplinas aparentemente distintas, pero profundamente complementarias.

Esta diversidad, lejos de representar una debilidad, constituye una de las principales fortalezas del campo, ya que refleja la complejidad de los entornos que el analista debe observar, interpretar y anticipar. La inteligencia opera sobre sistemas donde convergen factores tecnológicos, sociales, políticos, económicos y culturales, lo que exige miradas plurales y marcos conceptuales diversos.

Por un lado, muchos analistas proceden de carreras técnicas y científico-matemáticas. Ingenierías, informática, estadística, física o ciencias de datos ofrecen una base especialmente sólida para el análisis automatizado, la minería de datos, la programación de modelos predictivos o la comprensión de infraestructuras digitales. Estos perfiles suelen destacar en el manejo de herramientas tecnológicas, estructuras de datos y procesos algorítmicos.

En ámbitos como la inteligencia de negocios o la ciberinteligencia técnica, este tipo de formación resulta particularmente valiosa, ya que permite al analista no solo interpretar resultados, sino también construir modelos, auditar procesos analíticos y optimizar sistemas de información complejos.

Por otro lado, es igualmente habitual encontrar analistas con formación en ciencias sociales, jurídicas o humanísticas, como sociología, ciencias políticas, relaciones internacionales, derecho, filosofía, historia, psicología o criminología. Estas disciplinas aportan marcos conceptuales amplios, pensamiento crítico y capacidad para contextualizar fenómenos sociales y políticos, así como habilidades para comprender dinámicas culturales, narrativas ideológicas y patrones de comportamiento humano.

En el análisis estratégico, la inteligencia criminal, la seguridad internacional o la evaluación de riesgos sociales, estos enfoques no solo son pertinentes, sino indispensables, ya que permiten interpretar el significado de los datos más allá de su dimensión cuantitativa y anticipar reacciones, impactos y consecuencias.

A esta diversidad se suman perfiles híbridos, fruto de trayectorias formativas no lineales. Ingenieros que se especializan en geopolítica, criminólogos que aprenden programación, economistas que incorporan análisis de redes o historiadores que cursan análisis de datos son ejemplos cada vez más frecuentes. Esta hibridación resulta especialmente valiosa, pues refleja la necesidad del analista de operar en zonas de intersección entre lo técnico, lo social, lo legal, lo comunicacional y lo estratégico.

La evolución de los entornos VUCA, BANI y BETA refuerza esta tendencia. Si en contextos VUCA era posible especializarse en un dominio relativamente estable, en entornos BANI la fragilidad y la no linealidad obligaron a combinar saberes. En entornos BETA, la incertidumbre estructural exige perfiles capaces de dialogar entre disciplinas, comprender límites metodológicos y traducir lenguajes técnicos diversos en juicio analítico coherente.

No obstante, esta pluralidad formativa plantea una cuestión clave: ¿existen carreras más adecuadas que otras para convertirse en analista de inteligencia? La respuesta no es unívoca. Lo determinante no es tanto la etiqueta académica como la capacidad del profesional para articular su formación con competencias fundamentales del análisis:

pensamiento crítico, dominio metodológico, conocimiento del entorno, sentido ético y habilidades comunicativas.

Así, una persona con formación en derecho puede convertirse en un excelente analista de inteligencia financiera si complementa sus saberes con formación técnica; del mismo modo, un perfil procedente de la física o la ingeniería puede destacar en inteligencia de negocios si desarrolla pensamiento estratégico y comprensión del mercado.

Desde esta perspectiva, la formación académica debe entenderse como un punto de partida, no como una credencial cerrada. En entornos BETA, la calidad del analista no se mide por su disciplina de origen, sino por su capacidad para integrar conocimientos, reconocer límites y seguir aprendiendo de manera deliberada.

En definitiva, el perfil académico del analista de inteligencia es diverso, flexible y en evolución permanente. Lo que une a estos profesionales no es una carrera común, sino un conjunto de competencias, una actitud analítica y una vocación por comprender lo complejo. Estas características convierten al campo de la inteligencia en un espacio especialmente atractivo para quienes desean combinar saberes, aprender de otros ámbitos y construir trayectorias singulares con impacto real.

2.2. Estudios técnicos y programas de especialización

Si bien las carreras universitarias suelen ser el punto de partida y ofrecen una base conceptual sólida, en muchos casos no responden con la agilidad necesaria a las demandas cambiantes del sector de la inteligencia. El ritmo acelerado de la evolución tecnológica, la aparición constante de nuevas herramientas, metodologías y amenazas, así como la creciente exigencia de competencias prácticas, han dado lugar a un ecosistema formativo alternativo y complementario: los estudios técnicos y los programas de especialización.

Estos programas —que abarcan desde ciclos formativos y bootcamps hasta diplomados, másteres profesionales o cursos de posgrado— ofrecen formaciones intensivas, focalizadas y orientadas a la aplicación directa del conocimiento. Resultan especialmente relevantes en entornos donde se requiere una rápida empleabilidad, la actualización de competencias muy específicas o la adquisición de habilidades técnicas que no siempre se abordan en la educación superior tradicional.

En el campo de la inteligencia de negocios, por ejemplo, existen numerosos cursos y diplomados centrados en el uso de herramientas como Power BI, Tableau, SQL, Python o R, así como en técnicas de minería de datos, *machine learning* aplicado a la empresa, análisis financiero avanzado o modelado de escenarios. Estos programas permiten al futuro analista adquirir destrezas operativas inmediatas, clave para integrarse en equipos que demandan resultados rápidos y métricas accionables.

En el ámbito de la ciberinteligencia, los programas técnicos adquieren un peso aún mayor, dada la naturaleza eminentemente digital y tecnológica del campo. Existen formaciones específicas en OSINT (Open Source Intelligence), análisis de malware, análisis forense digital, threat intelligence, ciberseguridad ofensiva y defensiva, así como en marcos normativos y de referencia —como GDPR, NIST o ISO— que condicionan la práctica profesional.

Estas especializaciones suelen ser ofrecidas tanto por universidades como por centros de formación privada o instituciones vinculadas a la seguridad del Estado.

Un ejemplo ilustrativo es el crecimiento sostenido de los bootcamps especializados en análisis de inteligencia, ciberseguridad o ciencia de datos. Estos formatos intensivos, que combinan formación técnica, resolución de casos reales y contacto directo con el mercado laboral, están siendo cada vez más valorados por profesionales que desean cambiar de sector o complementar su formación previa con competencias muy concretas. Aunque su duración suele oscilar entre los tres y seis meses, su impacto en términos de inserción profesional puede ser significativo.

También destacan los másteres profesionales o ejecutivos, que ofrecen un abordaje más integral y de mayor duración, pero igualmente orientado a la empleabilidad. En Europa y Latinoamérica proliferan programas de máster en inteligencia económica, inteligencia criminal, análisis estratégico o ciberinteligencia aplicada. Estos programas, además de contenidos técnicos, suelen incluir marcos metodológicos, fundamentos éticos y simulaciones de escenarios reales, preparando al alumno para un desempeño analítico complejo y multidimensional.

A su vez, es importante señalar la existencia de programas organizados por organismos públicos, como servicios de inteligencia, agencias de ciberseguridad o unidades de investigación criminal. En muchos casos, estos cursos no son accesibles al público general, pero representan espacios de formación altamente especializados y estrechamente alineados con las necesidades del sector público.

La principal ventaja de este tipo de formación reside en su capacidad de adaptación: incorporan con rapidez tecnologías emergentes, metodologías actualizadas y promueven una lógica de aprendizaje "por proyectos", en la que el estudiante se enfrenta desde el inicio a casos reales, tareas prácticas y productos de análisis concretos.

En entornos VUCA, BANI y especialmente BETA, estos programas cumplen además una función estratégica: permiten reducir la brecha temporal entre la aparición de nuevas amenazas o tecnologías y la capacidad del analista para comprenderlas y operarlas. No obstante, esta rapidez también exige una actitud crítica, ya que no toda especialización intensiva garantiza profundidad conceptual ni calidad analítica.

Conviene, por tanto, tener en cuenta que los estudios técnicos y las especializaciones no deben sustituir la formación académica estructurada, sino complementarla. La combinación entre formación universitaria y especialización técnica permite al analista desarrollar tanto profundidad conceptual como agilidad operativa, un perfil especialmente demandado en el mercado laboral actual. Se buscan profesionales capaces de pensar, ejecutar y comunicar con igual solvencia.

Desde esta perspectiva, la elección de programas técnicos debe responder a una estrategia formativa consciente, alineada con el tipo de inteligencia que se desea ejercer y con el proyecto profesional a medio y largo plazo. En entornos BETA, acumular cursos sin integración ni reflexión puede resultar tan limitante como carecer de formación práctica.

Así, los estudios técnicos y las especializaciones representan una vía estratégica para ampliar competencias, adaptarse a los cambios del entorno y consolidar una trayectoria profesional sólida, práctica y diferenciadora, siempre que se integren dentro de un proceso formativo coherente y orientado al desarrollo del juicio analítico.

2.3. Formación universitaria: pros, limitaciones y rutas más frecuentes

La universidad sigue siendo, para muchos profesionales, el punto de partida natural hacia una carrera en inteligencia. Especialmente en países donde la cultura académica es fuerte y el reconocimiento de títulos universitarios constituye un criterio básico de empleabilidad, los estudios de grado ofrecen un primer acercamiento formal al conocimiento, así como un entorno de desarrollo intelectual, metodológico y ético que resulta clave para el perfil del analista.

Uno de los principales aportes de la formación universitaria reside en su capacidad para desarrollar pensamiento crítico, hábitos de estudio, análisis teórico y comprensión sistémica de los fenómenos. Estas capacidades son fundamentales para cualquier profesional de la inteligencia, que debe operar en entornos ambiguos, analizar variables interrelacionadas y traducir problemas complejos en decisiones operativas con consecuencias reales.

Asimismo, la universidad proporciona una base metodológica sólida. Aunque no siempre orientada a la aplicación inmediata, la formación en investigación, argumentación y lectura crítica de fuentes permite al futuro analista adoptar una postura reflexiva y rigurosa frente a la información, condición indispensable para cualquier proceso de análisis responsable.

En cuanto a las rutas formativas más frecuentes, pueden distinguirse dos grandes líneas. Por un lado, las carreras orientadas a las ciencias sociales, jurídicas y políticas; por otro, aquellas enfocadas en la tecnología y la ciencia de datos.

Dentro del primer grupo, disciplinas como ciencia política, sociología, relaciones internacionales, criminología o derecho aportan herramientas esenciales para el análisis del comportamiento humano, la organización social, los conflictos internacionales, los sistemas jurídicos y los marcos institucionales.

Estas formaciones suelen vincularse de manera directa al análisis estratégico, la inteligencia criminal, la inteligencia geopolítica y la seguridad internacional.

En el segundo grupo, carreras como ingeniería informática, estadística, física, matemática aplicada, ciberseguridad o ciencia de datos se centran en la estructuración, el modelado y el procesamiento de información. Constituyen el núcleo duro de la inteligencia técnica, especialmente en ámbitos como la inteligencia de negocios, la detección de amenazas digitales, el análisis predictivo o la automatización de procesos.

Un tercer grupo de carreras —cada vez más frecuente— combina elementos de ambos mundos desde su diseño curricular. Programas de ingeniería en inteligencia artificial con módulos de ética y filosofía del conocimiento, licenciaturas en ciberpsicología, neurociencia aplicada o gestión estratégica del riesgo representan ejemplos de esta hibridación formativa. Aunque estas propuestas siguen siendo minoritarias, apuntan a una tendencia creciente hacia perfiles interdisciplinarios desde etapas tempranas de la formación.

La evolución de los entornos VUCA, BANI y BETA refuerza esta necesidad de integración. Mientras que en contextos VUCA era posible especializarse profundamente en una disciplina concreta, en entornos BANI la fragilidad y la no linealidad comenzaron a exigir una comprensión transversal. En entornos BETA, la incertidumbre estructural convierte la capacidad de conectar saberes en una competencia formativa central.

No obstante, la formación universitaria presenta también limitaciones relevantes. Uno de sus principales desafíos es la distancia respecto al mercado laboral inmediato. Muchos programas no incorporan las herramientas específicas que hoy demanda el sector, ni se actualizan con la velocidad que imponen los cambios tecnológicos, normativos o estratégicos. En algunos casos, el énfasis excesivo en lo teórico puede relegar la dimensión operativa del análisis.

Otro aspecto crítico es la fragmentación disciplinaria. Aunque cada carrera ofrece una perspectiva valiosa, rara vez se enseña a integrar enfoques. Como resultado, un graduado en ingeniería puede carecer de herramientas para comprender factores sociales o políticos, mientras que un politólogo puede no disponer de competencias para interpretar una base de datos compleja. De ahí la importancia de complementar la formación universitaria con especializaciones técnicas, aprendizaje interdisciplinario y experiencia práctica.

En la actualidad, muchos profesionales acceden al ámbito de la inteligencia a través de rutas no lineales. Comienzan en un área, se especializan en otra, migran hacia una tercera y combinan conocimientos a lo largo del tiempo. Esta dinámica exige a las universidades mayor flexibilidad curricular, programas interdisciplinarios, convenios con el sector productivo y una apuesta real por la formación integral.

Desde esta perspectiva, la universidad debe entenderse menos como un espacio de cierre formativo y más como un entorno de iniciación al pensamiento analítico. Su valor no reside únicamente en los contenidos impartidos, sino en la capacidad de entrenar al estudiante para aprender, cuestionar y reformular su conocimiento a lo largo de toda su carrera profesional.

En síntesis, la formación universitaria sigue siendo una columna vertebral en la trayectoria de muchos analistas de inteligencia, pero debe concebirse como el inicio de un camino más amplio que incluye aprendizaje permanente, adaptabilidad y diálogo constante con el entorno profesional. El título universitario no es un punto de llegada, sino una plataforma de despegue para la construcción de un perfil singular, sólido y orientado al impacto.

2.4. Formación en ciberinteligencia vs. inteligencia de negocios

Aunque ambas disciplinas comparten una raíz común en el tratamiento y análisis de información estratégica, la ciberinteligencia y la inteligencia de negocios se han desarrollado a partir de enfoques formativos diferenciados, respondiendo a demandas, lenguajes y marcos tecnológicos propios. Comprender esta distinción —así como sus puntos de convergencia— resulta esencial para orientar de manera adecuada una trayectoria formativa y profesional en el ámbito de la inteligencia.

La ciberinteligencia: formación técnica con enfoque de seguridad y anticipación

La ciberinteligencia se sitúa en la intersección entre la ciberseguridad, la inteligencia tradicional y la geoestrategia digital. Su eje central es la detección, el análisis y la prevención de amenazas en entornos digitales, que abarcan desde ataques informáticos y vulnerabilidades en infraestructuras críticas hasta campañas de desinformación, espionaje industrial o comportamientos anómalos en redes.

Por esta razón, los programas formativos en ciberinteligencia tienden a presentar un fuerte componente técnico, aunque progresivamente incorporan elementos estratégicos y de análisis conductual. En su vertiente más técnica, la formación en ciberinteligencia suele centrarse en:

- Fundamentos de redes y protocolos.
- Sistemas operativos y arquitectura digital.
- OSINT y técnicas de recolección de información.
- Análisis de malware y ciberamenazas.
- *Threat intelligence* y análisis del comportamiento adversario.
- Normativas y marcos legales (como GDPR, NIST, ISO 27001).

De forma paralela, se ha vuelto habitual la inclusión de contenidos relacionados con geopolítica de la información, ética en ciberinteligencia, psicología del adversario digital y metodologías de análisis estructurado. Este enfoque genera perfiles mixtos, en los que la formación debe permitir tanto la comprensión técnica profunda como la capacidad de contextualizar e interpretar la información en escenarios complejos.

En este ámbito, algunas universidades ofrecen másteres especializados en ciberinteligencia aplicada, inteligencia digital o análisis de amenazas cibernéticas. A ello se suman instituciones y organismos internacionales como ENISA, EC-Council o SANS Institute, que complementan la formación académica con certificaciones técnicas altamente reconocidas.

En entornos VUCA y BANI, la ciberinteligencia se centró en la anticipación de amenazas técnicas. En entornos BETA, su formación debe incorporar además la capacidad de evaluar impactos sistémicos, riesgos reputacionales y consecuencias estratégicas de los incidentes digitales, integrando la seguridad dentro de una visión amplia de la organización o del Estado.

La inteligencia de negocios: orientación al valor empresarial

En contraste, la inteligencia de negocios surge en el entorno corporativo con el objetivo de convertir grandes volúmenes de datos en conocimiento útil para la toma de decisiones empresariales. Se trata de una disciplina impulsada por la transformación digital, la automatización de procesos y la necesidad de anticipar tendencias de consumo, eficiencia operativa, riesgo y rentabilidad.

La formación en Business Intelligence se apoya principalmente en:

- Modelado de datos y estructuras relacionales.
- Procesos ETL (extracción, transformación y carga de datos).
- Diseño de dashboards y visualización estratégica.
- Indicadores clave de rendimiento (KPIs) y métricas empresariales.
- Lenguajes como SQL, Python, R o DAX.
- Herramientas como Power BI, Tableau, Qlik o Looker.

Además del componente técnico, los programas más completos incorporan contenidos de pensamiento estratégico, analítica predictiva, storytelling con datos y liderazgo basado en evidencia.

En este contexto, el analista no solo interpreta información, sino que influye de manera directa en decisiones organizacionales de alto impacto.

Este tipo de formación suele encontrarse en grados de informática, economía o administración de empresas con especialización en analítica de datos, así como en másteres en Data Science, Business Analytics o dirección estratégica con enfoque cuantitativo.

En entornos BETA, la formación en inteligencia de negocios debe reforzar la capacidad del analista para comunicar incertidumbre, evitar la ilusión de certeza generada por métricas y visualizaciones, y sostener el juicio estratégico frente a presiones de rendimiento inmediato.

Diferencias, convergencias y trayectorias cruzadas

Aunque los orígenes de ambas disciplinas son distintos, en la práctica se observa una creciente convergencia. Tanto el analista de ciberinteligencia como el de inteligencia de negocios trabajan con grandes volúmenes de datos, buscan patrones ocultos, apoyan decisiones basadas en evidencia y operan con necesidades de anticipación. La diferencia fundamental reside en el propósito: uno protege, mientras que el otro optimiza.

Sin embargo, en los entornos empresariales y estratégicos actuales —donde la información se ha convertido en un activo crítico y el espacio digital en un nuevo campo de competencia— la formación cruzada resulta cada vez más necesaria. Los analistas de inteligencia de negocios deben comprender las implicaciones de la seguridad y la integridad de los datos que manejan, mientras que los analistas de ciberinteligencia necesitan entender cómo una amenaza digital puede afectar a indicadores clave de negocio, continuidad operativa o toma de decisiones estratégicas.

Por ello, son cada vez más frecuentes las formaciones híbridas, que combinan analítica predictiva, gestión del riesgo digital, ciberresiliencia organizativa, inteligencia competitiva y estrategia empresarial. Estos enfoques permiten construir perfiles más versátiles y adaptados a contextos complejos.

La convergencia entre ciberinteligencia e inteligencia de negocios refleja una transformación más amplia del rol analítico en entornos BETA: la necesidad de integrar seguridad, valor y juicio estratégico dentro de un mismo marco de decisión. En este contexto, los perfiles excesivamente especializados tienden a perder eficacia frente a aquellos capaces de dialogar entre dominios y traducir riesgos técnicos en impactos estratégicos comprensibles.

En definitiva, esta convergencia invita a los analistas a salir de nichos formativos tradicionales y explorar caminos interdisciplinares, construyendo perfiles más sólidos, flexibles y preparados para operar en el nuevo paradigma de la inteligencia contemporánea.

2.5. Las competencias ocultas: lo que no siempre se enseña, pero es esencial

En la mayoría de los programas formativos —ya sean universitarios, técnicos o especializados— el foco suele recaer en la transmisión de conocimientos y habilidades tangibles, como herramientas, metodologías, estructuras, modelos o marcos conceptuales. Sin embargo, en la práctica cotidiana del analista de inteligencia existen otras competencias menos visibles, menos estructuradas y difícilmente certificables que resultan absolutamente imprescindibles para un desempeño profesional eficaz y sostenible. Nos referimos a las denominadas competencias ocultas.

Estas competencias no siempre figuran en los planes de estudio ni en los currículos formales, pero condicionan de manera directa la calidad del análisis, la credibilidad del analista y su permanencia en el tiempo dentro del rol. Desarrollarlas no es una opción complementaria, sino una exigencia implícita del ejercicio profesional en contextos reales.

Una de las más relevantes es la gestión del estrés. El trabajo del analista suele desarrollarse bajo presión constante: plazos limitados, decisiones urgentes, información incompleta y consecuencias potencialmente significativas. Saber mantener la claridad mental, priorizar con serenidad y sostener la concentración en situaciones críticas es una habilidad que rara vez se enseña de forma explícita, pero que puede marcar la diferencia entre un análisis funcional y uno fallido.

A esta capacidad se suma la inteligencia emocional aplicada al entorno analítico. El analista no solo procesa información; interactúa con personas, transmite mensajes delicados, gestiona expectativas y se expone de manera recurrente a la crítica. La habilidad para reconocer y regular las propias emociones, interpretar las de otros y responder con madurez ante la presión o la frustración resulta indispensable para preservar la eficacia y la credibilidad del análisis. Asimismo, es clave para el trabajo en equipo, la colaboración en entornos multidisciplinares y la construcción de relaciones de confianza con decisores.

Otra competencia poco enseñada, pero central en la práctica real, es la toma de decisiones en escenarios ambiguos. En inteligencia, raramente se dispone de toda la información necesaria para actuar con certeza.

El analista debe aprender a moverse en ese espacio intermedio entre lo conocido y lo probable, formulando hipótesis razonables, evaluando alternativas y reconociendo explícitamente los márgenes de error. Actuar —o recomendar acciones— bajo incertidumbre no es una anomalía, sino la norma del análisis profesional.

Por último, resulta esencial el desarrollo del juicio profesional, entendido como una combinación de criterio, experiencia y ética que permite al analista no solo determinar qué decir, sino también cuándo, cómo y con qué grado de contundencia. Esta capacidad no se adquiere mediante clases magistrales ni mediante la acumulación de credenciales. Se cultiva con el tiempo, a través de la práctica reflexiva, el aprendizaje de errores propios y ajenos, y la exposición progresiva a dilemas reales.

En entornos VUCA y BANI, estas competencias ocultas actuaban como amortiguadores frente a la volatilidad y la presión. En entornos BETA, caracterizados por la incertidumbre estructural y la exposición prolongada al riesgo cognitivo, se convierten en factores críticos de sostenibilidad profesional. Sin ellas, incluso analistas técnicamente brillantes pueden ver degradada su capacidad de juicio, su bienestar y su eficacia a medio plazo.

Integrar el desarrollo de estas competencias en la formación del analista sigue siendo una asignatura pendiente en muchos entornos educativos. No obstante, esta carencia constituye también una llamada a la responsabilidad individual del profesional, que debe asumir su desarrollo integral más allá de lo que puedan ofrecer los programas formales. En última instancia, la solidez del analista no se mide solo por lo que sabe hacer, sino por cómo sostiene su pensamiento, su criterio y su ética cuando el entorno deja de ofrecer garantías.

2.6. *La autoformación como vía estratégica*

En un entorno donde el conocimiento se multiplica, se transforma y se distribuye a una velocidad sin precedentes, el analista de inteligencia no puede depender únicamente de los programas formales de formación para mantenerse actualizado. Una de las habilidades más valiosas que puede cultivar es, precisamente, la capacidad de autoformarse de manera constante, autónoma y estratégica.

La autoformación no debe entenderse como un recurso improvisado o secundario, sino como una metodología de aprendizaje deliberada, orientada a cubrir vacíos formativos, profundizar en intereses específicos y adaptarse con rapidez a cambios emergentes del entorno profesional.

Para muchos analistas —especialmente en países o contextos donde la oferta educativa en inteligencia es limitada— la autoformación ha sido y sigue siendo la principal vía de acceso al conocimiento especializado.

Esta modalidad de aprendizaje adopta múltiples formas: lectura de libros de referencia y artículos académicos, seguimiento de publicaciones especializadas, participación en webinars, foros profesionales o comunidades de práctica en línea. Plataformas como Coursera, edX, Udemy, LinkedIn Learning o FutureLearn ofrecen cursos gratuitos o de bajo coste en ámbitos que van desde el análisis de datos hasta la inteligencia estratégica, la ética del dato o la visualización avanzada.

Todo ello permite al profesional construir itinerarios personalizados de aprendizaje, alineados con sus objetivos y con su contexto laboral.

Una de las principales ventajas de la autoformación es su flexibilidad. Permite al analista avanzar a su propio ritmo, explorar nuevas áreas sin compromisos institucionales y responder con agilidad a necesidades inmediatas. Por ejemplo, ante la incorporación de una nueva herramienta en el entorno de trabajo, el analista puede dedicar tiempo a dominar sus funciones esenciales sin esperar a que su organización ofrezca un curso formal. Esta proactividad suele ser especialmente valorada en entornos donde la autonomía profesional y la actualización constante son indicadores de madurez analítica.

La autoformación, además, no se limita al ámbito técnico. También constituye una vía privilegiada para el desarrollo intelectual y estratégico. Seguir el trabajo de expertos reconocidos, leer informes de inteligencia de acceso público, estudiar casos históricos, participar en debates éticos sobre el uso de datos o profundizar en contextos geopolíticos y sectores económicos específicos amplía la perspectiva del analista y enriquece su capacidad interpretativa.

No obstante, esta forma de aprendizaje exige disciplina, criterio y capacidad de evaluación crítica. No toda la información disponible en línea es fiable ni todo curso breve garantiza un conocimiento profundo. El analista que se autoforma debe aprender a seleccionar recursos de calidad, contrastar perspectivas y mantener un registro reflexivo de lo aprendido, integrándolo de forma consciente en su práctica profesional.

La autoformación se ve asimismo potenciada por el acompañamiento informal de otros profesionales. La figura del mentor, del colega con mayor experiencia o del especialista accesible a través de redes profesionales puede resultar clave para orientar la curiosidad del analista en formación, sugerir trayectorias posibles o advertir sobre errores frecuentes. Estos vínculos, aunque no siempre institucionalizados, conforman una forma de inteligencia colectiva de gran valor.

En entornos VUCA y BANI, la autoformación permitió al analista adaptarse con rapidez a cambios tecnológicos y metodológicos.

En entornos BETA, adquiere una dimensión adicional: se convierte en un mecanismo para preservar la calidad del juicio frente a la obsolescencia acelerada del conocimiento, la automatización creciente y la presión cognitiva sostenida.

Desde esta perspectiva, la autoformación no es solo una estrategia de empleabilidad, sino una responsabilidad profesional. El analista que deja de aprender de manera deliberada y crítica ve erosionada progresivamente su capacidad de interpretar, anticipar y decidir.

Por el contrario, quien integra la autoformación como parte de su identidad profesional fortalece su autonomía, su criterio y su resiliencia analítica.

En consecuencia, la autoformación no sustituye la formación estructurada, pero la complementa, actualiza y personaliza. En muchos sentidos, representa la manifestación más clara de una actitud analítica profunda: la de quien no espera pasivamente que le enseñen, sino que asume la construcción de su conocimiento como parte inseparable de su rol y de su compromiso profesional.

2.7. La necesidad de formación continua: aprendizaje permanente como estándar

El análisis de inteligencia no es una profesión estática. Muy por el contrario, se trata de un campo que evoluciona al ritmo de los cambios tecnológicos, sociales, políticos y estratégicos que observa y analiza. Nuevas herramientas, nuevas amenazas, nuevos entornos y nuevas metodologías obligan al analista a sostener un compromiso permanente con su desarrollo profesional. En este sentido, la formación continua no constituye una opción ni un valor añadido, sino un estándar de la práctica analítica madura.

Hablar de formación continua implica referirse, ante todo, a una actitud frente al conocimiento. No se trata únicamente de asistir a cursos, acumular credenciales o actualizar certificaciones, sino de cultivar una mentalidad orientada a aprender, desaprender y reaprender de manera constante. El analista que no se actualiza corre el riesgo de volverse irrelevante o, peor aún, de emitir análisis apoyados en herramientas obsoletas, marcos conceptuales inadecuados o intuiciones carentes de sustento empírico.

La evolución de las amenazas en el entorno digital constituye un ejemplo ilustrativo. Técnicas de ataque que hace apenas cinco años representaban la vanguardia han sido superadas por métodos más sofisticados, distribuidos y difíciles de rastrear. A ello se suma el avance del análisis automatizado, la integración creciente de sistemas de inteligencia artificial, la aparición de nuevas fuentes de datos —como IoT, *wearables* o plataformas descentralizadas— y la reformulación constante de normativas que regulan el tratamiento y la protección de la información.

Ante este escenario, los analistas deben mantenerse en contacto con espacios de actualización y contraste que les permitan revisar sus marcos conceptuales, cuestionar sus prácticas y explorar enfoques alternativos. Estos espacios adoptan múltiples formas: diplomados, seminarios temáticos, congresos profesionales, publicaciones especializadas, simulaciones, grupos de estudio o laboratorios de innovación. Del mismo modo, el acceso sistemático a inteligencia de fuente abierta (OSINT), informes públicos, papers académicos, think tanks o reportes gubernamentales puede constituir una fuente inagotable de aprendizaje, siempre que se aborde con disciplina y criterio analítico.

Un elemento central de la formación continua es el desarrollo del criterio para priorizar qué aprender. No todo lo nuevo resulta relevante, ni todo lo establecido está necesariamente obsoleto. El analista debe ser capaz de distinguir entre modas pasajeras y transformaciones estructurales, entre herramientas realmente útiles y soluciones infladas por el marketing. Esta capacidad de discriminación intelectual forma parte del crecimiento profesional y se construye mediante la experiencia, la reflexión crítica y el diálogo con colegas, tutores y referentes del campo.

Otro factor clave es la formación informal o experiencial. Gran parte del aprendizaje más significativo no se produce en entornos formales, sino en la práctica cotidiana: enfrentando dilemas reales, gestionando crisis, tomando decisiones con información imperfecta o aprendiendo de errores propios y ajenos. El analista que asume estas experiencias como instancias formativas y las somete a revisión crítica fortalece su juicio, su flexibilidad cognitiva y su capacidad de adaptación.

La evolución de los entornos VUCA, BANI y BETA refuerza la centralidad de la formación continua. En contextos VUCA, la actualización permitía reducir la incertidumbre; en entornos BANI, ayudaba a gestionar la complejidad y la ansiedad decisional; en entornos BETA, el aprendizaje permanente se convierte en un mecanismo para sostener la calidad del razonamiento frente a la incertidumbre estructural, la aceleración y la presión cognitiva prolongada.

Finalmente, la formación continua posee también una dimensión ética. En un entorno donde la información puede ser manipulada, los sesgos pueden infiltrarse incluso en sistemas automatizados y las decisiones mal fundamentadas pueden generar impactos severos, actualizar el conocimiento constituye una forma de responsabilidad profesional. El analista que se forma de manera constante no solo mejora sus competencias, sino que protege la integridad de su análisis y la confianza de quienes dependen de él para tomar decisiones.

En este sentido, la formación continua no debe entenderse como una acumulación indefinida de contenidos, sino como un proceso selectivo y reflexivo orientado a preservar el criterio, la ética y la capacidad de juicio del analista a lo largo de toda su trayectoria profesional.

La formación continua y la autoformación permiten al analista mantenerse actualizado frente a la evolución constante de herramientas, metodologías y contextos. Sin embargo, actualizarse no es suficiente si el aprendizaje se limita a incorporar nuevos contenidos sin cuestionar la fiabilidad, la intencionalidad y los posibles efectos del entorno informativo en el que se opera.

En la práctica real de la inteligencia, el analista no aprende únicamente para saber más, sino para proteger su razonamiento frente a la manipulación, el engaño y la distorsión deliberada de la información. La formación, por tanto, no puede desligarse de una reflexión más profunda sobre cómo se analiza cuando el entorno no es neutral.

Este desplazamiento del foco —del aprendizaje técnico al aprendizaje bajo condiciones de engaño— introduce de forma natural la dimensión de la contrainteligencia como parte inseparable de la formación del analista contemporáneo.

2.8. Formación en inteligencia y contrainteligencia: analizar cuando el entorno engaña

La formación del analista de inteligencia no puede limitarse a aprender a recopilar, procesar e interpretar información como si esta se presentara de forma neutral, completa o veraz. En la práctica real, el analista opera con frecuencia en entornos donde la información es incompleta, distorsionada, manipulada o deliberadamente diseñada para inducir a error. En este contexto, la contrainteligencia deja de ser una función exclusiva de organismos especializados para convertirse en una dimensión transversal del razonamiento analítico.

Tradicionalmente, la inteligencia y la contrainteligencia se han concebido como ámbitos diferenciados: la primera orientada a conocer, la segunda a proteger, negar o engañar. Sin embargo, desde el punto de vista formativo, ambas dimensiones son inseparables. Todo análisis serio debe partir de la premisa de que los datos disponibles pueden estar contaminados, sesgados o estratégicamente construidos, y que el entorno informativo no es pasivo, sino interactivo y, en muchos casos, hostil.

Uno de los principales límites de la formación analítica convencional es su punto ciego frente al engaño. Muchos programas enseñan a buscar información relevante, evaluar fuentes y aplicar metodologías rigurosas, pero dedican escasa atención a la posibilidad de que la información haya sido producida precisamente para ser analizada de forma errónea. Esta carencia formativa resulta especialmente problemática en contextos donde la desinformación, la manipulación narrativa y las operaciones de influencia forman parte estructural del entorno.

Formarse en contrainteligencia, en este sentido, no implica aprender técnicas operativas clasificadas ni procedimientos propios de servicios especializados. Implica, ante todo, desarrollar una actitud cognitiva defensiva, basada en la sospecha razonada, la verificación sistemática y la conciencia de los límites del propio conocimiento.

El analista formado en esta lógica aprende a preguntarse no solo qué dice la información, sino por qué existe, a quién beneficia, qué omite y qué efectos busca generar.

Este enfoque exige entrenar el pensamiento para operar bajo condiciones de negación, engaño y ruido informativo. En la práctica, ello se traduce en hábitos intelectuales concretos: contrastar fuentes independientes, cuestionar narrativas excesivamente coherentes, identificar patrones artificiales, reconocer anomalías informativas y aceptar la posibilidad de estar siendo inducido a conclusiones erróneas. La contrainteligencia, entendida así, actúa como una forma de higiene mental del análisis.

Desde una perspectiva formativa, resulta especialmente relevante el concepto de contrainteligencia cognitiva. No se trata de técnicas, sino de disposiciones mentales: conciencia de sesgos propios, resistencia a la confirmación prematura, tolerancia a la ambigüedad y capacidad para revisar hipótesis incluso cuando resultan incómodas o contrarias a expectativas institucionales. Estas competencias rara vez se enseñan de forma explícita, pero son decisivas para preservar la calidad del juicio analítico.

La dimensión ética adquiere aquí un peso central. Analizar en entornos de engaño implica asumir una responsabilidad adicional: no amplificar narrativas manipuladas, no reforzar desinformación involuntariamente y no ofrecer al decisor una falsa sensación de certeza. La formación en inteligencia y contrainteligencia debe, por tanto, incorporar una reflexión profunda sobre los límites del análisis, la proporcionalidad de las conclusiones y el deber de advertir sobre la fragilidad de las inferencias cuando el contexto lo exige.

La evolución de los entornos VUCA, BANI y BETA refuerza esta necesidad. En contextos VUCA, el engaño era un factor más entre otros; en entornos BANI, la desinformación comenzó a generar ansiedad, confusión y reacciones desproporcionadas; en entornos BETA, la manipulación informativa se convierte en un rasgo estructural del sistema, y no en una anomalía. En este escenario, formarse como analista sin incorporar una perspectiva de contrainteligencia supone una vulnerabilidad profesional grave.

En consecuencia, la formación del analista de inteligencia contemporáneo debe integrar la contrainteligencia no como una especialización cerrada, sino como una condición permanente del análisis.

Aprender a analizar cuando el entorno engaña no garantiza aciertos, pero sí permite sostener el juicio, proteger la integridad del razonamiento y mantener la credibilidad profesional en escenarios donde la verdad es fragmentaria, disputada y estratégicamente manipulada.

3. CERTIFICACIONES MÁS VALORADAS EN EL MERCADO LABORAL

3.1. ¿Qué aporta una certificación y por qué importa en inteligencia?

En el el entorno profesional, una certificación es una acreditación formal otorgada por una entidad reconocida —ya sea pública, privada, académica o internacional— que verifica que una persona ha adquirido y demostrado determinadas competencias técnicas, metodológicas o estratégicas en un área específica del conocimiento o de la práctica profesional. A diferencia de un título académico, que suele responder a una formación más extensa y de carácter general, la certificación se orienta habitualmente a habilidades concretas, diseñadas para su aplicación inmediata en contextos laborales específicos.

En el ámbito del análisis de inteligencia, y de forma particular en áreas como la ciberinteligencia y la inteligencia de negocios, las certificaciones han ganado un protagonismo creciente en los últimos años. Una de las razones principales es la velocidad de cambio de las herramientas, los escenarios de trabajo y las amenazas. Frente a este dinamismo, la certificación actúa como una suerte de "sello actualizado" de capacidades, validado por un tercero y estandarizado conforme a criterios que, en muchos casos, gozan de reconocimiento internacional.

Una certificación, por tanto, no se limita a acreditar la realización de un curso, sino que implica la superación de una evaluación específica, frecuentemente basada en escenarios reales o simulaciones complejas. En ellas se pone a prueba no solo el dominio técnico, sino también la comprensión conceptual y la capacidad operativa del candidato. Desde esta perspectiva, el proceso de certificación cumple una función no solo educativa, sino también evaluativa y acreditadora.

Otro motivo por el cual las certificaciones adquieren relevancia en inteligencia es su papel como factor diferenciador profesional. En sectores altamente competitivos, donde dos candidatos pueden presentar trayectorias académicas similares o niveles de experiencia comparables, una certificación reconocida puede inclinar la balanza en procesos de selección, adjudicación de consultorías o promoción interna. Su presencia en el currículum suele proyectar una imagen de compromiso con la actualización, especialización y mejora continua.

En este sentido, certificaciones muy conocidas y emitidas por organismos como CompTIA, EC-Council, GIAC, Microsoft, Google o PMI gozan de un elevado prestigio en sus respectivos ámbitos, al estar asociadas a estándares técnicos claros, evaluaciones exigentes y una amplia implantación internacional.

No obstante, el valor de una certificación no es únicamente simbólico. En muchos casos, habilita el uso de herramientas específicas, el acceso a plataformas técnicas, la pertenencia a comunidades profesionales especializadas o la participación en proyectos que exigen acreditaciones concretas.

Algunas certificaciones incluso constituyen un requisito formal para operar en determinados entornos normativos, regulatorios o gubernamentales. Bien seleccionada, una certificación puede ampliar de manera significativa las oportunidades profesionales del analista.

Ahora bien, resulta fundamental no mitificar el valor de las certificaciones. Estas no constituyen un fin en sí mismas ni garantizan automáticamente la competencia real. Existen profesionales con múltiples certificaciones que presentan dificultades para aplicar lo que acreditan, del mismo modo que otros, sin certificaciones formales, realizan análisis de gran calidad gracias a su experiencia, formación previa, intuición profesional y pensamiento estructurado.

Por ello, la certificación debe entenderse como una herramienta dentro de una arquitectura formativa más amplia, que integra formación académica, experiencia práctica y desarrollo del criterio profesional. No sustituye al juicio, ni lo asegura, pero puede reforzarlo cuando se integra de manera coherente en una trayectoria profesional bien definida.

Desde la perspectiva de los entornos VUCA, BANI y BETA, las certificaciones adquieren matices distintos. En contextos VUCA, aportaban estandarización; en entornos BANI, ofrecían referencias de estabilidad frente a la complejidad; en entornos BETA, su valor depende cada vez más de su capacidad para actualizar competencias críticas sin generar una falsa sensación de certeza o control.

Para quienes se inician en el campo de la inteligencia, una certificación puede funcionar como puerta de entrada, aval técnico inicial e indicador de motivación personal. Para profesionales con experiencia, puede servir como vía de actualización, especialización o transición hacia nuevas funciones. En ambos casos, su elección debe responder a un criterio estratégico, alineado con los objetivos profesionales y no con modas, presiones externas o expectativas infladas.

En última instancia, la pregunta relevante no es cuántas certificaciones posee un analista, sino para qué le sirven, cómo se integran en su práctica diaria y de qué manera contribuyen a sostener su capacidad de análisis y de juicio en entornos complejos e inciertos.

3.2. Certificaciones en inteligencia de negocios

En el contexto actual, las decisiones estratégicas ya no pueden apoyarse únicamente en la intuición o la experiencia acumulada. La inteligencia de negocios (Business Intelligence) permite transformar grandes volúmenes de datos en conocimiento útil para la toma de decisiones organizacionales.

En este marco, las certificaciones profesionales desempeñan un papel relevante, al acreditar que el analista posee competencias específicas, actualizadas y reconocidas internacionalmente en herramientas, metodologías y procesos críticos para el negocio.

Las certificaciones en inteligencia de negocios se caracterizan por su orientación práctica, su estrecha vinculación con plataformas ampliamente utilizadas en entornos corporativos y su alineación con necesidades inmediatas del mercado laboral. Para muchas organizaciones, estas credenciales funcionan como indicadores rápidos de empleabilidad técnica y capacidad operativa, especialmente en procesos de selección y conformación de equipos analíticos.

A continuación, se presentan las certificaciones más relevantes, agrupadas por tipo de competencia y enfoque formativo, junto con sus principales aplicaciones y características distintivas.

Certificaciones básicas basadas en herramientas específicas de BI

Estas certificaciones se centran en plataformas concretas de análisis, visualización o integración de datos. Su principal valor reside en acreditar dominio operativo sobre herramientas ampliamente implantadas en entornos corporativos.

- **Microsoft Certified: Data Analyst Associate (Power BI)**

  Valida competencias en modelado de datos, visualización, uso de DAX y conexión de múltiples fuentes para construir soluciones empresariales con Power BI. Es una de las certificaciones más demandadas debido a la amplia adopción de la herramienta y su aplicabilidad transversal.

- **Tableau Desktop Specialist**

  Acredita habilidades en la creación de *dashboards* interactivos y análisis visual orientado al usuario final, con énfasis en la comunicación eficaz de información compleja.

- **Qlik Sense Business Analyst/QlikView Business Analyst**

  Certifican el uso de plataformas Qlik para exploración guiada de datos, diseño de aplicaciones analíticas y análisis interactivo, especialmente valoradas en sectores que requieren lectura flexible y dinámica de la información.

- **SAP Certified Application Associate-SAP BusinessObjects BI Platform**

  Dirigida a profesionales que trabajan en ecosistemas SAP, valida capacidades de implementación, configuración y administración de entornos de BI a gran escala.

- **SAS Certified Specialist: Visual Business Analytics**

  Reconoce habilidades en el uso de SAS Visual Analytics para exploración de datos y visualización avanzada con respaldo estadístico, frecuente en sectores regulados o intensivos en análisis cuantitativo.

Estas certificaciones resultan especialmente útiles para una rápida inserción laboral, pero su valor es contextual. El dominio de una herramienta concreta pierde eficacia si no se acompaña de criterio analítico, comprensión del negocio y capacidad de adaptación a nuevos entornos tecnológicos.

Certificaciones en bases de datos y lenguaje SQL básicas

Más allá de la visualización, el dominio de bases de datos y lenguajes de consulta constituye una competencia estructural en inteligencia de negocios. Sin una comprensión sólida de cómo se almacenan, estructuran y consultan los datos, el analista corre el riesgo de depender excesivamente de capas visuales sin control real sobre la información subyacente.

- **Oracle Database SQL Certified Associate**

  Acredita competencias fundamentales en SQL, consultas complejas y manejo de bases de datos relacionales, altamente valoradas en entornos empresariales tradicionales.

- **Microsoft Azure Data Fundamentals (DP-900)**

  Certificación introductoria que valida conocimientos sobre datos relacionales y no relacionales en entornos cloud, integrando BI con arquitectura moderna de datos.

Estas credenciales refuerzan la autonomía técnica del analista y su capacidad para auditar, contrastar y validar la información que posteriormente será visualizada o modelada.

Certificaciones básicas en BI y analítica en entornos cloud básicas

La inteligencia de negocios contemporánea se desarrolla, cada vez más, sobre infraestructuras en la nube. Por ello, las certificaciones que integran BI con ecosistemas cloud adquieren un valor creciente.

- **AWS Certified Data Analytics-Specialty**

  Acredita competencias avanzadas en análisis de datos, almacenamiento, procesamiento y visualización en entornos AWS, muy demandadas en grandes corporaciones y consultoría tecnológica.

- **Microsoft Azure Data Engineer Associate (DP-203)**

  Valida capacidades para diseñar y mantener *pipelines* de datos, integrar BI con arquitecturas cloud y garantizar la disponibilidad de información para análisis estratégico.

Estas certificaciones permiten al analista operar en ecosistemas complejos, donde la inteligencia de negocios no es una herramienta aislada, sino parte de una arquitectura de datos distribuida.

Certificaciones generalistas o de ciclo analítico completo básicas

Este grupo acredita una visión integral del proceso analítico, desde la obtención de datos hasta la comunicación de resultados, sin dependencia exclusiva de una herramienta concreta.

- **Google Data Analytics Professional Certificate**

  Orientado a perfiles iniciales, cubre análisis exploratorio, limpieza de datos, R, hojas de cálculo y visualización, con enfoque práctico y accesible.

- **IBM Data Analyst Professional Certificate**

  Incluye Excel, SQL, Python y herramientas de visualización como Cognos, ofreciendo una visión completa del análisis de datos con respaldo corporativo de IBM.

- **Google Business Intelligence Professional Certificate**

  Programa más avanzado, centrado específicamente en BI, con contenidos sobre *pipelines* de datos, diseño de *dashboards*y soluciones analíticas orientadas al negocio.

- **Business Intelligence & Data Analyst (BIDA)-Corporate Finance Institute (CFI)**

  Especialmente útil para analistas financieros y de negocio, combina SQL, modelado de datos, visualización y herramientas como Power BI y Tableau.

Estas certificaciones contribuyen a evitar perfiles excesivamente dependientes de una sola herramienta y favorecen una comprensión sistémica del análisis de negocios.

Certificaciones estratégicas y de alto nivel profesional básicas

Diseñadas para profesionales con mayor experiencia, estas certificaciones acreditan competencias en toma de decisiones, liderazgo analítico y aplicación estratégica de modelos.

- **Certified Analytics Professional (CAP)**-INFORMS

  Valida la aplicación del ciclo completo de análisis, desde la definición del problema hasta la implementación de soluciones. Es altamente reconocida en analítica avanzada y consultoría.

- **Certified Business Intelligence Professional (CBIP)**-ICCP

  Reconoce formación avanzada en análisis de negocios, gestión de datos y liderazgo en inteligencia empresarial, exigiendo exámenes técnicos y experiencia profesional acreditada.

- **PMI-Professional in Business Analysis (PMI-PBA)**

  Certificación orientada a la intersección entre análisis, negocio y decisión. Resulta especialmente relevante para analistas que actúan como puente entre datos, estrategia y dirección, reforzando el rol del analista como facilitador del juicio organizacional.

Aplicabilidad y diferenciación profesional

Estas certificaciones permiten al analista de inteligencia de negocios:

- Acceder a mejores oportunidades laborales y de consultoría especializada.
- Acreditar competencias prácticas ante reclutadores, incluso en etapas iniciales.
- Posicionarse como referente técnico en equipos de BI, innovación o estrategia.
- Operar en entornos corporativos globales y multiculturales.

En entornos BANI y especialmente BETA, las certificaciones en BI presentan un riesgo específico: la ilusión de certeza derivada de métricas, modelos y visualizaciones. Por ello, su valor real depende de la capacidad del analista para contextualizar los datos, reconocer límites y comunicar incertidumbre de forma responsable.

Desde esta perspectiva, una certificación en inteligencia de negocios no debe evaluarse solo por la herramienta que acredita, sino por su contribución al desarrollo del criterio analítico y la calidad del juicio en la toma de decisiones complejas.

Si bien las certificaciones en inteligencia de negocios responden principalmente a necesidades del entorno corporativo y a la optimización de decisiones basadas en datos, otras áreas de la inteligencia —como la ciberinteligencia— requieren certificaciones con lógicas, riesgos y marcos formativos sustancialmente distintos, lo que justifica su análisis diferenciado.

3.3. Certificaciones en ciberinteligencia y ciberseguridad

Teniendo presente En un contexto en el que la información se ha convertido en uno de los activos estratégicos más valiosos, la ciberinteligencia ocupa un lugar central tanto en el ámbito gubernamental como en el empresarial. Detectar amenazas antes de que se materialicen, comprender vectores de ataque, anticipar campañas de desinformación o identificar actores hostiles forman parte de las funciones esenciales de los profesionales de este campo.

Frente a esta creciente demanda, las certificaciones desempeñan un papel decisivo. No solo acreditan competencias técnicas, sino que también avalan la capacidad del analista para pensar como un adversario, evaluar riesgos complejos y comunicar hallazgos de forma responsable y clara. En un entorno donde el error puede tener consecuencias críticas, estas credenciales funcionan como indicadores de preparación técnica y madurez profesional.

A continuación, se presentan algunas de las certificaciones más valoradas y extendidas en el ámbito de la ciberinteligencia y la ciberseguridad, junto con sus principales características y aplicaciones.

Certificaciones básicas y de acceso al ámbito de la ciberseguridad

- **CompTIA Security+**

  Una de las certificaciones de entrada más reconocidas a nivel internacional. Está orientada a profesionales que desean comprender los fundamentos de la ciberseguridad y resulta especialmente valorada para roles iniciales o generalistas dentro de equipos de seguridad, como analistas de primer nivel o técnicos de respuesta a incidentes.

Cubre aspectos esenciales como:

- Seguridad de redes.
- Gestión de amenazas y vulnerabilidades.
- Criptografía.
- Control de accesos y seguridad operativa.

Security+ cumple una función clave como base común de lenguaje y conceptos, permitiendo que perfiles procedentes de otros ámbitos (analistas de negocios, juristas, ingenieros) se integren progresivamente en equipos de ciberseguridad con una comprensión mínima compartida del riesgo digital.

Certificaciones específicas en ciberinteligencia y threat intelligence

- **Certified Threat Intelligence Analyst (CTIA)-EC-Council**

  Orientada específicamente a profesionales que trabajan con inteligencia de amenazas (*threat intelligence*). Resulta especialmente adecuada para analistas que forman parte de equipos SOC, CERT o unidades de inteligencia táctica y estratégica.

  Acredita competencias en:

  - Ciclo de vida de la inteligencia.
  - Recolección en fuentes abiertas (OSINT) y *deep/dark web.*
  - Análisis de indicadores de compromiso (IoC).
  - Desarrollo de perfiles de actores de amenaza (*threat actors*) y análisis del comportamiento adversario.

- **GIAC Cyber Threat Intelligence (GCTI)**

  Emitida por el Global Information Assurance Certification (GIAC), es especialmente reconocida en entornos gubernamentales, militares y organizaciones con infraestructuras críticas. Se dirige a profesionales con experiencia previa y profundiza en:

  - Metodologías de atribución de amenazas.
  - Técnicas de análisis estructurado aplicadas a entornos digitales.

- Recolección, validación y contextualización de inteligencia técnica en tiempo real.

Estas certificaciones refuerzan una competencia central en entornos BETA: la capacidad de analizar bajo condiciones de engaño, ruido y atribución incierta, integrando técnica, contexto y juicio analítico.

Certificaciones técnicas con enfoque ofensivo y comprensión del adversario

- **Certified Ethical Hacker (CEH)-EC-Council**

  Aunque su orientación principal es el *hacking* ético, esta certificación aporta un valor significativo para los analistas de ciberinteligencia, al entrenar la capacidad de pensar como un atacante. Muchos profesionales combinan CEH con certificaciones de inteligencia para comprender con mayor profundidad los vectores técnicos del riesgo.

  Incluye conocimientos sobre:

  - Escaneo y enumeración de redes.
  - Ingeniería social.
  - Explotación de vulnerabilidades.
  - Seguridad de aplicaciones y bases de datos.

  Desde una perspectiva analítica, el valor del CEH no reside tanto en la ejecución técnica como en la comprensión del razonamiento ofensivo, fundamental para anticipar comportamientos adversarios y evaluar escenarios de riesgo realistas.

Otras certificaciones con impacto en ciberinteligencia

Existen certificaciones que, sin centrarse exclusivamente en ciberinteligencia, aportan un valor significativo por su enfoque estratégico, normativo o de liderazgo:

- **CISM (Certified Information Security Manager)-ISACA**

  Enfocada en la gestión de la seguridad de la información y su alineación con los objetivos del negocio.

- **CISSP (Certified Information Systems Security Professional)-(ISC)²**

  Una de las certificaciones más exigentes y prestigiosas en ciberseguridad. Resulta idónea para perfiles con experiencia que desean liderar proyectos complejos o coordinar equipos técnicos.

- **OSINT Certified Analyst-OSINT Academy**

  Orientada al uso estructurado, ético y metodológico de fuentes abiertas. Especialmente recomendable para analistas que deben recolectar, evaluar y contextualizar información pública en entornos sensibles.

Estas certificaciones amplían la visión del analista más allá de lo técnico, integrando dimensiones de gobernanza, ética, atribución y responsabilidad, esenciales en entornos altamente regulados o políticamente sensibles.

Aplicaciones y ventajas competitivas de las certificaciones en ciberinteligencia

Obtener una certificación en ciberinteligencia va mucho más allá del enriquecimiento curricular. Estas credenciales cumplen una función estratégica en la carrera del analista, al validar competencias especializadas, facilitar el acceso a roles de alta responsabilidad y permitir la inserción en estructuras donde la protección de la información y la anticipación de amenazas son tareas críticas.

Una de las principales ventajas es la posibilidad de integrarse en equipos especializados dentro de organizaciones públicas y privadas. Certificaciones reconocidas internacionalmente —como CTIA, GCTI o CEH— suelen ser requisitos explícitos o implícitos para operar en centros de operaciones de seguridad (SOC), equipos de respuesta a incidentes (CERT), departamentos de cumplimiento normativo o unidades de prevención del fraude digital.

Asimismo, estas certificaciones funcionan como pasaporte profesional ante agencias estatales, fuerzas de seguridad, organismos de inteligencia y empresas altamente reguladas. En sectores como banca, energía, defensa o salud, contar con acreditaciones reconocidas puede ser indispensable para acceder a determinados proyectos, asumir responsabilidades críticas o participar en licitaciones y contratos sensibles.

Otra ventaja relevante es la especialización interna que permiten. Un analista puede orientar su perfil hacia el análisis táctico de amenazas, el monitoreo de *dark web*, el diseño de sistemas de alerta temprana o la evaluación de amenazas persistentes avanzadas (APT), en función de las certificaciones elegidas. Esta especialización incrementa no solo la empleabilidad, sino también la capacidad de liderazgo técnico y formativo.

También debe destacarse el acceso a comunidades profesionales cerradas, bibliotecas especializadas, plataformas de intercambio de inteligencia y actualizaciones continuas, generalmente reservadas a analistas certificados. Este ecosistema refuerza la formación continua y permite mantenerse actualizado en un entorno donde las técnicas de ataque y los patrones de comportamiento malicioso evolucionan con rapidez.

Desde la perspectiva de los entornos VUCA, BANI y especialmente BETA, las certificaciones en ciberinteligencia adquieren un valor adicional: contribuyen a sostener el juicio analítico en escenarios donde la información puede estar manipulada, incompleta o estratégicamente distorsionada.

En definitiva, las certificaciones en ciberinteligencia no son un simple distintivo técnico. Representan una inversión en credibilidad, preparación estratégica y capacidad operativa real, que permite al analista desenvolverse con solvencia en los entornos más exigentes y críticos de la inteligencia contemporánea.

3.4. Certificaciones transversales útiles para analistas

Ya sabemos El trabajo del analista de inteligencia no se limita al procesamiento de datos ni a la identificación de amenazas. En la práctica, el analista opera en entornos complejos, multidisciplinarios y sometidos a presión, donde debe interactuar con perfiles técnicos, directivos, jurídicos y operativos. Por ello, existen certificaciones que, sin ser propias del campo de la inteligencia en sentido estricto, aportan un valor añadido distintivo a quienes desean desempeñarse con mayor eficacia y credibilidad profesional.

Estas certificaciones transversales no sustituyen la formación específica en inteligencia, pero amplían la capacidad del analista para integrar, coordinar y traducir el análisis en acción, especialmente en entornos VUCA, BANI y BETA.

Certificaciones en gestión, coordinación y ejecución

- **PMP (Project Management Professional)-PMI**

  La certificación PMP, ofrecida por el Project Management Institute (PMI), es una de las más reconocidas a nivel global en gestión de proyectos. Aunque no se refiere directamente a inteligencia, resulta especialmente valiosa para analistas que:

  - lideran o coordinan equipos de análisis,
  - gestionan entregables bajo plazos y presupuestos definidos,
  - integran procesos de inteligencia en proyectos tecnológicos, estratégicos o de seguridad.

  En entornos BETA, donde los proyectos analíticos se desarrollan bajo presión, incertidumbre y cambios constantes de alcance, la capacidad de estructurar el trabajo, priorizar y gestionar dependencias se convierte en una competencia crítica para la sostenibilidad del rol analítico.

Certificaciones en entornos tecnológicos y operativos

- **ITIL Foundation**

  ITIL (Information Technology Infrastructure Library) es un marco de referencia ampliamente utilizado para la gestión de servicios de TI. La certificación ITIL Foundation aporta:

  - comprensión del ciclo de vida del servicio,
  - alineación de servicios tecnológicos con objetivos organizacionales,
  - lenguaje común para interactuar con equipos técnicos e infraestructuras.

Resulta especialmente útil para analistas que trabajan en estructuras híbridas junto a desarrolladores, ingenieros de sistemas, equipos SOC o responsables de infraestructura.

Esta certificación facilita que el analista no quede aislado en la función cognitiva del análisis, sino que comprenda cómo sus productos se integran en sistemas reales, operativos y sostenibles.

Certificaciones básicas en mejora de procesos y pensamiento estructurado

- **Six Sigma (Yellow Belt/Green Belt)**

  Originada en el ámbito industrial, Six Sigma se centra en la mejora de procesos mediante el análisis estadístico de datos. Aunque no pertenece estrictamente al ámbito de la inteligencia, sus principios se aplican de forma directa al entorno analítico, especialmente en inteligencia de negocios y evaluación de procesos.

  Se basa en metodologías como **DMAIC** (Definir, Medir, Analizar, Mejorar y Controlar), reforzando:

  - el análisis de causa raíz,
  - la disciplina metodológica,
  - la orientación a resultados verificables.

  En contextos BANI y BETA, donde la tentación de reaccionar sin análisis es alta, Six Sigma aporta una estructura mental disciplinada que protege al analista frente a decisiones impulsivas o mal fundamentadas.

Certificaciones normativas, éticas y de gobernanza del dato

- **CIPP/E (Certified Information Privacy Professional/Europe)-IAPP**

  Emitida por la International Association of Privacy Professionals (IAPP), valida el conocimiento normativo y operativo en protección de datos y cumplimiento del Reglamento General de Protección de Datos (GDPR).

Su relevancia es creciente para analistas que trabajan con:

- datos personales o sensibles,
- entornos altamente regulados (salud, banca, sector público),
- proyectos de inteligencia en la Unión Europea o empresas con obligaciones de cumplimiento estricto.

En un entorno donde el análisis puede tener consecuencias legales, reputacionales y sociales, esta certificación refuerza la dimensión ética y de responsabilidad profesional del analista.

- **CRISC (Certified in Risk and Information Systems Control)-ISACA**

Certificación orientada a la gestión del riesgo tecnológico y la gobernanza de sistemas de información. Resulta especialmente valiosa para analistas que operan en la intersección entre inteligencia, riesgo y decisión estratégica.

Certificaciones básicas en comunicación, diseño y traducción del análisis

- **Design Thinking y Storytelling con datos**

Aunque no se trate de certificaciones técnicas tradicionales, los programas centrados en comunicación visual, narrativa analítica y pensamiento de diseño son cada vez más demandados.

Estas formaciones ayudan al analista a:

- estructurar hallazgos complejos,
- adaptar el mensaje a públicos no técnicos,
- convertir análisis en recomendaciones accionables.

En entornos BETA, comunicar mal un análisis puede ser tan dañino como analizar mal. Estas competencias refuerzan la responsabilidad cognitiva del analista sobre el impacto de sus mensajes.

Valor estratégico de las certificaciones transversales

En el ecosistema profesional contemporáneo, donde los perfiles altamente especializados conviven con exigencias crecientes de versatilidad, las certificaciones transversales se han convertido en instrumentos estratégicos de diferenciación profesional.

Un analista con certificaciones técnicas en inteligencia que además domina:

- gestión de proyectos (PMP),
- marcos normativos (CIPP/E),
- entornos TI (ITIL),
- riesgo y gobernanza (CRISC), se posiciona con una ventaja clara frente a perfiles más estrechos.

Estas certificaciones aportan una mirada organizacional que con frecuencia no se desarrolla en la formación técnica pura. Comprender cómo se gestionan procesos, recursos, riesgos y comunicaciones es esencial para evitar que el análisis quede encapsulado en informes técnicamente correctos, pero estratégicamente irrelevantes.

Además, estas credenciales facilitan la movilidad profesional y la adaptación a nuevos contextos, permitiendo al analista actuar como puente entre disciplinas, equipos y niveles de decisión.

Finalmente, las certificaciones transversales contribuyen a construir una narrativa de profesionalidad madura. No se trata de acumular títulos, sino de evidenciar un trayecto formativo coherente, reflexivo y estratégicamente diseñado, donde cada aprendizaje amplía la capacidad del analista para ejercer su función central: sostener el juicio en entornos complejos.

3.5. Recomendaciones prácticas para elegir la certificación adecuada

Elegir una certificación Elegir una certificación puede parecer, en apariencia, una tarea sencilla: comparar contenidos, evaluar el prestigio de la entidad emisora y tomar una decisión. Sin embargo, en el ámbito del análisis de inteligencia —donde los contextos, los roles y las trayectorias profesionales son altamente diversos— esta elección debe abordarse desde una lógica estratégica, no meramente instrumental.

No todas las certificaciones aportan el mismo valor a todos los perfiles, ni en todos los momentos de la carrera. Lo que puede representar un claro diferencial en una etapa inicial puede resultar irrelevante, redundante o incluso engañoso en un perfil más avanzado. Por ello, la elección de una certificación debe formar parte de una reflexión más amplia sobre identidad profesional, objetivos y contexto.

Partir del propio perfil y del momento profesional

La primera recomendación es realizar una **reflexión honesta** sobre el propio perfil profesional y los objetivos concretos que se persiguen. Un analista en etapas iniciales suele beneficiarse de certificaciones introductorias que aporten solidez técnica, lenguaje común y credibilidad básica ante el mercado laboral. En cambio, un profesional con experiencia puede buscar acreditaciones que le permitan:

- especializarse en un nicho concreto,
- asumir mayores responsabilidades,
- o redirigir su trayectoria hacia otros ámbitos (por ejemplo, de inteligencia de negocios a ciberinteligencia, o hacia roles más estratégicos).

En entornos BETA, donde las trayectorias profesionales son menos lineales, la certificación debe verse como una palanca de transición, no como un sello definitivo de identidad.

Analizar el reconocimiento real en el mercado objetivo

Otro criterio clave es el reconocimiento efectivo de la certificación en el entorno donde se desea trabajar. Algunas credenciales gozan de prestigio internacional; otras tienen un valor más localizado, sectorial o incluso cultural (por ejemplo, entornos anglosajones, agencias públicas o industrias concretas).

Antes de invertir tiempo y recursos, conviene investigar si la certificación:

- aparece de forma recurrente en ofertas de empleo,
- es exigida formalmente en determinados procesos,
- o está presente en los perfiles que ocupan los puestos deseados.

Esta verificación evita decisiones basadas en reputación genérica o marketing formativo.

Evaluar exigencia, esfuerzo y viabilidad personal

No todas las certificaciones implican el mismo nivel de exigencia. Algunas se obtienen tras cursos breves y evaluaciones automatizadas; otras requieren demostrar experiencia previa, superar múltiples exámenes o renovar periódicamente la acreditación.

Esta diferencia es relevante, ya que una certificación más exigente suele tener mayor peso profesional, pero también demanda:

- más tiempo de preparación,
- mayor inversión económica,
- y una base técnica previa sólida.

Elegir una certificación que no se puede sostener en términos de tiempo, energía o recursos puede generar frustración y abandono, afectando incluso a la motivación profesional.

Analizar el contenido y evitar redundancias

Una práctica recomendable es revisar con detalle el temario oficial de la certificación: qué competencias cubre, qué herramientas incluye, qué tipo de casos o evaluaciones propone. Este análisis permite:

- detectar solapamientos con conocimientos ya adquiridos,
- identificar vacíos formativos reales,
- y decidir si conviene preparar previamente ciertas competencias.

Las certificaciones más serias suelen ofrecer guías detalladas, ejemplos de examen y simuladores, que permiten anticipar el nivel real de exigencia.

Observar el impacto real en trayectorias profesionales

Una forma especialmente eficaz de evaluar el valor de una certificación es observar cómo otros profesionales la han integrado en sus carreras. Analizar perfiles en LinkedIn, foros especializados o comunidades de analistas permite responder preguntas clave:

- ¿Facilitó un cambio de rol?
- ¿Aumentó la visibilidad profesional?
- ¿Es mencionada como un punto de inflexión o solo como un complemento?

Estas evidencias empíricas aportan una perspectiva más realista que la publicidad institucional.

La certificación como parte de un ecosistema formativo

Conviene recordar que ninguna certificación sustituye la formación integral ni el desarrollo del criterio analítico. Es una herramienta valiosa, pero debe integrarse en un proceso más amplio que incluya:

- práctica deliberada,
- reflexión ética,
- actualización metodológica,
- y diálogo con otros profesionales.

En entornos VUCA, BANI y BETA, una certificación sin pensamiento crítico puede incluso aumentar el riesgo de errores, al reforzar una falsa sensación de competencia o control.

Elegir bien una certificación no es apostar por una fórmula mágica, sino tomar una decisión consciente que fortalezca la identidad profesional del analista y lo prepare para sus próximos desafíos.

¿Y si no puedo costear una certificación? Estrategias realistas para avanzar

El ecosistema de certificaciones tiene también una cara menos accesible: su coste económico. Para muchos profesionales en etapas iniciales, procesos de reconversión o contextos con menor poder adquisitivo, afrontar precios elevados puede resultar inasumible. Sin embargo, esta limitación no debe entenderse como una barrera definitiva.

Lo primero es recordar que las certificaciones son medios, no fines. No definen por sí solas la valía del analista ni sustituyen la experiencia, la actitud o el juicio profesional. Existen numerosos analistas sin certificaciones formales que han construido trayectorias sólidas gracias a su capacidad de aprendizaje autónomo y aplicación rigurosa del conocimiento.

Existen además estrategias sencillas para avanzar:

- Plataformas básicas como Coursera, edX, FutureLearn o IBM SkillsBuild ofrecen cursos gratuitos o de bajo coste que replican contenidos de certificaciones oficiales.
- Algunas instituciones permiten presentarse directamente al examen, reduciendo costes de formación.
- Muchas plataformas ofrecen becas o ayudas económicas que pueden solicitarse.

Finalmente, en numerosos procesos de selección lo que marca la diferencia no es la certificación en sí, sino la demostración de competencias reales. Construir un portafolio de análisis, participar en proyectos colaborativos, publicar reflexiones profesionales o resolver casos de forma pública puede tener un impacto incluso mayor que un certificado formal.

En última instancia, lo que distingue a un analista competente no es el número de certificaciones acumuladas, sino la coherencia entre lo que sabe, cómo lo aplica y cómo sostiene su juicio en contextos complejos.

Reflexión final: la formación como arquitectura de credibilidad analítica

La formación del analista de inteligencia no puede entenderse como una acumulación de títulos, cursos o certificaciones, sino como la construcción progresiva de una arquitectura de credibilidad profesional. En entornos caracterizados por la incertidumbre, la sobrecarga informativa y la posibilidad constante de engaño, la confianza en el análisis no se sostiene únicamente en los resultados, sino en la solidez del camino formativo que los respalda.

Cada decisión formativa —una carrera universitaria, una especialización técnica, una certificación o un proceso de autoaprendizaje— contribuye a modelar la manera en que el analista observa la realidad, estructura sus hipótesis, evalúa la información y comunica sus conclusiones. Formarse es, en este sentido, aprender a pensar mejor bajo presión, a reconocer los propios límites y a sostener el juicio cuando la certeza no es posible.

La evolución de los entornos VUCA, BANI y BETA refuerza esta idea: cuanto más frágil y complejo es el contexto, mayor es la responsabilidad del analista sobre la calidad de su razonamiento. La formación deja entonces de ser un requisito externo para convertirse en una obligación ética y profesional, inseparable del ejercicio mismo del análisis.

Este capítulo ha mostrado que no existe una única vía formativa válida, ni un itinerario cerrado. Lo que define al analista competente no es el origen de su formación, sino la coherencia de su trayectoria, su capacidad de actualización y su compromiso con el uso responsable del conocimiento. Sobre esta base formativa se apoyarán, en los capítulos siguientes, las herramientas, los procesos y los retos que configuran el ejercicio práctico del análisis de inteligencia en el mundo contemporáneo.

Bibliografía:

- Corporate Finance Institute. (s.f.). Business Intelligence & Data Analyst (BIDA) Certification.
- EC-Council. (s.f.-a). Certified Threat Intelligence Analyst (CTIA).
- EC-Council. (s.f.-b). Certified Ethical Hacker (CEH).
- Google. (s.f.-a). Google Data Analytics Professional Certificate.
- Google. (s.f.-b). Google Business Intelligence Professional Certificate.
- IBM. (s.f.). IBM Data Analyst Professional Certificate.
- International Information System Security Certification Consortium. (s.f.). Certified Information Systems Security Professional (CISSP).
- ISACA. (s.f.). Certified Information Security Manager (CISM).

- IAPP. (s.f.). Certified Information Privacy Professional/Europe (CIPP/E).
- ITIL. (s.f.). ITIL Foundation Certification.
- Microsoft. (s.f.). Microsoft Certified: Data Analyst Associate.
- Project Management Institute. (s.f.). Project Management Professional (PMP).
- Qlik. (s.f.). Qlik Sense Business Analyst Certification.
- SAS. (s.f.). SAS Certified Specialist: Visual Business Analytics.
- Six Sigma Institute. (s.f.). Six Sigma Certifications.
- Tableau. (s.f.). Tableau Desktop Specialist Certification.
- The Open Group. (s.f.). TOGAF® Certification Program.
- (ISC)². (s.f.). Certified Information Systems Security Professional (CISSP).

Capítulo 5
Herramientas y tecnologías del analista

Objetivos del capítulo

Con el presente capítulo se pretende facilitar que el lector pueda:

- Identificar las principales herramientas y tecnologías utilizadas por los analistas para explorar, procesar y representar información compleja.
- Comprender cómo funcionan los lenguajes de consulta y qué papel juegan en la interacción crítica con bases de datos.
- Reconocer las herramientas más relevantes en análisis predictivo y machine learning, así como sus límites y riesgos operativos.
- Analizar el impacto de tecnologías emergentes —como la inteligencia artificial y el Big Data— en la toma de decisiones y el ejercicio del juicio analítico.
- Evaluar cómo se integran estas tecnologías en entornos corporativos y públicos, y qué competencias cognitivas y éticas se requieren para operarlas con responsabilidad.
- Tomar conciencia de la necesidad de actualización tecnológica constante como condición de sostenibilidad profesional en entornos VUCA, BANI y BETA.

INTRODUCCIÓN

El rol del analista de inteligencia, en cualquiera de sus vertientes, se encuentra hoy más que nunca profundamente vinculado al ecosistema tecnológico. Ya no basta con saber interpretar información o formular hipótesis sólidas; resulta imprescindible dominar las herramientas que permiten acceder a los datos, procesarlos, representarlos y transformarlos en conocimiento accionable. En este contexto, la tecnología no actúa como un mero apoyo operativo, sino como una extensión directa del pensamiento analítico.

Las herramientas que un analista utiliza condicionan —de forma consciente o inconsciente— su capacidad de respuesta, el tipo de preguntas que formula, la profundidad de sus interpretaciones y el impacto de sus recomendaciones. Desde los motores de consulta que permiten interactuar con grandes volúmenes de datos, hasta los algoritmos predictivos que modelan escenarios futuros, pasando por plataformas de visualización que traducen complejidad en claridad, cada tecnología cumple una función estratégica dentro del proceso de análisis.

En entornos VUCA, la tecnología permitió ganar eficiencia; en contextos BANI, ayudó a gestionar la sobrecarga informativa; y en el actual escenario BETA, se convierte en un factor crítico que puede amplificar tanto el acierto como el error. Por ello, el dominio tecnológico sin criterio analítico no solo es insuficiente, sino potencialmente peligroso.

Este capítulo tiene como propósito explorar, de forma rigurosa pero accesible, el conjunto de herramientas y tecnologías que estructuran el trabajo cotidiano del analista contemporáneo. No se trata de ofrecer un inventario exhaustivo de software, sino de identificar aquellas soluciones que concentran mayor relevancia profesional, aplicabilidad real y proyección futura, tanto en el sector público como en el privado.

A lo largo de las siguientes secciones, el lector encontrará una revisión de herramientas de visualización de datos, lenguajes de consulta y sistemas de bases de datos, plataformas de análisis predictivo y machine learning, así como una mirada crítica sobre la integración de tecnologías emergentes como la inteligencia artificial y el Big Data en los procesos de inteligencia.

Sin embargo, este capítulo no se limita a describir herramientas. Invita a reflexionar sobre la relación entre el analista y la tecnología: ¿cómo influyen las decisiones tecnológicas en el razonamiento?, ¿qué riesgos introduce la automatización?, ¿dónde termina la capacidad del sistema y comienza la responsabilidad del analista?

Estas preguntas acompañarán cada apartado, con el objetivo de que el lector no solo conozca las tecnologías disponibles, sino que desarrolle una postura crítica, ética y estratégica frente a un entorno tecnológico que evoluciona más rápido que los marcos normativos, los programas formativos y, en ocasiones, la propia capacidad de adaptación de las organizaciones.

Las herramientas no constituyen el núcleo del análisis, sino su soporte operativo. La ventaja estratégica no reside en la posesión de tecnología avanzada, sino en la capacidad de integrarla críticamente dentro de un proceso analítico coherente.

1. VISUALIZACIÓN Y REPRESENTACIÓN ANALÍTICA DEL DATO

1.1. La visualización como puente entre datos y decisiones

Moviéndonos en el terreno En el ámbito del análisis de inteligencia, la visualización de datos no es un accesorio estético ni un recurso secundario, sino un componente central del proceso analítico. Constituye, en muchos sentidos, el puente entre el dato en bruto y la decisión informada. Si bien el analista debe dominar la recolección, el procesamiento y la interpretación de la información, su verdadero valor profesional se manifiesta cuando es capaz de comunicar sus hallazgos de forma clara, precisa y relevante. En este punto, la visualización se convierte en su principal herramienta narrativa.

Los datos, por sí solos, son fragmentos. Pueden ser técnicamente correctos y completos, pero resultar incomprensibles o incluso engañosos si no se les otorga una estructura visual adecuada. Una visualización bien diseñada organiza la complejidad, jerarquiza la información y dirige la atención del observador hacia lo esencial, facilitando la identificación de patrones, anomalías o relaciones significativas. Esto resulta especialmente crítico en contextos donde la presión temporal y la incertidumbre condicionan la toma de decisiones.

En entornos VUCA, la visualización permitió reducir la complejidad; en contextos BANI, ayudó a gestionar la sobrecarga informativa y la ansiedad decisional; y en escenarios BETA, se convierte en un elemento de alto impacto, capaz de amplificar tanto la comprensión como el error. Por ello, visualizar no es un acto neutro, sino una intervención directa sobre la percepción y el juicio del decisor.

En inteligencia de negocios, por ejemplo, los cuadros de mando visuales permiten a los equipos directivos conocer de un vistazo el estado operativo de una organización. Una caída en las ventas, un incremento inesperado de los costes logísticos o una variación en el comportamiento del consumidor pueden hacerse evidentes mediante gráficos dinámicos que combinan series temporales, alertas cromáticas y segmentaciones interactivas. Lo que antes requería extensas tablas y horas de análisis puede hoy transmitirse en segundos mediante una visualización bien ejecutada.

En el ámbito de la ciberinteligencia, la visualización cumple una función igualmente crítica. Representar redes de ataque, flujos de amenazas, patrones de comportamiento malicioso o relaciones entre actores hostiles exige herramientas capaces de mostrar dinámicas complejas. Gráficos de nodos, mapas de calor, líneas de tiempo interactivas o matrices de correlación permiten detectar tendencias y conexiones que resultarían invisibles en un formato puramente textual o tabular.

Además, en ambos campos, la visualización se ha consolidado como un instrumento clave de colaboración interdisciplinaria. Los resultados del análisis rara vez se comunican únicamente a perfiles técnicos. Con frecuencia, se presentan ante responsables de toma de decisiones procedentes de ámbitos diversos-finanzas, derecho, estrategia, dirección institucional— que no comparten el mismo lenguaje analítico. La visualización actúa entonces como un lenguaje común, capaz de traducir lo técnico en estratégico, lo abstracto en comprensible y lo fragmentario en un relato orientado a la acción.

No obstante, el uso de la visualización exige criterio y responsabilidad. No toda representación gráfica es útil ni honesta.

Existe el riesgo de construir visualizaciones visualmente atractivas, pero analíticamente vacías, de utilizar escalas, colores o formas que distorsionan la percepción del dato, o de simplificar en exceso realidades complejas.

Por ello, el analista debe formarse no solo en el uso de herramientas, sino también en principios de diseño visual, percepción cognitiva, ética de la representación y adecuación al público destinatario.

La pregunta que debe guiar todo esfuerzo visual es simple, pero exigente: ¿facilita esta visualización una mejor comprensión y decisión? Si la respuesta es afirmativa, estamos ante una herramienta estratégica. Si no, se trata únicamente de una decoración informativa sin valor analítico real.

En los próximos años, la integración de inteligencia artificial en herramientas de visualización permitirá generar gráficos automáticos, resúmenes visuales y narrativas asistidas. Este avance reforzará aún más la necesidad de un analista capaz de supervisar, cuestionar y contextualizar lo que se muestra, asumiendo que visualizar será cada vez más fácil, pero visualizar bien seguirá siendo una competencia humana crítica.

A lo largo de los siguientes bloques se abordarán las herramientas más empleadas por los analistas, las buenas prácticas de visualización, casos reales de uso eficaz y los nuevos escenarios donde la representación de datos se ve potenciada —y tensionada— por la automatización y la inteligencia artificial. Porque visualizar no es solo mostrar información: es iluminar el camino hacia decisiones informadas, proporcionales y responsables.

1.2. Herramientas más utilizadas y sus diferencias esenciales

A estas alturas resulta evidente que el analista de inteligencia no solo debe comprender el lenguaje de los datos, sino también dominar las plataformas que permiten traducir esos datos en representaciones visuales comprensibles y accionables. Las herramientas de visualización no son simples soportes técnicos: configuran el modo en que se explora la información, se formulan hipótesis y se comunican conclusiones.

Por ello, conocer las particularidades de las principales soluciones del mercado no debe entenderse como un ejercicio de comparación superficial, sino como un acto estratégico, orientado a alinear capacidades tecnológicas con los objetivos reales del análisis. Elegir una herramienta es, en muchos sentidos, elegir una forma de pensar y de trabajar.

Principales plataformas de visualización utilizadas en análisis

- **Power BI**

Power BI, integrado en el ecosistema Microsoft, destaca por su capacidad para conectarse con múltiples fuentes de datos —Excel, SQL Server, Azure, SharePoint—, lo que lo convierte en una solución especialmente eficaz en entornos corporativos consolidados. Su lenguaje DAX, aunque exige una curva de aprendizaje moderada, permite construir indicadores avanzados y cálculos personalizados.

Es una herramienta idónea para analistas de inteligencia de negocios que trabajan con informes periódicos, cuadros de mando operativos y seguimiento continuo de KPIs estratégicos.

En entornos BETA, Power BI se está consolidando como plataforma de referencia para la integración de analítica descriptiva con modelos predictivos ligeros, reforzando el papel del analista como intérprete y validador del resultado automatizado.

- **Tableau**

Tableau es reconocida por su potencia visual y su elevada libertad analítica. Su interfaz facilita la exploración intuitiva de datos mediante filtros dinámicos, segmentaciones avanzadas y visualizaciones complejas, lo que la hace especialmente adecuada para análisis exploratorios y procesos de descubrimiento de patrones.

Además, permite la integración con lenguajes como Python o R, ampliando sus capacidades hacia análisis avanzados dentro del propio entorno visual. Es especialmente valorada en contextos donde la estética debe convivir con profundidad analítica.

- **Qlik Sense**

Qlik Sense introduce un modelo asociativo que permite explorar los datos sin jerarquías predefinidas, revelando relaciones que pueden pasar desapercibidas en enfoques relacionales tradicionales. Este enfoque resulta particularmente útil en investigaciones donde los patrones no están claros desde el inicio.

Su motor de análisis guiado, apoyado en inteligencia artificial, facilita la exploración incluso para perfiles intermedios, sin sustituir el criterio del analista.

En contextos BANI y BETA, este tipo de exploración no lineal resulta especialmente valiosa para evitar sesgos derivados de estructuras de datos rígidas o hipótesis prematuras.

- **Domo**

Domo es una plataforma completamente basada en la nube, con una fuerte orientación a la colaboración organizacional. Permite que múltiples áreas trabajen simultáneamente sobre informes compartidos, favoreciendo la circulación del conocimiento y la toma de decisiones distribuida.

Es habitual en organizaciones ágiles o con estructuras descentralizadas, donde el análisis debe integrarse rápidamente en flujos de trabajo compartidos.

- **Zoho Analytics**

Diseñada con un fuerte énfasis en la usabilidad, Zoho Analytics se ha posicionado como una opción accesible para pequeñas y medianas organizaciones. A pesar de su sencillez, permite construir dashboards eficaces y realizar análisis consistentes.

Resulta adecuada para profesionales que necesitan rapidez de despliegue sin sacrificar claridad visual ni coherencia analítica.

- **MicroStrategy**

MicroStrategy destaca por su enfoque en movilidad e inteligencia embebida. Permite generar informes que se actualizan en tiempo real en dispositivos móviles, lo que supone una ventaja relevante para analistas de campo o responsables que toman decisiones fuera del entorno de escritorio.

Su arquitectura admite la integración de análisis predictivo, lo que refuerza su uso en sectores críticos como banca, seguros o salud.

- **Pentaho**

Pentaho ofrece un entorno de inteligencia de negocios modular y de código abierto, lo que permite una personalización avanzada del proceso analítico. Es una opción especialmente interesante para organizaciones que desean integrar soluciones open source o adaptar sus flujos de análisis a necesidades muy específicas.

- **SAS Business Intelligence**

SAS combina capacidades avanzadas de visualización con herramientas estadísticas de alta precisión. Su fortaleza reside en contextos donde el análisis predictivo y la modelización estadística son centrales, como investigación sanitaria, detección de fraude o diseño de políticas públicas basadas en evidencia.

Aunque requiere una formación técnica más exigente, su potencia analítica lo convierte en una referencia en entornos de alta criticidad.

- **Sisense**

Sisense fue diseñada para trabajar con grandes volúmenes de datos procedentes de múltiples fuentes. Permite crear entornos de análisis a medida e incrustar visualizaciones directamente en aplicaciones web o productos digitales.

Esta capacidad la hace especialmente útil en soluciones integradas o en contextos donde la inteligencia debe formar parte del propio producto o servicio.

- **Looker Studio (antes Google Data Studio)**

Looker Studio ofrece una solución ágil y gratuita para entornos basados en Google —Analytics, Ads, Sheets, BigQuery—. Su principal fortaleza es la rapidez de despliegue y la integración nativa con fuentes habituales en marketing digital y analítica web.

Aunque presenta limitaciones frente a plataformas empresariales más robustas, resulta muy útil para análisis rápidos, visualización de campañas o prototipado de dashboards.

Elección estratégica de la herramienta

La diversidad de herramientas disponibles no debe generar confusión, sino facilitar decisiones informadas. La elección de una plataforma debe considerar factores como el tipo de datos, el nivel técnico del equipo, el contexto organizacional y los objetivos del análisis.

En muchos casos, la mejor herramienta no es la más potente, sino la que mejor se adapta al flujo de trabajo, a la cultura de la organización y a la capacidad del analista para extraer valor real de los datos.

En escenarios BETA, donde la automatización y la inteligencia artificial tienden a homogeneizar las soluciones técnicas, la ventaja competitiva del analista reside menos en la herramienta elegida y más en su capacidad para formular las preguntas adecuadas, interpretar con criterio y comunicar con responsabilidad.

En última instancia, ninguna plataforma sustituye al juicio crítico ni a la claridad conceptual. Una visualización eficaz no depende únicamente del software utilizado, sino de la intención analítica, el diseño consciente y la ética con la que se representa la información.

1.3. Casos reales de uso profesional

El verdadero El valor real de las herramientas de visualización no se mide únicamente por su potencial técnico, sino por la forma en que se aplican para resolver problemas concretos, optimizar procesos y sostener decisiones estratégicas en contextos reales. La teoría, por necesaria que sea, resulta insuficiente si no va acompañada de experiencias que muestren el impacto tangible de estas plataformas cuando se integran en flujos operativos, entornos de análisis o sistemas de monitorización en tiempo real.

A continuación, se presentan tres casos representativos en los que el uso adecuado de tecnologías de visualización —en combinación con inteligencia artificial, análisis predictivo y arquitecturas de datos robustas— ha generado transformaciones significativas en organizaciones de sectores estratégicos como la energía, los medios de comunicación y la inteligencia corporativa.

Caso 1: Repsol-visualización para anticipación y resiliencia industrial

Desde 2018, la compañía energética Repsol ha impulsado una ambiciosa estrategia de transformación digital en sus complejos industriales. Con más de 650 casos digitales implementados, y más del 65 % de ellos basados en datos e inteligencia artificial, la organización ha convertido sus instalaciones en entornos altamente integrados con sistemas avanzados de análisis y visualización.

Uno de los pilares de esta transformación ha sido el desarrollo de paneles de monitorización inteligente capaces de recoger, procesar y representar miles de variables operativas en tiempo real. Estos dashboards permiten visualizar el estado de las plantas, detectar desviaciones de rendimiento, anticipar fallos técnicos y reforzar la seguridad operacional mediante la identificación temprana de riesgos.

En el complejo de Puertollano, por ejemplo, Repsol ha iniciado una denominada "segunda ola digital", incorporando inteligencia artificial generativa y robótica a los procesos de inspección industrial. Las tecnologías empleadas transforman el entorno físico en representaciones visuales dinámicas, localizan puntos críticos y convierten los datos de sensores en mapas comprensibles para la toma de decisiones rápida.

Desde la perspectiva del analista, este caso ilustra cómo la visualización deja de ser descriptiva para convertirse en una herramienta de anticipación en entornos BETA, donde la resiliencia, la seguridad y la continuidad operativa dependen de interpretar señales débiles antes de que se conviertan en incidentes críticos.

Caso 2: PRISA Media-visualización como defensa frente a la desinformación

En el ámbito del periodismo digital, PRISA Media ha desarrollado proyectos que muestran el potencial de la visualización como herramienta de inteligencia informativa. Entre ellos destacan VerificAudio y SoDa (El Sonido de los Datos), dos plataformas basadas en inteligencia artificial orientadas a analizar y representar contenidos sonoros de forma visual.

VerificAudio fue diseñado para detectar manipulaciones en audios, un fenómeno creciente en la era de la desinformación. Mediante modelos de IA entrenados para identificar alteraciones en frecuencias, cortes sospechosos y patrones anómalos, el sistema transforma los registros sonoros en espectrogramas visuales que permiten a analistas y periodistas identificar manipulaciones de forma rápida e intuitiva.

Por su parte, SoDa convierte programas de radio, podcasts y entrevistas en datos estructurados mediante transcripción automática, análisis semántico y etiquetado temático. A través de dashboards interactivos, los equipos editoriales pueden visualizar qué temas predominan, cómo se conectan entre sí y cuál es la huella digital de cada contenido.

Estos proyectos no solo han mejorado la eficiencia editorial y el posicionamiento digital, sino que han introducido una cultura de análisis visual aplicada al audio, situando a PRISA Media como referente internacional en innovación informativa.

En entornos BANI y BETA, donde la manipulación informativa se vuelve más sofisticada, este caso muestra cómo la visualización actúa como mecanismo de defensa cognitiva, ayudando al analista a detectar patrones de engaño que no siempre son evidentes en formatos tradicionales.

Caso 3: Business Intelligence aplicado a sectores operativos y estratégicos

Más allá de las grandes corporaciones, las herramientas de Business Intelligence se han extendido a múltiples sectores como ventas, marketing, finanzas, recursos humanos o logística. Plataformas como Power BI, Tableau o Zoho Analytics se utilizan para detectar tendencias de consumo, prever variaciones de demanda, identificar anomalías operativas o anticipar fenómenos como la rotación de personal mediante modelos visuales apoyados en datos históricos y predictivos.

En el sector de la distribución alimentaria, por ejemplo, se han implementado sistemas de visualización que cruzan datos meteorológicos con históricos de consumo para optimizar el abastecimiento por zonas geográficas. En el ámbito sanitario, los mapas de calor permiten representar la aparición de brotes epidémicos o gestionar la disponibilidad de recursos hospitalarios con mayor precisión.

Este uso transversal demuestra que la visualización de datos se ha democratizado, dejando de ser patrimonio exclusivo de entornos altamente tecnificados para convertirse en un instrumento estratégico al alcance de organizaciones de muy diversa naturaleza.

Para el analista, este escenario refuerza una idea clave: cuanto más accesibles son las herramientas, mayor es la responsabilidad profesional de utilizarlas con criterio, evitando lecturas simplistas y asumiendo que visualizar no equivale a comprender.

Lectura analítica transversal de los casos

Los tres casos comparten un elemento común: la visualización no se utiliza como un fin en sí mismo, sino como un amplificador del juicio analítico. En todos ellos, la tecnología aporta velocidad, escala y capacidad de síntesis, pero el valor real emerge cuando el analista interpreta, contextualiza y traduce lo visual en decisiones proporcionales y responsables.

En un futuro próximo, marcado por visualizaciones cada vez más automatizadas y generadas por inteligencia artificial, estos ejemplos anticipan un desafío central: el analista deberá asumir el rol de supervisor crítico de lo que se muestra, garantizando que la claridad visual no oculte incertidumbres, sesgos o límites del dato.

1.4. Buenas prácticas de diseño visual y narrativa de datos

El proceso de de visualización de datos abarca mucho más que la selección de un tipo de gráfico o la elección de colores atractivos. Nos encontramos ante una disciplina comunicativa y analítica, que exige al profesional no solo dominio técnico, sino también sensibilidad visual, comprensión del público objetivo y un sólido sentido ético. Una visualización puede ser técnicamente correcta y, sin embargo, resultar ineficaz o incluso inducir a error si está mal diseñada o transmite un mensaje confuso o manipulador.

El primer principio que todo analista debe interiorizar es que la visualización está al servicio de la comprensión, no de la espectacularidad. Aunque las herramientas actuales permiten crear gráficos llamativos con gran facilidad, lo esencial es que quien observa pueda entender con rapidez qué se le está mostrando y por qué es relevante. La claridad visual prevalece siempre sobre el ornamento. Un gráfico limpio, bien jerarquizado y fácil de interpretar aporta más valor analítico que una visualización sobrecargada que termina ocultando el mensaje principal.

Este principio se vincula directamente con la jerarquía visual. Toda representación gráfica transmite, de forma intencionada o no, un orden de importancia. El tamaño de los elementos, el uso del color, la disposición espacial o el contraste guían la mirada del observador hacia determinados puntos y la alejan de otros. Un analista competente debe utilizar estos recursos con responsabilidad, organizando la información de modo que resulte accesible, coherente y alineada con el objetivo del análisis.

Por ejemplo, un dashboard orientado a la alta dirección no puede estar saturado de métricas técnicas o detalles operativos. En ese contexto, se espera una representación clara de indicadores clave, tendencias principales, alertas críticas y comparaciones estratégicas. En cambio, un informe destinado a un equipo operativo puede requerir mayor granularidad, trazabilidad del dato y capacidad de exploración en profundidad. De ahí se desprende otro principio fundamental: toda visualización debe adaptarse al público y al propósito para el que ha sido diseñada.

Uno de los errores más frecuentes consiste en asumir que una buena visualización es "universal", cuando en realidad es profundamente contextual. Lo que resulta útil para un analista puede ser incomprensible para un directivo, un jurista o un responsable de seguridad. Por ello, el analista no debe limitarse a crear gráficos atractivos o informativos, sino plantearse preguntas clave antes de diseñar: ¿a quién va dirigida esta información?, ¿qué necesita comprender esta persona?, ¿qué decisión deberá tomar a partir de ella?, ¿qué incertidumbre se pretende reducir?

La elección del tipo de gráfico responde a esta misma lógica. Para mostrar evoluciones temporales, los gráficos de líneas suelen ser adecuados; para comparar categorías, las barras horizontales resultan más eficaces; para analizar relaciones entre variables, diagramas de dispersión o redes pueden aportar mayor valor. Sin embargo, lo esencial no es la sofisticación del recurso gráfico, sino la coherencia entre el dato, la pregunta analítica y la forma de representación.

En este punto adquiere especial relevancia la narrativa de datos. Visualizar no es solo representar información, sino contar con datos. Toda buena visualización incorpora implícitamente una estructura narrativa: plantea una pregunta, ofrece evidencias y conduce hacia una interpretación o una decisión. No se trata de construir relatos artificiales, sino de organizar la información de forma que permita al receptor comprender el significado del análisis.

Este enfoque narrativo resulta crítico en contextos de inteligencia, donde no basta con mostrar lo que se ha encontrado, sino que es necesario explicar por qué es relevante y qué implicaciones tiene. La narrativa visual permite integrar distintos niveles de análisis, conectar hallazgos con hipótesis previas y representar escenarios futuros de manera comprensible incluso para públicos no especializados. En muchos casos, la capacidad del analista para estructurar esta narrativa determina si una decisión crítica se adopta con fundamento o queda atrapada en la ambigüedad.

En entornos VUCA, la narrativa visual ayudaba a simplificar la complejidad; en contextos BANI, a reducir la ansiedad informativa; y en escenarios BETA, se convierte en un elemento clave para sostener el juicio cuando la incertidumbre es estructural. La forma en que se muestran los datos influye directamente en cómo se percibe el riesgo, la urgencia y la proporcionalidad de la decisión.

No puede abordarse la visualización sin considerar su dimensión ética. En un contexto de sobrecarga informativa, dashboards automatizados y circulación masiva de gráficos sin contexto, el riesgo de sesgo visual, manipulación o malinterpretación es elevado. Escalas no proporcionales, omisión de categorías relevantes, uso emocional del color o superposición de datos heterogéneos sin advertencia pueden inducir a error incluso a lectores experimentados.

La ética visual implica representar los datos con integridad, transparencia y responsabilidad comunicativa. El analista debe ser consciente de que cada decisión de diseño —consciente o no— tiene impacto en la interpretación y, por extensión, en la acción.

A medida que las herramientas incorporan visualización automatizada y generación asistida por inteligencia artificial, esta responsabilidad se intensifica. Visualizar será cada vez más fácil; visualizar con criterio seguirá siendo una competencia humana crítica.

En definitiva, la visualización no debe entenderse como una fase final del análisis, sino como una herramienta estratégica de interpretación, comunicación y acción.

El modo en que se muestra la información puede facilitar una decisión acertada o perpetuar un error sistémico. Por ello, dominar las buenas prácticas de diseño visual y narrativa de datos no es una habilidad secundaria, sino una competencia esencial del analista de inteligencia contemporáneo.

1.5. Tendencias y desafíos en visualización

La visualización de datos ha dejado de ser una herramienta de apoyo para convertirse en un componente estructural del pensamiento organizacional contemporáneo. Lo que antes era dominio exclusivo de perfiles técnicos especializados hoy se ha democratizado gracias a plataformas accesibles, interfaces intuitivas y capacidades automatizadas cada vez más avanzadas. Esta expansión, sin embargo, trae consigo nuevos retos, dilemas éticos y transformaciones profundas que afectan directamente al rol del analista de inteligencia.

Una de las tendencias más relevantes es la automatización de la visualización. Actualmente, herramientas como Power BI, Tableau o Looker Studio generan dashboards de forma semi-automática a partir de plantillas inteligentes. Algunas plataformas incorporan incluso funciones de inteligencia artificial que sugieren visualizaciones en función del tipo de dato, el contexto del análisis o el objetivo inferido.

Esta evolución tecnológica reduce tiempos y amplía el acceso a representaciones útiles para perfiles no técnicos. Sin embargo, plantea una cuestión crítica: ¿qué ocurre cuando se automatiza también la decisión sobre cómo representar los datos?

El riesgo no es únicamente técnico, sino epistemológico. Cuando el sistema decide qué gráfico es "adecuado", también impone una forma de leer la realidad. Esa elección puede ser funcional, pero también puede reforzar sesgos, ocultar matices o simplificar en exceso fenómenos complejos. Sin una lectura crítica, la visualización automatizada puede derivar en una experiencia pasiva, donde el usuario observa sin cuestionar y el dato pierde su capacidad de generar pensamiento.

En entornos VUCA, esta automatización aportó velocidad; en contextos BANI, alivió la saturación informativa; y en escenarios BETA, introduce un riesgo adicional: la sustitución progresiva del juicio humano por patrones visuales aparentemente "neutros", pero no necesariamente correctos.

Vinculada a esta tendencia emerge la visualización aumentada, que combina interfaces visuales con algoritmos de análisis avanzado.

Ya no se trata solo de observar gráficos, sino de interactuar con ellos, recibir alertas sobre anomalías, explorar patrones sugeridos por modelos predictivos o formular preguntas mediante lenguaje natural. Aparecen así dashboards que explican sus propios hallazgos, visualizaciones que se adaptan dinámicamente al usuario o sistemas que integran datos estructurados y no estructurados en una experiencia visual unificada.

Estas capacidades abren posibilidades relevantes, pero también introducen un desafío central: la sobrerrepresentación de la inteligencia del sistema frente a la del analista. Delegar en exceso la interpretación visual puede erosionar progresivamente el criterio analítico, especialmente en ámbitos sensibles como la inteligencia estratégica, la detección de fraudes o la gestión de crisis, donde una lectura mal contextualizada puede tener consecuencias graves.

Otro eje en evolución es la personalización de la experiencia visual. En lugar de informes únicos, las organizaciones tienden a diseñar entornos adaptados a cada perfil: visiones sintéticas para la alta dirección, paneles operativos para mandos intermedios y análisis detallados para equipos técnicos. Esta capacidad mejora la eficacia comunicativa, pero exige al analista un mayor dominio de la narrativa y una planificación consciente del mensaje según el destinatario.

Paralelamente, el crecimiento exponencial del volumen de datos —impulsado por el Big Data, sensores, plataformas digitales e infraestructuras conectadas— intensifica el riesgo de sobrecarga visual. No todo dato debe ser mostrado, ni toda métrica merece ocupar un espacio en pantalla. La tentación de visualizarlo todo puede acabar ocultando lo esencial. Aquí, más que nunca, el criterio del analista resulta determinante: saber qué mostrar, qué ocultar y por qué.

La dimensión ética atraviesa todas estas transformaciones. La visualización no es neutral. Colores, escalas, comparaciones implícitas y decisiones de diseño construyen una narrativa que condiciona la interpretación. El analista debe asumir su papel como traductor visual responsable, fiel al dato y consciente del impacto de sus elecciones. Representar información con rigor implica evitar distorsiones, advertir límites y no inducir a conclusiones injustificadas.

Ante este escenario surge una pregunta recurrente: ¿seguirá siendo necesario el analista cuando las plataformas realicen gran parte del trabajo visual? La respuesta no apunta a la obsolescencia, sino a la evolución del rol. El analista del futuro no será quien sepa "hacer gráficos", sino quien sepa interpretar lo que el gráfico no muestra, cuestionar lo aparentemente obvio y dotar de sentido a la información en contextos complejos e inciertos.

En última instancia, la visualización seguirá siendo una conversación entre datos, contexto y decisión. Y toda conversación relevante exige pensamiento crítico, sensibilidad y responsabilidad. En un entorno tecnológicamente avanzado, estas siguen siendo competencias humanas insustituibles.

La visualización facilita la comprensión, pero no reemplaza la interpretación; un dashboard bien diseñado puede iluminar tendencias, pero requiere juicio analítico para evitar conclusiones simplistas

2. INFRAESTRUCTURA DE DATOS, LENGUAJES Y GOBIERNO DEL ANÁLISIS

2.1. La base de todo análisis

Cuando hablamos del trabajo del analista, suele afirmarse que "todo comienza con los datos". Sin embargo, esta afirmación, aparentemente obvia, encierra una verdad más profunda: todo comienza con la forma en que esos datos son estructurados, organizados y almacenados, es decir, con la base de datos. Porque el dato, sin contexto ni estructura, no es conocimiento. Y sin un sistema que lo contenga, lo clasifique y lo haga accesible, difícilmente puede transformarse en inteligencia.

Una base de datos es un sistema organizado que permite almacenar, recuperar y manipular información de manera eficiente. Aunque esta definición pueda parecer técnica y sencilla, sus implicaciones son enormes. Desde la gestión de una empresa multinacional hasta la detección de fraudes financieros, el monitoreo de amenazas digitales o la predicción de comportamientos, las bases de datos constituyen el terreno fértil donde germina todo análisis riguroso.

En sus primeras etapas, las bases de datos consistían en archivos físicos o planillas rudimentarias que registraban operaciones básicas. Con el avance de la informática y la digitalización masiva de procesos, estas estructuras evolucionaron hacia modelos mucho más sofisticados. Hoy convivimos con bases de datos relacionales y no relacionales, distribuidas, en la nube, escalables y capaces de gestionar volúmenes de información que hace apenas una década resultaban impensables.

Pero más allá de su evolución tecnológica, lo que convierte a la base de datos en un pilar del análisis moderno es su capacidad para estructurar el caos y hacerlo accesible. Vivimos inmersos en un entorno hiperdatificado donde cada transacción, cada búsqueda, cada interacción digital deja un rastro. Sin una arquitectura que ordene esa abundancia, el analista se enfrentaría a un universo de ruido. Su labor, precisamente, consiste en transformar ese ruido en conocimiento accionable, y para ello necesita una base sólida, coherente y bien diseñada.

Desde una perspectiva práctica, ningún análisis serio puede comenzar sin comprender la estructura de los datos disponibles. ¿Qué variables existen? ¿Cómo se relacionan entre sí? ¿Qué campos son obligatorios? ¿Dónde hay inconsistencias, vacíos o duplicidades? ¿Qué procesos de limpieza serán necesarios? Estas preguntas no se responden con intuición, sino mediante la exploración directa del modelo de datos. Por eso, conocer la base de datos es tan importante como dominar las técnicas de análisis.

Este principio es válido tanto en inteligencia de negocios como en ciberinteligencia. En el primer caso, el analista suele trabajar con datos procedentes de sistemas ERP, CRM, plataformas de ventas o herramientas de marketing, donde se registran desde operaciones financieras hasta patrones de comportamiento del cliente.

En el segundo, los datos pueden provenir de registros de red, logs de acceso, sensores, fuentes OSINT o repositorios compartidos entre unidades de ciberseguridad. En ambos escenarios, el punto de partida es siempre una arquitectura de datos confiable.

No se trata únicamente de conocer la estructura actual, sino de comprender su lógica, su evolución histórica y sus limitaciones. Muchos errores de análisis no se originan en un algoritmo mal aplicado o una visualización deficiente, sino en bases de datos mal diseñadas, con relaciones débiles, falta de normalización o criterios inconsistentes de registro. De ahí que el analista no deba limitarse a consumir datos, sino también a cuestionar cómo fueron construidos y con qué propósito.

En la práctica profesional, además, es habitual que los datos estén fragmentados en múltiples sistemas que no siempre se comunican entre sí. Esta realidad obliga al analista a desarrollar no solo competencias técnicas, sino también habilidades interpersonales: negociar accesos, comprender el lenguaje de otros departamentos, colaborar con ingenieros de datos y, en muchos casos, proponer mejoras en la arquitectura existente. La base de datos se convierte así en un espacio de articulación organizacional donde confluyen intereses técnicos, operativos y estratégicos.

En escenarios futuros marcados por arquitecturas híbridas, lagos de datos, inteligencia artificial y automatización del análisis, esta comprensión estructural será aún más crítica. El analista que no entienda cómo se generan, almacenan y relacionan los datos corre el riesgo de delegar ciegamente su criterio en sistemas que no controla ni cuestiona.

Por todo ello, es importante insistir en que el conocimiento de las bases de datos no es una competencia exclusiva de ingenieros o administradores de sistemas. Es una responsabilidad profesional esencial de todo analista que aspire a realizar un trabajo riguroso, ético y verdaderamente útil.

En los bloques siguientes profundizaremos en los distintos tipos de bases de datos, los lenguajes con los que interactúan, las herramientas más utilizadas para su gestión y los retos estratégicos y éticos asociados al uso intensivo de información almacenada. Porque antes de buscar respuestas en los datos, el analista debe comprender cómo esos datos se convirtieron en preguntas.

2.2. *Tipologías de bases de datos*

El ámbito de las bases de datos, aunque desde fuera pueda parecer homogéneo, se organiza en familias con características, lógicas y finalidades muy diferentes. Comprender estas diferencias es fundamental para cualquier analista, ya que cada modelo de base de datos responde a necesidades específicas y la elección de la arquitectura de almacenamiento condiciona todo el proceso de análisis, desde la recolección hasta la interpretación final.

Bases de datos relacionales (SQL)

Las bases de datos relacionales, comúnmente conocidas como SQL, han sido durante décadas el estándar dominante en la industria. Su lógica se basa en estructuras tabulares, donde la información se organiza en filas y columnas, las entidades se relacionan mediante claves primarias y foráneas, y las consultas se realizan mediante el lenguaje estructurado SQL (*Structured Query Language*).

Este modelo promueve la coherencia, la integridad referencial y la normalización de datos complejos en esquemas bien definidos. Por ello, SQL sigue siendo ampliamente utilizado en sectores donde la consistencia y la trazabilidad son críticas, como la banca, la administración pública, la sanidad, la logística o los sistemas de auditoría.

Una base relacional permite, por ejemplo, garantizar la unicidad de los registros de clientes, asegurar la correspondencia entre transacciones y stock, o mantener historiales verificables para procesos regulatorios. Además, su amplio grado de estandarización facilita la interoperabilidad con herramientas de análisis, visualización y sistemas empresariales (ERP, CRM, BI), lo que la convierte en una pieza central del análisis corporativo.

Bases de datos NoSQL: flexibilidad y escalabilidad

El crecimiento exponencial de los datos no estructurados y la necesidad de responder a entornos dinámicos dieron lugar al paradigma NoSQL (*Not Only SQL*). A diferencia del modelo relacional, estas bases priorizan la flexibilidad del esquema, la escalabilidad horizontal y el rendimiento en entornos de alta demanda.

Las bases NoSQL permiten almacenar información en formatos diversos, como documentos, grafos, pares clave-valor o columnas distribuidas. Son especialmente útiles cuando la estructura de los datos cambia con frecuencia, cuando se trabaja con grandes volúmenes de información heterogénea o cuando la velocidad de acceso es prioritaria frente a la rigidez estructural.

MongoDB, por ejemplo, es ampliamente utilizada en entornos de desarrollo ágil y análisis de datos semi-estructurados, como los generados por redes sociales, aplicaciones móviles o sensores.

En el ámbito de la ciberinteligencia, este tipo de bases resulta especialmente valioso para almacenar indicadores de compromiso, eventos de seguridad o perfiles de amenazas que evolucionan constantemente.

Bases de datos orientadas a grafos

Un caso particular dentro del ecosistema NoSQL lo constituyen las bases de datos orientadas a grafos, como Neo4j. En este modelo, el foco no está tanto en los datos aislados, sino en las relaciones entre entidades. Los nodos representan actores, eventos u objetos; las relaciones describen vínculos, interacciones o flujos.

Este enfoque resulta extremadamente útil en análisis de redes criminales, inteligencia relacional, OSINT, análisis de corrupción, terrorismo o estructuras geopolíticas complejas. Aquí, el valor analítico emerge al observar patrones de conexión, centralidad, intermediación o influencia, más que al analizar atributos individuales.

Infraestructuras híbridas y especializadas

En la práctica profesional actual, estos modelos no son excluyentes. Muchas organizaciones operan con arquitecturas híbridas, donde:

- Una base relacional gestiona los procesos transaccionales.
- Una o varias bases NoSQL soportan análisis exploratorios, grandes volúmenes o datos no estructurados.
- Sistemas especializados, como motores de búsqueda o bases en la nube, complementan el ecosistema.

Este escenario exige que el analista comprenda las fortalezas y limitaciones de cada enfoque y sepa cuándo y por qué extraer datos de una u otra fuente, adaptando su lógica analítica al contexto tecnológico.

Herramientas, lenguajes y adaptación del analista

Cada tipología de base de datos implica herramientas de gestión y lenguajes de consulta distintos. Mientras que SQL se apoya en entornos como MySQL Workbench, SQL Server Management Studio o pgAdmin, las bases NoSQL utilizan interfaces específicas como MongoDB Compass o consolas web propias. Asimismo, las consultas SQL difieren radicalmente de las operaciones de agregación, búsqueda o mapeo relacional propias de NoSQL y grafos.

Esto obliga al analista a adaptar su lenguaje técnico, su mentalidad y su forma de preguntar a los datos. Analizar no es solo ejecutar consultas, sino comprender la lógica subyacente del sistema que almacena la información.

Proyección futura: datos en la nube y arquitecturas distribuidas

En los entornos actuales y futuros, marcados por el Big Data, la computación en la nube y la inteligencia artificial, el analista deberá convivir cada vez más con bases de datos distribuidas, data lakes, data warehouses en la nube y sistemas de consulta masiva como BigQuery o Snowflake.

Estas arquitecturas reducen barreras técnicas, pero aumentan la complejidad conceptual: el dato ya no está en un único lugar, ni bajo un único control. Por ello, el analista del futuro deberá desarrollar una alfabetización arquitectónica, entendiendo cómo se generan, almacenan, procesan y gobiernan los datos antes de interpretarlos.

Comprender las tipologías de bases de datos no es, por tanto, un ejercicio técnico aislado, sino una forma de entender cómo fluye la información, qué supuestos se incorporan al dato y qué límites condicionan el análisis.

Tabla comparativa de bases de datos

Base de datos	Tipo	Formato de almacenamiento	Ámbitos de uso	Ventajas clave
MySQL	Relacional (SQL)	Tablas estructuradas	Aplicaciones web, ERP, CRM	Estabilidad, comunidad amplia, compatible con BI
PostgreSQL	Relacional (SQL)	Tablas estructuradas	Finanzas, administración pública, GIS	Alto rendimiento, extensibilidad, consultas complejas
Oracle Database	Relacional (SQL)	Tablas estructuradas	Grandes empresas, banca, logística	Escalabilidad, seguridad robusta, replicación
SQL Server	Relacional (SQL)	Tablas estructuradas	Corporativo, salud, energía	Integración con Power BI, soporte técnico empresarial
MongoDB	No relacional (NoSQL)	Documentos JSON	Desarrollo ágil, apps móviles, análisis social	Flexibilidad, fácil escalado, útil para datos semi-estructurados
Cassandra	No relacional (NoSQL)	Columnas distribuidas	Telecomunicaciones, IoT, comercio electrónico	Alta disponibilidad, tolerancia a fallos, volumen masivo
Neo4j	Orientada a grafos	Nodos y relaciones	OSINT, análisis de redes, inteligencia relacional	Relación compleja entre entidades, ideal para investigación
Redis	Clave-valor (NoSQL)	Pares clave-valor	*Caching*, mensajería en tiempo real	Velocidad extrema, eficiencia en operaciones simples
Elasticsearch	Buscador distribuido	Índices de texto	Análisis de *logs*, monitoreo, motores de búsqueda	Búsqueda rápida, análisis textual, integración con Kibana
BigQuery	SQL en la nube	Tablas particionadas	Análisis de Big Data, proyectos de ciencia de datos	Alta capacidad, procesamiento distribuido, pago por consulta

2.3. Lenguajes de consulta

El dominio de los lenguajes de consulta constituye una de las competencias técnicas más determinantes del analista de inteligencia. Comprender cómo "hablan" las bases de datos y ser capaz de formular preguntas precisas es lo que permite transformar un repositorio de información en una fuente real de conocimiento.

En su forma más extendida y consolidada, este lenguaje es **SQL (Structured Query Language)**, estándar de facto para interactuar con bases de datos relacionales. SQL no es únicamente una herramienta técnica; es, en realidad, un instrumento cognitivo, porque obliga al analista a pensar con rigor qué necesita saber, dónde se encuentra la información relevante y cómo debe estructurarse la consulta para obtener respuestas fiables.

Cada consulta SQL es una decisión metodológica. Al escribirla, el analista debe tener en cuenta cómo está organizada la información, qué relaciones existen entre tablas, qué filtros son pertinentes y qué supuestos está introduciendo de forma implícita. Una consulta mal planteada no solo devuelve resultados incorrectos, sino que puede contaminar todo el análisis posterior, generando conclusiones erróneas con apariencia de rigor técnico.

En términos prácticos, SQL permite:

- Consultar una o varias tablas simultáneamente.
- Relacionar conjuntos de datos mediante *joins*.
- Filtrar información con condiciones lógicas.
- Agrupar resultados y calcular métricas agregadas.
- Ordenar, limitar y segmentar grandes volúmenes de datos.

Estas operaciones, aparentemente básicas, constituyen la base sobre la que se construyen modelos analíticos más complejos, visualizaciones estratégicas y sistemas de toma de decisiones.

SQL como herramienta de análisis aplicado

Un ejemplo habitual en inteligencia de negocios sería la necesidad de comparar el rendimiento de un producto en distintas regiones durante un periodo determinado.

Para ello, el analista debe:

- Identificar las tablas relevantes (ventas, productos, regiones, fechas).
- Relacionarlas correctamente mediante claves compartidas.
- Filtrar datos incompletos o atípicos.
- Agrupar resultados por región y periodo temporal.

Todo este proceso se materializa en una consulta SQL que, bien construida, ofrece una visión clara y defendible del comportamiento del negocio. En manos expertas, SQL se convierte en una herramienta de precisión quirúrgica.

Pero el lenguaje va mucho más allá de las consultas básicas. El uso de consultas anidadas, funciones de ventana, vistasy procedimientos almacenados permite automatizar análisis recurrentes, optimizar el rendimiento de los sistemas y crear capas intermedias reutilizables. Estas prácticas no solo ahorran tiempo, sino que estandarizan el trabajo analítico y facilitan la colaboración dentro de equipos multidisciplinares.

SQL como mecanismo de control de calidad

Un aspecto frecuentemente infravalorado es el papel de SQL en la validación de datos. Mediante consultas adecuadas, el analista puede detectar:

- Registros duplicados.
- Valores inconsistentes.
- Fechas imposibles o incongruentes.
- Desviaciones estadísticas básicas.

En este sentido, SQL no es solo una herramienta de extracción, sino un primer filtro de calidad analítica, que protege frente a interpretaciones erróneas antes de que los datos lleguen a fases más avanzadas del análisis.

Lenguajes de consulta más allá de SQL

El ecosistema analítico contemporáneo ya no se limita a bases relacionales. Con la expansión de las bases NoSQL y los sistemas distribuidos, han surgido otros lenguajes y sintaxis de consulta que el analista debe, al menos, comprender conceptualmente.

- **MongoDB Query Language (MQL)** permite consultar documentos JSON y trabajar con datos semi-estructurados, muy comunes en redes sociales, logs o inteligencia digital.

- **Cypher**, el lenguaje de consulta de Neo4j, está diseñado para explorar relaciones en grafos y es especialmente potente en análisis de redes criminales, OSINT o inteligencia relacional.
- **DSLs de búsqueda**, como las utilizadas en Elasticsearch, permiten realizar análisis textual avanzado, detección de patrones en logs y correlación de eventos en ciberinteligencia.
- **SQL en la nube**, como el empleado en BigQuery o Snowflake, introduce una lógica de consulta masiva sobre arquitecturas distribuidas, donde el analista debe ser consciente de costes, rendimiento y escalabilidad.

Aprender estos lenguajes no implica dominarlos todos a nivel experto, sino comprender su lógica y saber cuándo son la herramienta adecuada para el problema planteado.

El lenguaje de consulta como competencia estratégica

En última instancia, aprender un lenguaje de consulta es aprender a dialogar con el dato. Y como todo diálogo, exige comprensión del contexto, dominio de las reglas y capacidad para formular preguntas inteligentes.

El analista que domina los lenguajes de consulta obtiene mejores respuestas no porque tenga más datos, sino porque sabe preguntar mejor. En entornos complejos, donde la información es abundante pero el tiempo escaso, esta capacidad marca la diferencia entre un análisis superficial y uno verdaderamente estratégico.

Por ello, el lenguaje de consulta no debe entenderse como una habilidad puramente técnica, sino como una competencia central del pensamiento analítico moderno, indispensable tanto en inteligencia de negocios como en ciberinteligencia y análisis estratégico avanzado.

2.4. Herramientas de gestión y visualización de bases

La La interacción con bases de datos no ocurre en abstracto ni exclusivamente a través de líneas de código. En la práctica profesional, el analista trabaja apoyándose en entornos de gestión que actúan como interfaz entre la arquitectura de datos y el proceso analítico.

En el caso de las bases de datos relacionales, herramientas como MySQL Workbench, SQL Server Management Studio (SSMS) o pgAdmin desempeñan un papel central en el flujo de trabajo cotidiano. Estas plataformas permiten diseñar esquemas de bases de datos, modelar relaciones entre tablas, explorar registros, ejecutar consultas complejas, generar reportes automáticos y monitorear el rendimiento del sistema.

Para el analista, estos entornos no son solo espacios técnicos de administración, sino lugares de exploración inicial. Es en ellos donde se realiza buena parte del análisis exploratorio temprano: comprobar la calidad de los datos, identificar valores nulos o inconsistentes, verificar relaciones entre tablas y entender la lógica interna del sistema de información.

En el ámbito de las bases de datos no relacionales, también existen herramientas de gestión especializadas. Plataformas como MongoDB Compass, Cassandra Query Language (CQL) interfaces, o consolas web de servicios cloud permiten inspeccionar documentos, colecciones, grafos o flujos distribuidos sin necesidad de escribir código desde cero. A medida que crecen los volúmenes de datos y se diversifican sus fuentes, han surgido además entornos unificados capaces de gestionar múltiples tipos de bases desde una sola interfaz.

Visualización temprana como validación analítica

No obstante, al margen de la gestión técnica, muchas de estas herramientas incluyen funciones básicas de visualización integrada. Aunque no sustituyen a plataformas especializadas como Power BI o Tableau, permiten representar datos de forma preliminar mediante tablas dinámicas, gráficos simples o vistas resumidas.

Esta capacidad de "ver" los datos en su contexto original cumple una función estratégica:

- Detectar valores atípicos,
- Confirmar patrones esperados,
- Identificar errores de carga o inconsistencias estructurales.

En este sentido, la visualización temprana actúa como un mecanismo de validación analítica, previo a cualquier modelización o representación avanzada. El analista reduce así el riesgo de construir conclusiones sofisticadas sobre datos defectuosos.

Integración con entornos analíticos avanzados

Otra ventaja clave de estas plataformas es su capacidad de integración con lenguajes de programación y entornos analíticos más avanzados. Por ejemplo:

- Desde **pgAdmin** o **MySQL Workbench** es posible exportar consultas hacia **Python o R**, donde se aplican modelos estadísticos o de machine learning.
- Desde **SQL Server**, las consultas pueden conectarse directamente con **Power BI**, permitiendo la construcción de dashboards dinámicos alimentados en tiempo real.
- En entornos cloud como **BigQuery**, **Snowflake** o **Azure Synapse**, la frontera entre base de datos, análisis y visualización se difumina, y el analista trabaja sobre infraestructuras distribuidas con gran capacidad de escalado.

Esta sinergia convierte al analista en un puente activo entre el dato crudo y su expresión estratégica, reforzando su rol como integrador de tecnologías y no como mero consumidor de resultados.

Herramientas, pensamiento y responsabilidad

En entornos BANI y BETA, donde los sistemas son frágiles, acelerados y parcialmente opacos, la elección y el uso de estas herramientas adquieren una dimensión adicional. El analista debe comprender no solo *qué* hace la herramienta, sino *cómo* lo hace, *qué supuestos incorpora* y *qué limitaciones impone.*

Una interfaz cómoda puede ocultar decisiones técnicas relevantes:

- Cómo se indexan los datos
- Qué consultas se priorizan
- Qué resultados se muestran primero

Por ello, el uso acrítico de herramientas de gestión puede derivar en una falsa sensación de control. El analista competente es aquel que utiliza estos entornos con criterio, conciencia técnica y responsabilidad profesional, sabiendo cuándo confiar en ellos y cuándo cuestionarlos.

Más adelante, al explorar el ecosistema tecnológico completo del analista, retomaremos estas herramientas desde la perspectiva de su integración con análisis predictivo, inteligencia artificial y automatización. Por ahora, basta con subrayar una idea clave: en el trabajo cotidiano del analista, la herramienta no es solo un medio operativo, sino también una forma de pensar, de mirar el dato y de construir conocimiento.

2.5. Lenguajes de programación aplicados al análisis

En el contexto actual del análisis de inteligencia, el dominio de lenguajes de programación se ha convertido en una competencia cada vez más relevante, aunque no necesariamente en un requisito universal. No todos los analistas deben ser programadores expertos, pero sí resulta cada vez más difícil ejercer el análisis profesional sin comprender, al menos a nivel funcional, cómo operan los lenguajes que automatizan, amplían y escalan el tratamiento de la información.

A diferencia de los lenguajes de consulta, que permiten interactuar directamente con bases de datos, los lenguajes de programación ofrecen al analista una capacidad ampliada de control sobre todo el ciclo analítico: desde la recolección de datos, pasando por su limpieza, transformación y análisis, hasta la modelización avanzada y la generación de productos analíticos reproducibles.

En este sentido, programar no es solo escribir código. Es formalizar el razonamiento analítico, convertir hipótesis en procedimientos explícitos y dejar trazabilidad del proceso seguido. En entornos donde la complejidad y la incertidumbre son estructurales —como los descritos en BANI y BETA—, esta trazabilidad adquiere un valor estratégico.

Python como lenguaje transversal del analista

Entre los lenguajes más utilizados, **Python** ocupa un lugar central. Su sintaxis accesible, su enorme ecosistema de librerías y su versatilidad lo han convertido en el estándar de facto para análisis de datos, automatización y ciencia de datos aplicada.

En la práctica profesional, Python se utiliza para:

- Automatizar tareas repetitivas de extracción y limpieza de datos.
- Integrar información procedente de múltiples fuentes (bases de datos, APIs, ficheros, OSINT).
- Realizar análisis estadísticos y exploratorios.
- Construir modelos predictivos y de clasificación.
- Generar visualizaciones avanzadas y productos analíticos reproducibles.

Librerías y bases habituales como pandas, NumPy o SciPy permiten manipular grandes volúmenes de datos con precisión. Matplotlib, Seaborn o Plotly facilitan visualizaciones avanzadas más allá de los dashboards tradicionales. Y entornos como Jupyter Notebook se han consolidado como espacios de trabajo que combinan código, resultados y explicación narrativa, muy alineados con la lógica del análisis estructurado.

En ciberinteligencia, Python es ampliamente utilizado para automatizar procesos OSINT, analizar logs, detectar patrones anómalos o correlacionar indicadores de compromiso (IoC). En inteligencia de negocios, se emplea para modelizar escenarios, realizar previsiones de demanda o enriquecer dashboards con cálculos personalizados que van más allá de lo que permiten las herramientas visuales estándar.

R y otros lenguajes especializados

Junto a Python, **R** sigue ocupando un lugar relevante, especialmente en entornos donde el análisis estadístico avanzado y la modelización rigurosa son prioritarios. R ofrece una potencia notable en análisis estadístico, visualización especializada y validación de hipótesis, y es habitual en ámbitos académicos, investigación sanitaria, políticas públicas o análisis econométrico.

Aunque su curva de aprendizaje es más exigente, R permite un control muy fino sobre los métodos estadísticos empleados y sigue siendo una referencia en contextos donde la robustez metodológica es crítica.

Otros lenguajes, como Julia, están ganando visibilidad en nichos específicos por su rendimiento en cálculo intensivo, mientras que lenguajes como Scala o Java aparecen en entornos de Big Data integrados con plataformas como Apache Spark. No obstante, para la mayoría de los analistas, Python y R constituyen el núcleo funcional más relevante.

Automatización, reproducibilidad y riesgos en entornos BETA

Uno de los grandes aportes de los lenguajes de programación es la automatización del análisis. Procesos que antes requerían horas de trabajo manual pueden ejecutarse de forma sistemática, reproducible y escalable. Esto aumenta la eficiencia, reduce errores humanos y permite al analista dedicar más tiempo al pensamiento estratégico.

Sin embargo, en entornos BETA, esta automatización introduce riesgos específicos. El código puede volverse opaco, los supuestos quedar ocultos en funciones heredadas y los resultados adquirir una falsa apariencia de objetividad. Cuando un análisis se ejecuta "porque siempre se ha hecho así", sin revisión crítica del código, el analista corre el riesgo de delegar su juicio en el sistema.

Por ello, la competencia clave no es solo saber programar, sino comprender qué hace el código, qué no hace y qué decisiones analíticas están incorporadas en él. El analista sigue siendo el responsable último de las conclusiones, aunque estas provengan de un modelo automatizado.

IA generativa y el analista como supervisor del código

La irrupción de herramientas de IA generativa capaces de escribir código (como asistentes basados en lenguaje natural) está transformando la relación entre el analista y la programación. Hoy es posible generar scripts, consultas o funciones complejas sin escribir manualmente cada línea.

Esta evolución no elimina la necesidad de conocimientos técnicos; al contrario, la refuerza. En entornos BETA, el analista debe actuar como supervisor crítico del código generado, evaluando su lógica, detectando errores conceptuales y validando resultados. La facilidad de generar código aumenta el riesgo de usar soluciones que "funcionan" técnicamente, pero que no responden correctamente al problema analítico planteado.

Así, el valor diferencial del analista no reside en escribir más código, sino en entenderlo, cuestionarlo y contextualizarlo.

Lenguajes de programación como competencia estratégica

En última instancia, los lenguajes de programación amplían la capacidad del analista para pensar de forma estructurada, explícita y reproducible. No sustituyen el juicio humano, pero sí lo potencian cuando se utilizan con criterio.

El analista del presente —y más aún del futuro— no es un técnico aislado ni un programador puro, sino un profesional capaz de integrar herramientas, métodos y razonamiento crítico. En un entorno donde la automatización crece y la incertidumbre no desaparece, programar se convierte en una forma más de pensar mejor, no en un fin en sí mismo.

2.6. Análisis de datos no estructurados y fuentes abiertas

Si las bases de datos estructuradas constituyen el cimiento del análisis tradicional, los datos no estructurados representan hoy el mayor desafío —y a la vez la mayor oportunidad— para el analista de inteligencia contemporáneo. Textos, imágenes, vídeos, audios, publicaciones en redes sociales, foros, noticias, informes abiertos o conversaciones digitales generan un volumen de información que no encaja fácilmente en tablas ni esquemas relacionales, pero que contiene señales estratégicas de enorme valor.

En entornos VUCA, estos datos aportaban contexto; en BANI, se convirtieron en un factor de ruido, ansiedad y desinformación; y en BETA, pasan a ser un componente estructural del entorno informativo. El analista ya no puede ignorarlos ni tratarlos de forma superficial: debe desarrollar competencias específicas para extraer sentido sin quedar atrapado en la sobrecarga.

OSINT: de la fuente abierta al problema analítico

El análisis de fuentes abiertas, conocido como OSINT (Open Source Intelligence), se ha consolidado como una disciplina central tanto en ciberinteligencia como en inteligencia estratégica, corporativa y criminal. OSINT no consiste simplemente en "buscar información en internet", sino en recolectar, evaluar, contrastar y analizar información pública de forma sistemática, ética y verificable.

Las fuentes abiertas incluyen, entre otras:

- Medios de comunicación digitales.
- Redes sociales y plataformas de mensajería abiertas.
- Registros mercantiles y administrativos.
- Informes de organismos públicos y think tanks.
- Foros especializados, repositorios técnicos y bases documentales.
- Contenido audiovisual disponible públicamente.

El reto principal no es el acceso, sino la fiabilidad, la intencionalidad y el contexto de la información. En entornos BETA, donde la manipulación informativa y la propaganda son habituales, el analista debe asumir una postura crítica permanente frente a la fuente, el emisor y la narrativa subyacente.

Ejemplos de herramientas para el análisis de datos no estructurados

El tratamiento de datos no estructurados exige herramientas distintas a las utilizadas en análisis clásico. Entre las más empleadas se encuentran:

- **Herramientas OSINT** como *Maltego, SpiderFoot, Recon-ng* o *theHarvester*, utilizadas para mapear relaciones, dominios, identidades digitales o infraestructuras.
- **Motores de búsqueda avanzados** y operadores booleanos, combinados con técnicas de *Google Dorking*.

- **Plataformas de análisis textual** basadas en NLP (Natural Language Processing), como *spaCy, NLTK* o servicios cloud de análisis semántico.
- **Elasticsearch + Kibana**, muy utilizados para análisis de logs, texto libre y correlación de eventos en ciberinteligencia.
- **Herramientas de monitorización de redes sociales**, como Brandwatch, Talkwalker o Meltwater, en entornos corporativos y de inteligencia reputacional.
- **Sistemas de transcripción y análisis de audio**, cada vez más relevantes ante el auge del contenido sonoro y audiovisual.

Estas herramientas permiten clasificar textos, detectar temas recurrentes, identificar cambios en narrativas, analizar sentimiento, descubrir comunidades y rastrear la evolución temporal de discursos.

Desinformación, ruido y sesgos inducidos

Uno de los grandes riesgos del análisis de datos no estructurados es la ilusión de conocimiento. La abundancia de información puede generar la sensación de que "todo está ahí", cuando en realidad los datos pueden estar incompletos, sesgados o manipulados.

En contextos de desinformación:

- El volumen no garantiza veracidad.
- La repetición no implica confirmación.
- La viralidad no equivale a relevancia estratégica.

Además, los propios sistemas digitales inducen sesgos: algoritmos de recomendación, cámaras de eco, amplificación de contenidos extremos o priorización de emociones frente a hechos. El analista debe ser consciente de que la arquitectura del entorno informativo condiciona lo que ve, y que su tarea no es consumir información, sino interrogarla.

IA, automatización y responsabilidad analítica

La incorporación de inteligencia artificial al análisis de datos no estructurados ha multiplicado las capacidades técnicas del analista:

clasificación automática, resumen de textos, detección de patrones narrativos, traducción instantánea o identificación de anomalías discursivas.

Sin embargo, en entornos BETA, esta automatización introduce un riesgo adicional: la delegación del juicio. Los modelos pueden detectar correlaciones, pero no comprenden contexto, ironía, intencionalidad política o impacto estratégico. El analista no puede limitarse a aceptar resultados generados por sistemas automáticos sin una revisión crítica.

Por ello, la competencia clave no es dominar todas las herramientas, sino saber cuándo confiar en ellas y cuándo no, entendiendo sus límites, sesgos y supuestos implícitos.

El analista como filtro cognitivo

En última instancia, el análisis de datos no estructurados refuerza una idea central del libro: el analista no es un recolector pasivo de información, sino un filtro cognitivo que convierte ruido en sentido. Su valor reside en la capacidad de discriminar, contextualizar y relacionar información dispersa para construir interpretaciones defendibles.

En un mundo donde la información es abundante pero la comprensión escasa, esta competencia se vuelve crítica. Analizar datos no estructurados no es acumular evidencias, sino construir juicio. Y en entornos VUCA, BANI y especialmente BETA, ese juicio es uno de los activos más valiosos que puede aportar un analista.

2.7. Seguridad, ética y gobernanza de datos

Dentro del análisis de inteligencia, trabajar con datos no es únicamente una cuestión técnica. Implica, de manera inseparable, una práctica con profundas implicaciones éticas, legales y estratégicas. La información que se almacena, procesa y analiza puede referirse a decisiones financieras críticas, perfiles personales, patrones de comportamiento o incluso datos sensibles vinculados a seguridad nacional, salud pública o infraestructuras estratégicas. En este contexto, la forma en que se accede, protege, gestiona y comparte ese conocimiento no puede dejarse al azar ni delegarse por completo en sistemas automáticos.

Seguridad de los datos: un requisito estructural

La seguridad de los datos constituye el primer pilar de este marco. Implica la implementación de medidas técnicas y organizativas como:

- autenticación robusta,
- políticas de acceso segmentado por roles,
- cifrado de datos en reposo y en tránsito,
- copias de seguridad automatizadas,
- registros de auditoría que permitan rastrear accesos, modificaciones y usos indebidos.

Sin embargo, la experiencia demuestra que muchas brechas no se originan en fallos tecnológicos, sino en comportamientos humanos. Un analista que accede a datos sensibles desde redes inseguras, reutiliza credenciales o deja sesiones abiertas representa un riesgo comparable —o superior— a una vulnerabilidad técnica.

Por ello, la seguridad no puede entenderse solo como infraestructura, sino como cultura organizativa y competencia profesional.

En entornos BANI, caracterizados por fragilidad y ansiedad, la presión operativa incrementa el riesgo de errores humanos. Y en entornos BETA, donde los sistemas son complejos y parcialmente opacos, una brecha de seguridad puede tener efectos no lineales, difíciles de anticipar y de revertir.

Ética del análisis: más allá del cumplimiento normativo

No obstante, la seguridad por sí sola no garantiza un uso correcto de los datos. Aquí entra en juego la ética del análisis, que va más allá del cumplimiento legal. El hecho de que algo sea técnicamente posible no implica que sea moralmente aceptable, socialmente justo o estratégicamente responsable.

Estos dilemas no son abstractos. Aparecen, por ejemplo, en:

- modelos predictivos que penalizan comportamientos pasados sin considerar contexto,
- sistemas que reproducen sesgos históricos en decisiones automatizadas,
- análisis que afectan derechos, reputaciones o trayectorias vitales de personas y colectivos.

En estos casos, el analista no puede escudarse en la neutralidad del dato ni en la objetividad del algoritmo. Toda inferencia incorpora supuestos, y toda recomendación tiene consecuencias. Por ello, la ética no debe entenderse como una carga externa o un código impuesto, sino como una práctica cotidiana del juicio profesional.

El analista éticamente competente es aquel que:

- Se pregunta qué impacto puede tener su análisis
- Reconoce los límites de sus modelos
- Explicita incertidumbres y sesgos
- Y asume responsabilidad sobre el uso que otros hagan de sus conclusiones

Gobernanza de datos: estructura, poder y responsabilidad

El tercer vértice de este marco es la gobernanza de datos, que articula seguridad y ética dentro de estructuras organizativas estables. A diferencia de las medidas técnicas o los principios morales individuales, la gobernanza se ocupa de cómo se toman las decisiones sobre los datos dentro de una organización.

Esto incluye definir:

- Quién puede acceder a qué información y en qué condiciones
- Quién es responsable de la calidad y actualización de los datos
- Cómo se documentan las fuentes, transformaciones y usos
- Bajo qué criterios se comparten datos internamente o con terceros
- Y qué estándares se emplean para catalogar, auditar y reutilizar información

Una gobernanza deficiente genera efectos bien conocidos: duplicidades, análisis contradictorios, pérdida de confianza en los datos y decisiones basadas en versiones parciales o desactualizadas de la realidad. Por el contrario, una gobernanza sólida facilita la trazabilidad, la rendición de cuentas y la interoperabilidad entre sistemas y equipos.

Regulación y contexto normativo

Este aspecto cobra especial relevancia en entornos regulados, donde normativas como el RGPD en Europa, la California Consumer Privacy Act (CCPA) o las leyes de protección de datos en América Latina exigen no solo proteger la información, sino documentar cómo y por qué se hace. Estas regulaciones introducen principios como minimización del dato, derecho a explicación, proporcionalidad y responsabilidad demostrable.

Ignorar estas obligaciones puede derivar en sanciones económicas severas, pero también en un daño reputacional profundo. En este sentido, la gobernanza no es un freno al análisis, sino un marco que legitima su uso y refuerza la confianza institucional.

Dimensión estratégica y rol ampliado del analista

Más allá del cumplimiento normativo, existe una dimensión claramente estratégica. Las organizaciones que gestionan bien sus datos —en seguridad, ética y gobernanza— cuentan con una ventaja competitiva sostenible. Disponen de información más fiable, toman decisiones con mayor rapidez y reducen riesgos asociados a errores, filtraciones o usos indebidos.

En este contexto, el rol del analista se amplía. Ya no es solo un usuario avanzado de datos, sino también un garante de su uso responsable. Su conocimiento técnico y contextual le permite identificar riesgos, proponer mejoras en la arquitectura de datos y participar en debates sobre políticas de acceso, diseño de sistemas y evaluación de impacto.

En entornos BETA, donde el dato es poder pero también vulnerabilidad, esta función se vuelve crítica. Porque si el dato otorga capacidad de anticipación y decisión, también exige responsabilidad, criterio y límites claros.

En definitiva, seguridad, ética y gobernanza no son capas externas al análisis de inteligencia. Son parte constitutiva de su legitimidad. Y el analista que comprende esta dimensión no solo produce mejores informes, sino que contribuye a construir sistemas de decisión más justos, resilientes y sostenibles.

Reflexión final del punto 2, de la infraestructura al criterio analítico

A lo largo de este bloque hemos recorrido el ecosistema que sostiene el análisis contemporáneo desde sus cimientos: bases de datos, lenguajes de consulta, herramientas de gestión, programación, análisis de datos no estructurados y, finalmente, los marcos de seguridad, ética y gobernanza que legitiman su uso. Este recorrido pone de manifiesto una idea fundamental: la calidad del análisis depende tanto de la infraestructura tecnológica como del criterio con el que se utiliza.

En entornos VUCA, dominar las herramientas permitía ganar ventaja; en BANI, ayudaba a gestionar la complejidad y el ruido; y en BETA, se convierte en una condición necesaria, pero nunca suficiente. La tecnología amplía la capacidad del analista, pero también introduce fragilidad, opacidad y riesgos que solo pueden ser compensados con pensamiento crítico, responsabilidad profesional y conciencia ética.

Así, el analista de inteligencia no es únicamente un usuario avanzado de sistemas, sino un intérprete consciente de la información, capaz de cuestionar la fuente, el proceso y el resultado. Las herramientas facilitan el acceso al dato, pero es el juicio del analista el que convierte ese dato en conocimiento útil y legítimo.

Con esta base establecida, el capítulo avanza ahora hacia tecnologías de nivel superior —análisis predictivo, machine learning e inteligencia artificial— donde la automatización aumenta y, con ella, la necesidad de supervisión humana, reflexión estratégica y responsabilidad decisional. Porque cuanto más potente es la herramienta, mayor debe ser la madurez de quien la utiliza.

3. HERRAMIENTAS PREDICTIVAS, IA Y BD.

3.1. El salto del análisis descriptivo al predictivo

Durante mucho tiempo, el análisis de datos se centró en una pregunta fundamental: ¿qué ha ocurrido? Este enfoque, conocido como análisis descriptivo, ha sido la base de informes de rendimiento, evaluaciones de procesos y reportes ejecutivos en prácticamente todos los sectores. Su valor reside en permitir comprender comportamientos pasados, identificar patrones históricos y medir el impacto de decisiones ya tomadas.

En entornos relativamente estables, este tipo de análisis era suficiente para orientar la acción. Sin embargo, en escenarios cada vez más cambiantes, competitivos y volátiles, la mirada retrospectiva ha dejado de ser adecuada como único soporte de la decisión. Comprender el pasado sigue siendo necesario, pero ya no es suficiente.

El verdadero diferencial estratégico reside hoy en anticipar lo que aún no ha ocurrido, en estimar escenarios probables y en actuar antes de que los hechos confirmen lo evidente. Es en este punto donde el análisis predictivo adquiere protagonismo, no como sustituto del análisis descriptivo, sino como su evolución natural.

De describir a anticipar: un cambio de lógica analítica

En términos prácticos, el análisis predictivo utiliza algoritmos de aprendizaje automático (machine learning) entrenados con grandes volúmenes de datos históricos para identificar regularidades, correlaciones y patrones que pueden repetirse en el futuro. A diferencia de los informes estáticos, estos modelos no ofrecen certezas, sino estimaciones probabilísticas.

Este cambio no es menor. Mientras que el análisis descriptivo responde a hechos consumados, el predictivo trabaja con futuros posibles. Por tanto, exige una lectura más matizada, más crítica y también más honesta. Los modelos no "adivinan" el futuro; reducen la incertidumbre, pero no la eliminan.

En entornos VUCA, el análisis predictivo se utilizó para ganar ventaja competitiva. En BANI, empezó a emplearse como herramienta para gestionar ansiedad, velocidad y sobrecarga informativa. En BETA, se convierte en una tecnología estructural, pero también en una fuente de nuevos riesgos: dependencia excesiva del modelo, ilusión de control y delegación indebida del juicio.

Aplicaciones reales del análisis predictivo

El impacto del análisis predictivo es especialmente visible en contextos donde las decisiones deben tomarse con rapidez y bajo presión. Algunos ejemplos habituales incluyen:

- Equipos de ciberinteligencia que analizan señales débiles en redes sociales y foros para anticipar campañas de desinformación, ataques coordinados o movimientos de actores hostiles.
- Entidades financieras que utilizan modelos predictivos para detectar transacciones fraudulentas antes de que se materialice el daño económico.
- Empresas que anticipan rotación de personal, caídas de demanda o disrupciones logísticas a partir de datos históricos y variables contextuales.
- Organismos públicos que modelizan escenarios de riesgo sanitario, energético o social para mejorar la planificación preventiva.

En todos estos casos, el análisis predictivo no reemplaza al analista humano, sino que amplifica su capacidad de anticipación. El valor no está en el algoritmo por sí mismo, sino en cómo se interpreta y se integra en la toma de decisiones.

El analista como mediador entre modelo y decisión

Adoptar análisis predictivo implica aceptar un nuevo nivel de complejidad profesional. Ya no basta con comprender métricas e indicadores; el analista debe entender:

- Cómo se construyen los modelos
- Qué datos se utilizan para entrenarlos
- Qué variables quedan fuera
- Cómo se validan los resultados

- Y cuáles son sus límites estructurales

Aquí emerge con claridad el rol del analista como mediador entre el modelo y la organización. Es quien traduce probabilidades en recomendaciones comprensibles, quien contextualiza resultados y quien explica que el error no es un fallo del sistema, sino una característica inherente a la predicción.

En entornos BETA, esta función es crítica. El analista debe resistir la tentación de presentar el resultado del modelo como verdad objetiva y asumir que toda predicción es una hipótesis informada, no una garantía.

Riesgos epistemológicos del análisis predictivo

El uso intensivo de modelos predictivos introduce riesgos que no son solo técnicos, sino epistemológicos:

- Modelos entrenados con datos sesgados reproducen sesgos históricos.
- Correlaciones pueden confundirse con causalidades.
- Resultados con apariencia matemática pueden generar una falsa sensación de certeza.

Por ello, el analista competente no es quien "cree" en el modelo, sino quien sabe dudar de él. Cuestionar supuestos, revisar datos de entrenamiento y explicitar márgenes de incertidumbre se convierten en actos de responsabilidad profesional.

Hacia una nueva madurez analítica

El salto del análisis descriptivo al predictivo no consiste en abandonar el pasado para abrazar el futuro, sino en integrar ambos niveles. Comprender lo ocurrido sigue siendo indispensable para interpretar lo que podría ocurrir.

En este sentido, el análisis predictivo no es una promesa de control absoluto, sino una herramienta para pensar mejor bajo incertidumbre. Y en un entorno donde la complejidad es estructural, esa capacidad de anticipación crítica constituye uno de los mayores aportes del analista de inteligencia contemporáneo.

3.2. Herramientas y lenguajes más utilizados por los analistas

En el análisis predictivo, comprender el modelo es tan importante como saber implementarlo con eficacia. Esta tarea recae, en gran medida, en las herramientas y lenguajes de programación que el analista utiliza para construir, entrenar, validar e interpretar los modelos. A diferencia de entornos puramente descriptivos o visuales, aquí la elección tecnológica condiciona directamente el alcance, la profundidad y la trazabilidad del análisis.

No se trata únicamente de "saber usar una herramienta", sino de entender qué tipo de razonamiento permite, qué nivel de control ofrece sobre el modelo y hasta qué punto facilita —o dificulta— la interpretación de los resultados.

Lenguajes de programación dominantes

Entre los lenguajes más extendidos destaca **Python**, cuya versatilidad, comunidad activa y amplio ecosistema de bibliotecas lo han convertido en un estándar de facto en ciencia de datos, machine learning e inteligencia artificial aplicada. Librerías como scikit-learn, TensorFlow, PyTorch o XGBoost permiten construir desde modelos predictivos clásicos hasta arquitecturas complejas de aprendizaje profundo.

Python resulta especialmente atractivo para analistas de inteligencia porque combina:

- capacidad analítica avanzada,
- integración sencilla con bases de datos y APIs,
- automatización de procesos,
- y facilidad para desplegar modelos en entornos productivos.

Otra alternativa muy valorada es **R**, un lenguaje originalmente concebido para análisis estadístico, que con el tiempo ha incorporado capacidades robustas de machine learning, modelización avanzada y visualización de alta calidad. R es especialmente apreciado por analistas con formación cuantitativa, académica o estadística, que buscan control fino sobre los supuestos del modelo y una representación rigurosa de los resultados.

Mientras Python destaca por su versatilidad generalista, R sobresale en contextos donde la precisión estadística, la inferencia y la validación metodológica son prioritarias, como análisis de riesgo, políticas públicas o investigación aplicada.

Plataformas visuales y entornos low-code

No todos los analistas trabajan —ni necesitan trabajar— directamente con código. Por ello, han surgido plataformas que permiten desarrollar modelos predictivos mediante entornos visuales, reduciendo la barrera técnica sin eliminar la capacidad analítica.

Herramientas como KNIME o RapidMiner permiten construir flujos de trabajo mediante nodos configurables, facilitando la colaboración entre perfiles técnicos y no técnicos. Estas plataformas son especialmente útiles en entornos corporativos donde:

- Participan analistas con distintos niveles de formación técnica
- Se prioriza la rapidez de prototipado
- O se busca estandarizar procesos analíticos

En organizaciones de gran escala, siguen siendo relevantes soluciones como SAS o IBM SPSS Modeler, que ofrecen robustez, soporte corporativo y una fuerte integración con sistemas empresariales críticos. Aunque requieren licencias costosas, siguen siendo habituales en sectores altamente regulados como banca, seguros, salud o administración pública.

Herramientas según el rol del analista de inteligencia

Desde la perspectiva del analista de inteligencia, la elección de herramientas no es neutra. Un analista de ciberinteligencia, por ejemplo, puede priorizar entornos que permitan integrar logs, fuentes OSINT y análisis de comportamiento adversario, mientras que un analista de inteligencia de negocios puede centrarse en modelos predictivos de demanda, fraude o rendimiento organizacional.

En este sentido, más que dominar todas las herramientas, el analista debe:

- comprender qué tipo de preguntas permite responder cada entorno,
- evaluar su grado de explicabilidad,
- y conocer sus limitaciones operativas y éticas.

Tendencias emergentes: AutoML e IA asistida

Una tendencia creciente es la incorporación de soluciones de AutoML, que automatizan parte del proceso de selección de modelos, ajuste de hiperparámetros y validación. Estas herramientas aceleran el trabajo, pero también introducen riesgos si se utilizan sin comprensión crítica.

En paralelo, la integración de IA generativa como asistente analítico —capaz de sugerir modelos, explicar resultados o generar código— está transformando la forma de trabajar del analista. No obstante, estas tecnologías deben entenderse como copilotos, no como sustitutos del razonamiento humano.

El riesgo de la caja negra

Un desafío transversal es el problema de la opacidad del modelo. A medida que los algoritmos se vuelven más complejos, aumenta la dificultad para explicar por qué un modelo produce determinados resultados. En inteligencia, donde las decisiones pueden tener consecuencias estratégicas, legales o éticas, este aspecto es crítico.

Por ello, el analista debe priorizar herramientas y enfoques que permitan:

- Trazabilidad del dato
- Interpretación del modelo
- Y comunicación clara de resultados y márgenes de incertidumbre

Criterio por encima de herramienta

Cada opción tecnológica presenta fortalezas distintas. Python y R aportan profundidad y flexibilidad; las plataformas visuales ofrecen accesibilidad y rapidez; las soluciones corporativas brindan estabilidad y control. Sin embargo, ninguna herramienta sustituye al criterio analítico.

El analista profesional no se define por la herramienta que utiliza, sino por su capacidad para elegirla con sentido estratégico, cuestionar sus resultados y adaptarse a un ecosistema tecnológico en constante evolución. En análisis predictivo, dominar la herramienta es importante; entender sus límites lo es aún más.

3.3. Modelos predictivos más comunes y caso de uso

Los algoritmos de análisis predictivo son modelos matemáticos diseñados para identificar patrones en datos históricos y proyectarlos hacia escenarios futuros. Cada uno responde a una lógica distinta y resulta más o menos adecuado según el tipo de problema, la calidad de los datos disponibles y el nivel de interpretabilidad requerido. Por ello, conocer sus fundamentos, aplicaciones y limitaciones no es un ejercicio técnico accesorio, sino una condición necesaria para un uso responsable del análisis predictivo en contextos de inteligencia.

Modelos de predicción numérica

Uno de los modelos más conocidos y utilizados es la regresión lineal, especialmente indicada para estimar una variable numérica continua —como ventas, consumo energético, niveles de riesgo o evolución de precios— a partir de una o varias variables independientes. Su principal fortaleza reside en la interpretabilidad, ya que permite comprender con claridad el peso de cada factor sobre el resultado final.

Por esta razón, sigue siendo ampliamente empleada en inteligencia de negocios, planificación financiera o análisis de tendencias, donde no solo se busca predecir, sino también explicar por qué ocurre lo que ocurre. Existen, además, variantes más sofisticadas como la regresión múltiple, polinómica o regularizada, que permiten adaptarse a escenarios más complejos sin perder transparencia.

Modelos de clasificación

Cuando el objetivo no es predecir un valor continuo, sino asignar una categoría, entran en juego los modelos de clasificación. Entre los más habituales se encuentran la regresión logística, los árboles de decisión, los bosques aleatorios (random forest) y las máquinas de soporte vectorial (SVM).

Estos modelos permiten responder preguntas críticas como:

- ¿Este cliente abandonará el servicio?
- ¿Esta transacción es fraudulenta?
- ¿Este evento representa una amenaza real?
- ¿Este mensaje forma parte de una campaña de desinformación?

En ciberinteligencia y detección de fraude, los modelos de clasificación son esenciales para priorizar alertas, reducir falsos positivos y apoyar decisiones operativas bajo presión. No obstante, su eficacia depende en gran medida de la calidad del etiquetado de los datos y de una evaluación constante del rendimiento del modelo.

Modelos de segmentación y descubrimiento de patrones

En situaciones donde no existe una variable objetivo clara, se recurre a técnicas de clustering o análisis de agrupamiento. Estos modelos buscan similitudes ocultas entre observaciones y agrupan los datos en función de patrones emergentes. Algoritmos como k-means, DBSCAN o clustering jerárquico son ampliamente utilizados para segmentar clientes, identificar comportamientos atípicos o descubrir estructuras relacionales no evidentes.

En inteligencia estratégica, estas técnicas resultan especialmente útiles para detectar perfiles de comportamiento, mapear redes de actores o identificar grupos de riesgo sin imponer categorías preconcebidas.

Modelos avanzados y aprendizaje profundo

En escenarios de alta complejidad, volumen masivo de datos o relaciones no lineales, se emplean redes neuronales artificiales y modelos de aprendizaje profundo. Estos enfoques han demostrado un rendimiento sobresaliente en ámbitos como el procesamiento del lenguaje natural, el reconocimiento de imágenes, la detección de anomalías y el análisis de series temporales complejas.

En seguridad informática, por ejemplo, se utilizan para identificar patrones de tráfico malicioso, anticipar ataques persistentes avanzados (APT) o detectar comportamientos anómalos en infraestructuras críticas.

Sin embargo, su potencia viene acompañada de desafíos importantes: mayor consumo computacional, menor interpretabilidad y un riesgo elevado de "caja negra" si no se gestionan con rigor.

El modelo dentro del proceso de inteligencia

Un aspecto clave que el analista no debe perder de vista es que ningún modelo actúa de forma aislada. Todo algoritmo se integra en un flujo de trabajo más amplio que incluye la recolección y limpieza de datos, la validación del modelo, la interpretación de resultados y, finalmente, la toma de decisiones.

Un modelo técnicamente preciso, pero mal entendido, mal contextualizado o aplicado fuera de su dominio de validez, puede generar decisiones erróneas con consecuencias significativas. En inteligencia, una predicción no es una verdad absoluta, sino una estimación sujeta a incertidumbre.

Por ello, el analista debe asumir un rol activo en la selección, configuración y evaluación de los modelos, comprendiendo sus supuestos, limitaciones y posibles sesgos. Solo así es posible transformar una predicción matemática en una auténtica herramienta de inteligencia estratégica, capaz de apoyar decisiones informadas sin sustituir el juicio humano.

3.4. Riesgos, sesgos y límites del análisis predictivo y la inteligencia artificial

El avance del análisis predictivo y de la inteligencia artificial ha ampliado de forma notable la capacidad de anticipación de las organizaciones. Sin embargo, este progreso tecnológico no está exento de riesgos. De hecho, cuanto mayor es el poder de los modelos, mayor debe ser la responsabilidad con la que se utilizan. En el ámbito de la inteligencia, donde las decisiones pueden tener consecuencias económicas, sociales o incluso geopolíticas, comprender los límites de estos sistemas es tan importante como dominar su funcionamiento.

Uno de los principales riesgos del análisis predictivo es la dependencia excesiva del modelo. Existe la tentación de otorgar a los algoritmos un estatus de objetividad absoluta, olvidando que todo modelo es una simplificación de la realidad. Los sistemas predictivos no "comprenden" el contexto; operan a partir de patrones estadísticos aprendidos de datos pasados. Cuando el entorno cambia, cuando aparece un evento disruptivo o cuando se introducen variables nuevas no contempladas, la capacidad predictiva puede degradarse de forma abrupta.

A ello se suma el problema de los sesgos. Los modelos aprenden de los datos con los que se entrenan, y si estos datos contienen sesgos históricos, desigualdades estructurales o errores sistemáticos, el algoritmo los reproducirá e incluso los amplificará. En inteligencia de negocios, esto puede traducirse en decisiones que penalizan de forma injusta a determinados perfiles de clientes.

En ciberinteligencia o seguridad, puede derivar en falsas atribuciones, sobreestimación de amenazas o priorización errónea de riesgos.

Otro límite relevante es la opacidad de los modelos complejos, especialmente en técnicas de aprendizaje profundo. Aunque estos sistemas pueden ofrecer altos niveles de precisión, a menudo resulta difícil explicar por qué han llegado a una determinada predicción. Esta falta de interpretabilidad plantea un dilema serio en contextos donde es necesario justificar decisiones ante reguladores, tribunales, comités éticos o responsables políticos. En estos casos, un modelo menos preciso pero más explicable puede ser preferible a una "caja negra" difícil de auditar.

También debe considerarse el riesgo del sobreajuste (*overfitting*), que ocurre cuando un modelo se adapta demasiado bien a los datos de entrenamiento, pero falla al enfrentarse a situaciones nuevas. Este fenómeno es especialmente peligroso en entornos de inteligencia, donde las amenazas, los comportamientos y los contextos evolucionan constantemente. Un modelo que "acierta" demasiado en el pasado puede ser inútil para anticipar el futuro.

Desde una perspectiva más amplia, emerge un desafío de carácter organizacional y cultural: la delegación acrítica de decisiones. Cuando los sistemas predictivos se integran profundamente en los procesos, existe el peligro de que el criterio humano se diluya, y que las decisiones se tomen por inercia tecnológica. En inteligencia, esto supone un riesgo estratégico, ya que ninguna herramienta puede sustituir la capacidad humana de contextualizar, cuestionar supuestos, valorar impactos colaterales o introducir consideraciones éticas.

Por todo ello, el papel del analista se redefine. Ya no es solo un constructor o usuario de modelos, sino un mediador crítico entre la tecnología y la decisión. Su responsabilidad consiste en entender cómo funciona el sistema, detectar cuándo sus resultados dejan de ser fiables, explicar sus límites y, llegado el caso, contradecir al algoritmo. Esta función cobra aún más relevancia en un futuro cercano, donde los sistemas de IA generativa, los modelos autónomos y la analítica en tiempo real serán cada vez más habituales.

En este nuevo escenario, la verdadera ventaja competitiva no estará en quién tenga el algoritmo más sofisticado, sino en quién sepa usar la inteligencia artificial con criterio, ética y conciencia estratégica. El analista del futuro no será reemplazado por la IA, pero sí será superado por otros analistas que sepan integrarla mejor, comprenderla más profundamente y cuestionarla cuando sea necesario. Porque en inteligencia, como en toda actividad crítica, la tecnología amplifica el poder, pero el juicio sigue siendo humano.

3.5. Hacia un análisis predictivo accesible

En los últimos años, la evolución tecnológica ha provocado un cambio sustancial en el acceso al análisis predictivo. Lo que antes estaba reservado a perfiles altamente técnicos, con sólidos conocimientos de programación y estadística avanzada, se ha ido democratizando gracias al desarrollo de plataformas *low-code* y *no-code*. Herramientas como Google AutoML, Azure Machine Learning Studio, H2O.ai o Amazon SageMaker Autopilot son básicas y permiten construir, entrenar y desplegar modelos predictivos mediante entornos visuales, reduciendo de forma significativa la barrera de entrada.

Este proceso de accesibilidad ha tenido un impacto directo en las organizaciones. Equipos operativos, comerciales, financieros o de gestión pueden ahora incorporar capacidades predictivas en su día a día sin depender exclusivamente de científicos de datos o ingenieros especializados. El análisis predictivo deja así de ser un recurso excepcional para convertirse en un componente habitual de la toma de decisiones, integrado en procesos cotidianos como la previsión de demanda, la detección temprana de riesgos, la segmentación de clientes o la optimización de recursos.

A esta tendencia se suma la integración progresiva de capacidades predictivas en plataformas de *business intelligence*. Soluciones como Power BI, Tableau o Qlik incorporan ya módulos de análisis avanzado, detección automática de patrones, previsiones y recomendaciones basadas en modelos estadísticos y de machine learning. De este modo, la frontera entre análisis descriptivo y predictivo se difumina, permitiendo que los usuarios pasen de "ver lo que ocurrió" a "anticipar lo que puede ocurrir" desde un mismo entorno visual.

No obstante, esta aparente facilidad de uso introduce un nuevo tipo de desafío. Cuando el acceso a modelos predictivos se simplifica, el riesgo no es técnico, sino conceptual. Automatizar el análisis no equivale a comprenderlo. Un modelo que se ejecuta con unos pocos clics sigue basándose en supuestos, datos de entrenamiento y decisiones de diseño que condicionan profundamente sus resultados. Si estos elementos no son entendidos, validados y contextualizados, el análisis puede generar una falsa sensación de certeza.

Aquí es donde el rol del analista adquiere una nueva dimensión. Lejos de desaparecer, su función se vuelve más estratégica. Ya no se limita a construir modelos, sino que debe formular las preguntas adecuadas, evaluar la calidad de los datos, interpretar resultados probabilísticos, detectar incoherencias y, sobre todo, traducir las salidas del modelo en decisiones comprensibles, responsables y alineadas con los objetivos de la organización. El analista actúa como garante del sentido, del contexto y de la ética del uso de la tecnología.

En este escenario, el verdadero valor profesional no reside en saber "hacer predicciones", sino en saber cuándo confiar en ellas, cuándo cuestionarlas y cómo integrarlas en una narrativa estratégica sólida. La accesibilidad tecnológica amplía el alcance del análisis predictivo, pero también exige mayor madurez analítica. El futuro no pertenece a quienes simplemente usan herramientas inteligentes, sino a quienes saben pensar críticamente con ellas.

En definitiva, el análisis predictivo accesible no reduce la importancia del analista, sino que redefine su perfil. De ejecutor técnico pasa a ser un integrador de saberes, un intérprete entre modelos y decisiones, y un actor clave en la construcción de organizaciones más anticipativas, conscientes y responsables frente a la complejidad del entorno.

La automatización amplía la capacidad de procesamiento, pero introduce nuevos riesgos: sesgos algorítmicos, dependencia tecnológica y falsa sensación de certeza. El analista debe mantener una posición crítica frente a los resultados generados por sistemas inteligentes.

4. INTEGRACIÓN DE TECNOLOGÍAS EMERGENTES: COMO IA, BIG DATA Y COMPUTACIÓN CUÁNTICA

En la actualidad, el trabajo del analista de inteligencia ya no puede comprenderse al margen de un conjunto de tecnologías emergentes que han transformado de manera radical la forma en que se genera, procesa y utiliza la información. Entre ellas, la inteligencia artificial y el Big Data han dejado de ser conceptos teóricos o promesas futuras para convertirse en infraestructuras operativas plenamente integradas en numerosos entornos profesionales. A este ecosistema en consolidación comienza a sumarse, de forma aún incipiente pero estratégica, la computación cuántica.

Estas tecnologías no solo incrementan la capacidad de cálculo o la velocidad de procesamiento, sino que redefinen el propio alcance del análisis, ampliando el tipo de preguntas que pueden formularse, la escala temporal de las decisiones y la complejidad de los escenarios que pueden modelarse.

Inteligencia artificial: del apoyo analítico a la coproducción de conocimiento

La inteligencia artificial, especialmente a través del aprendizaje automático (machine learning) y el aprendizaje profundo (deep learning), ha introducido una nueva lógica en el análisis de inteligencia. Los sistemas ya no se limitan a procesar información siguiendo reglas explícitas, sino que aprenden de los datos, detectan patrones no evidentes y generan inferencias que pueden anticipar comportamientos futuros o sugerir cursos de acción.

Para el analista, esto supone un cambio cualitativo. La IA permite:

- Identificar correlaciones complejas en grandes volúmenes de datos.
- Automatizar procesos de clasificación, priorización y detección de anomalías.
- Analizar información no estructurada como texto, imagen, audio o vídeo mediante técnicas de procesamiento del lenguaje natural y visión artificial.
- Generar escenarios predictivos y prescriptivos que apoyan la toma de decisiones estratégicas.

Sin embargo, esta potencia también introduce riesgos. La opacidad algorítmica, la dependencia excesiva de modelos automatizados o la reproducción de sesgos presentes en los datos de entrenamiento obligan al analista a asumir un rol crítico. La IA no sustituye al juicio humano; lo tensiona y lo exige más. El analista debe comprender qué hace el modelo, con qué datos, bajo qué supuestos y con qué márgenes de error.

Big Data: escala, velocidad y complejidad como nuevo entorno natural

El Big Data ha transformado el análisis no solo por el volumen de información disponible, sino por la convergencia de las llamadas "cinco V": volumen, velocidad, variedad, veracidad y valor. El analista ya no trabaja únicamente con bases de datos cerradas y estructuradas, sino con flujos constantes de información procedente de sensores, redes sociales, registros digitales, plataformas transaccionales y fuentes abiertas.

La capacidad de analizar datos en tiempo real o casi real permite:

- Detectar cambios de comportamiento de forma temprana.
- Ajustar decisiones estratégicas de manera dinámica.
- Integrar múltiples fuentes para construir una visión más contextualizada y precisa del entorno.

Infraestructuras como Apache Hadoop, Spark, Kafka, Snowflake o BigQuery han hecho posible que estas capacidades no queden restringidas a grandes corporaciones tecnológicas, sino que estén al alcance de organizaciones medianas y administraciones públicas. No obstante, esta abundancia de datos plantea un desafío central: no todo dato es relevante, y la sobrecarga informativa puede ser tan perjudicial como la escasez.

Aquí, nuevamente, el criterio analítico se vuelve esencial. El valor no reside en procesar más datos, sino en saber cuáles importan, cómo integrarlos y con qué finalidad estratégica.

Computación cuántica: una frontera emergente con impacto potencial

En este ecosistema tecnológico comienza a perfilarse una tercera fuerza, todavía en fase experimental, pero con implicaciones profundas a medio y largo plazo: la computación cuántica. A diferencia de la computación clásica, basada en bits binarios, la computación cuántica utiliza qubits, capaces de representar múltiples estados simultáneamente gracias a principios como la superposición y el entrelazamiento.

Aunque su aplicación práctica en inteligencia aún es limitada, su potencial es significativo en áreas clave para el análisis:

- Optimización de problemas complejos con múltiples variables interdependientes.

- Simulación de escenarios altamente complejos, imposibles de modelar con computación clásica.
- Criptografía y ciberseguridad, tanto en la ruptura de sistemas actuales como en el desarrollo de criptografía post-cuántica.
- Análisis avanzado de riesgos y toma de decisiones en entornos de alta incertidumbre.

Para el analista contemporáneo, la computación cuántica no es todavía una herramienta operativa, pero sí un horizonte estratégico. Comprender sus principios, sus posibles aplicaciones y sus implicaciones éticas y de seguridad forma parte de una preparación profesional orientada al futuro. Ignorarla sería repetir errores históricos cometidos con otras tecnologías disruptivas en sus fases iniciales.

El analista como integrador crítico de tecnologías

La integración de inteligencia artificial, Big Data y, progresivamente, computación cuántica no implica un reemplazo del analista, sino una expansión profunda de su campo de acción. El analista deja de ser un mero usuario de herramientas para convertirse en:

- Intérprete entre sistemas tecnológicos y decisiones humanas.
- Mediador entre modelos automatizados y contexto estratégico.
- Garante del uso ético, responsable y comprensible de tecnologías complejas.

En este nuevo entorno, el valor profesional no reside en dominar una tecnología concreta, sino en saber integrarlas con criterio, comprender sus límites y utilizarlas como apoyo al juicio, no como sustituto del pensamiento.

En definitiva, quienes logren articular estas tecnologías emergentes con una comprensión profunda del contexto, una sólida ética profesional y una capacidad crítica desarrollada, no solo estarán a la vanguardia del análisis de inteligencia, sino que participarán activamente en la construcción del futuro informacional. El analista del mañana no será quien más datos procese, sino quien mejor sepa pensar con ellos.

Tecnología	Qué aporta al análisis	Aplicaciones actuales	Riesgos y límites	Rol específico del analista
Inteligencia Artificial (IA)	Automatización del análisis, detección de patrones complejos, generación de predicciones y recomendaciones	Detección de fraude, análisis de amenazas, clasificación de información, análisis de texto, imagen y audio	Opacidad algorítmica, sesgos en los datos, sobreconfianza en el modelo	Supervisar modelos, interpretar resultados, validar supuestos, traducir salidas técnicas en decisiones comprensibles
Big Data	Análisis a gran escala, integración de múltiples fuentes, procesamiento en tiempo real	Monitorización operativa, análisis de comportamiento, inteligencia competitiva, detección temprana de riesgos	Sobrecarga informativa, problemas de calidad del dato, complejidad técnica	Seleccionar datos relevantes, garantizar coherencia y contexto, priorizar información con valor estratégico
Análisis Predictivo	Anticipación de escenarios probables, evaluación de riesgos futuros	Prevención de fraudes, predicción de demanda, análisis de amenazas, mantenimiento predictivo	Margen de error, interpretación simplista de probabilidades	Explicar incertidumbre, contextualizar predicciones, integrar modelos con juicio humano
Visualización avanzada	Traducción del análisis en comprensión y acción	Dashboards ejecutivos, análisis exploratorio, comunicación estratégica	Distorsión visual, manipulación narrativa, simplificación excesiva	Diseñar narrativas visuales éticas, adaptadas al decisor y al contexto
Computación Cuántica (emergente)	Resolución de problemas altamente complejos, simulación avanzada	Investigación, criptografía, optimización extrema (fase experimental)	Inmadurez tecnológica, dependencia futura, impacto en seguridad	Comprender implicaciones, anticipar impactos, participar en debates estratégicos y éticos

Las herramientas y tecnologías descritas a lo largo de este capítulo no definen por sí solas la calidad del análisis, pero sí condicionan profundamente su alcance, su velocidad y su impacto. En un entorno donde la automatización crece y la complejidad se multiplica, el verdadero valor del analista reside en su capacidad para integrar tecnología y juicio, dato y contexto, potencia técnica y responsabilidad ética.

El dominio de estas herramientas no es un fin, sino el punto de partida para ejercer el análisis como una práctica crítica, estratégica y orientada a la decisión, que será desarrollada con mayor profundidad en los capítulos siguientes. Estas herramientas y tecnologías son un ejemplo en constante evolución.

4.1. IA generativa y el nuevo rol del analista como supervisor cognitivo en entornos BETA

La irrupción de la inteligencia artificial generativa no puede analizarse de forma aislada, sino en el marco de la evolución de los entornos de decisión. Si en contextos VUCA el desafío principal era gestionar la volatilidad y la complejidad, y en entornos BANI se hizo evidente la fragilidad y la ansiedad asociadas a la incertidumbre, los entornos BETA introducen un rasgo distintivo adicional: la coproducción de conocimiento entre humanos y sistemas inteligentes en escenarios donde la certeza ya no es alcanzable de forma estable.

En este contexto, los sistemas de IA generativa —modelos de lenguaje, generadores de escenarios, asistentes cognitivos— no actúan únicamente como herramientas de apoyo, sino como participantes activos en el proceso analítico. Son capaces de producir informes preliminares, sintetizar grandes volúmenes de información, sugerir hipótesis, explorar narrativas alternativas o simular posibles evoluciones de un escenario. Esta capacidad acelera el análisis, pero también transforma su naturaleza.

El riesgo central en entornos BETA no es la falta de información, sino la delegación implícita del juicio. La IA generativa produce respuestas coherentes, estructuradas y verosímiles, lo que puede generar una falsa sensación de comprensión y control. Sin embargo, estos sistemas no razonan, no comprenden el contexto estratégico ni asumen responsabilidad sobre sus conclusiones. Operan sobre patrones estadísticos, no sobre intención, significado o consecuencias.

Por ello, el rol del analista evoluciona hacia una función que va más allá del dominio técnico y que puede definirse como supervisión cognitiva. En entornos BETA, el analista no es quien más rápido produce un análisis, sino quien es capaz de sostener el juicio cuando las respuestas automatizadas parecen suficientes, pero no lo son. Su valor reside en cuestionar, contextualizar y, cuando es necesario, resistir la tentación de aceptar la salida de la máquina como verdad operativa.

La supervisión cognitiva implica asumir que el análisis asistido por IA es, por definición, provisional. Exige al analista evaluar la trazabilidad del razonamiento generado, identificar supuestos ocultos, detectar sesgos reproducidos por los datos de entrenamiento y comprender qué aspectos del problema han quedado fuera del marco del modelo. En un entorno BETA, donde los sistemas aprenden y se adaptan continuamente, esta vigilancia no es puntual, sino permanente.

Además, la IA generativa introduce un nuevo desafío ético y profesional: la difuminación de la autoría intelectual. Cuando un sistema contribuye a la elaboración de informes, escenarios o recomendaciones, la responsabilidad no se reparte.

El analista sigue siendo el garante último del contenido y de sus efectos. En este sentido, el futuro del análisis no estará determinado por quién utilice mejor la IA, sino por quién sea capaz de integrarla sin renunciar al criterio, la ética y la responsabilidad profesional.

Desde una perspectiva de futuro, la tendencia apunta a entornos analíticos híbridos, donde humanos y sistemas inteligentes trabajen de forma integrada. En ellos, la competencia clave no será saber programar un modelo generativo, sino saber cuándo confiar en él, cuándo limitarlo y cuándo ignorarlo. El analista del futuro no será reemplazado por la IA, pero sí por otros analistas que sepan ejercer mejor esta función de supervisión cognitiva.

En definitiva, en entornos BETA, la inteligencia artificial generativa no reduce la necesidad de analistas humanos, sino que redefine su misión. El analista deja de ser un mero productor de información para convertirse en un profesional del juicio, responsable de garantizar que la velocidad, la automatización y la escala tecnológica no sustituyan al pensamiento crítico, sino que lo refuercen. Ese será, previsiblemente, el rasgo distintivo del analista de inteligencia del futuro.

Cierre del capítulo

Las herramientas y tecnologías analizadas a lo largo de este capítulo constituyen hoy una parte inseparable del ejercicio profesional del analista de inteligencia. Desde la visualización de datos hasta el análisis predictivo, pasando por la integración de inteligencia artificial, Big Data y sistemas generativos, la tecnología ha ampliado de forma exponencial la capacidad de observar, procesar y anticipar la realidad. Sin embargo, esta expansión no elimina la incertidumbre ni garantiza mejores decisiones por sí misma.

En entornos BETA, caracterizados por la fragilidad estructural, la aceleración continua y la coproducción de conocimiento entre humanos y sistemas inteligentes, el valor del analista no reside en dominar más herramientas, sino en saber utilizarlas sin abdicar del juicio. La tecnología potencia el análisis, pero también introduce nuevas opacidades, sesgos y riesgos de delegación cognitiva que solo pueden ser gestionados desde una posición crítica y responsable.

El analista contemporáneo no es un operador de plataformas ni un ejecutor de algoritmos. Es un integrador de tecnologías, un intérprete del contexto y un garante del sentido. Su función es asegurar que la automatización no sustituya al razonamiento, que la velocidad no erosione la reflexión y que la sofisticación técnica no oculte las implicaciones éticas y estratégicas de cada decisión.

Este capítulo ha mostrado que las herramientas no son neutras y que su impacto depende del criterio con el que se emplean. En consecuencia, el dominio tecnológico debe entenderse como un medio al servicio del análisis, no como su finalidad. El desafío profesional del analista no es adaptarse a cada nueva tecnología, sino sostener la calidad del juicio en un entorno donde las respuestas parecen abundantes, pero la comprensión profunda sigue siendo escasa.

Sobre esta base tecnológica y competencial se articula el siguiente capítulo, dedicado al proceso de análisis. Allí se abordará cómo integrar estas herramientas dentro de un método estructurado que permita transformar información compleja en inteligencia útil, defendible y orientada a la decisión, incluso cuando la certeza no es posible.

Bibliografía:

- Aggarwal, C. C. (2015). Data Mining: The Textbook. Springer. https://doi.org/10.1007/978-3-319-14142-8
- Bishop, C. M. (2006). Pattern Recognition and Machine Learning. Springer.

- Breiman, L. (2001). Random forests. Machine Learning, 45(1), 5-32. https://doi.org/10.1023/A:1010933404324
- Chollet, F. (2018). Deep Learning with Python. Manning Publications.
- Domingos, P. (2015). The Master Algorithm: How the Quest for the Ultimate Learning Machine Will Remake Our World. Basic Books.
- Friedman, J., Hastie, T., & Tibshirani, R. (2009). The Elements of Statistical Learning: Data Mining, Inference, and Prediction (2nd ed.). Springer. https://doi.org/10.1007/978-0-387-84858-7
- Géron, A. (2019). Hands-On Machine Learning with Scikit-Learn, Keras, and TensorFlow (2nd ed.). O'Reilly Media.
- Goodfellow, I., Bengio, Y., & Courville, A. (2016). Deep Learning. MIT Press.
- Han, J., Kamber, M., & Pei, J. (2011). Data Mining: Concepts and Techniques (3rd ed.). Morgan Kaufmann.
- Kuhn, M., & Johnson, K. (2013). Applied Predictive Modeling. Springer. https://doi.org/10.1007/978-1-4614-6849-3
- Provost, F., & Fawcett, T. (2013). Data Science for Business: What You Need to Know about Data Mining and Data-Analytic Thinking. O'Reilly Media.
- Russell, S. J., & Norvig, P. (2010). Artificial Intelligence: A Modern Approach (3rd ed.). Prentice Hall.
- Shalev-Shwartz, S., & Ben-David, S. (2014). Understanding Machine Learning: From Theory to Algorithms. Cambridge University Press.
- Witten, I. H., Frank, E., Hall, M. A., & Pal, C. J. (2016). Data Mining: Practical Machine Learning Tools and Techniques (4th ed.). Morgan Kaufmann.
- Zhang, C., & Ma, Y. (2012). Ensemble Machine Learning: Methods and Applications. Springer. https://doi.org/10.1007/978-1-4419-9326-7

Capítulo 6
El proceso de análisis

Objetivos del capítulo:
Con el presente capítulo el lector podrá:

- Comprender las etapas fundamentales que conforman un proceso de análisis de inteligencia, desde la formulación del problema hasta la presentación de hallazgos.
- Aprender a identificar problemas u oportunidades relevantes dentro de contextos organizacionales o de seguridad.
- Reconocer la importancia de una adecuada recopilación y limpieza de datos para asegurar resultados confiables.
- Adquirir herramientas conceptuales y técnicas para realizar análisis exploratorio de datos (EDA).
- Desarrollar criterios sólidos para interpretar resultados y generar *insights* significativos.
- Mejorar su capacidad de comunicar hallazgos de forma clara, persuasiva y adaptada a distintos públicos.
- Integrar una visión crítica sobre los riesgos éticos, metodológicos y comunicacionales asociados al proceso analítico.

1. INTRODUCCIÓN

El análisis de inteligencia no es un acto aislado ni una sucesión de operaciones mecánicas. En su esencia, constituye un proceso estructurado de razonamiento, que exige criterio, método y una comprensión profunda del contexto en el que se opera. Cada etapa —desde la formulación de una pregunta estratégica hasta la comunicación de los hallazgos— cumple una función específica dentro de una cadena de valor analítica que transforma información en decisiones.

A menudo se asume que el análisis comienza con los datos. Sin embargo, la realidad es distinta: el verdadero punto de partida es el problema, la necesidad de información o la oportunidad estratégica que se desea explorar. Esta distinción es fundamental, ya que, en lugar de forzar respuestas a partir de lo disponible, el enfoque analítico riguroso exige diseñar el proceso desde la pregunta adecuada. Ello implica una actitud activa, crítica y deliberada por parte del analista.

En este sentido, el analista no actúa como un mero consumidor de datos, sino como arquitecto del proceso analítico, definiendo qué información es relevante, qué fuentes son pertinentes, qué métodos resultan adecuados y qué límites deben reconocerse desde el inicio.

Este capítulo recorre las etapas fundamentales del proceso de análisis desde una doble perspectiva: técnica y estratégica. Se abordará cómo identificar problemas relevantes, cómo recopilar y depurar datos, qué implica realizar un análisis exploratorio riguroso, cómo generar insights defendibles y, finalmente, cómo comunicar los resultados de forma clara, proporcional y orientada a la decisión.

Todo ello se enmarca en un contexto donde los entornos VUCA dieron paso a realidades BANI y, más recientemente, BETA, caracterizadas por la fragilidad, la aceleración y la incertidumbre estructural. En estos escenarios, el proceso de análisis rara vez es lineal: requiere iteraciones, revisiones constantes y capacidad para ajustar hipótesis a medida que emergen nuevos datos o cambian las condiciones del entorno.

En tiempos en los que los datos abundan pero las decisiones acertadas siguen siendo escasas, dominar el proceso de análisis se convierte en una competencia crítica de juicio profesional. No se trata únicamente de aplicar técnicas, sino de sostener un razonamiento coherente bajo presión, asumir límites y transformar información imperfecta en inteligencia útil.

2. IDENTIFICACIÓN DE PROBLEMAS Y OPORTUNIDADES

El proceso de análisis no comienza con un dato ni con una herramienta, comienza con una necesidad, una inquietud, una sospecha, una señal de que algo no está funcionando como debería o que existe una posibilidad que aún no ha sido aprovechada. El verdadero punto de partida de cualquier análisis de inteligencia es la identificación clara de un problema o de una oportunidad que requiere ser comprendida, explicada o anticipada.

La importancia de esta etapa es tal que, si no se realiza correctamente todo el esfuerzo posterior, por más sofisticadas que sean las técnicas o por muy precisas que resulten las herramientas, puede terminar generando resultados irrelevantes o incluso perjudiciales. Y ello se debe a que, un análisis eficaz es aquel que responde a una necesidad real, formulada con claridad y validez estratégica.

2.1. Cómo nace un problema de análisis

No todas las organizaciones formulan con claridad sus necesidades analíticas. En la práctica, los problemas suelen emerger de percepciones difusas, reclamos reiterados, métricas que dejan de ser explicativas o decisiones que se toman más por intuición, presión o inercia que por información contrastada. En este contexto, el trabajo del analista comienza antes de cualquier tratamiento de datos, dando forma a aquello que inicialmente es ambiguo o impreciso.

Con frecuencia, lo que se presenta como "el problema" es en realidad un síntoma. Por ejemplo, una caída en ventas, un aumento de incidencias, un descenso en el compromiso de los usuarios o una alerta de seguridad recurrente no constituyen por sí mismos el problema, sino una manifestación visible de causas más profundas. Confundir el síntoma con el problema conduce a análisis superficiales y a soluciones que solo actúan sobre los efectos, no sobre las causas.

Pensemos en una afirmación habitual como: *"pasa algo con el cliente digital"*. Esta expresión, aunque legítima, no es aún una pregunta analítica. El analista debe descomponerla y traducirla en hipótesis investigables, tales como:

¿Han disminuido las conversiones?, ¿se ha reducido el tiempo de permanencia?, ¿ha aumentado la tasa de abandono?, ¿ha cambiado el perfil del usuario más activo?, ¿existe una correlación con cambios en precios, canales o experiencia de usuario?

Este ejercicio no es puramente técnico, sino cognitivo y estratégico. Implica decidir qué merece ser explicado, desde qué ángulo y con qué nivel de profundidad, asumiendo que no todo puede ni debe analizarse al mismo tiempo.

En este punto, el analista actúa como traductor, facilitador y arquitecto del problema. A través de entrevistas con decisores, revisión de documentación, análisis de datos históricos, contraste de indicadores y, en muchos casos, sesiones de cocreación con distintos actores, transforma una inquietud inicial en una pregunta analítica clara, delimitada y abordable.

Este paso es esencial, porque no se puede resolver con datos aquello que no ha sido correctamente formulado como problema. Un problema mal definido genera análisis erráticos; un problema bien planteado orienta todo el proceso posterior y actúa como brújula metodológica.

2.2. Detección proactiva

Existen situaciones en las que no hay una alerta evidente, ni un incidente explícito que active de forma automática un proceso de análisis. Sin embargo, sí existen condiciones latentes que, observadas con atención, ameritan una intervención anticipada. En este sentido, la detección proactiva de problemas y oportunidades exige una mirada estratégica, capaz de identificar señales débiles, desviaciones incipientes o patrones emergentes que, de no abordarse a tiempo, pueden escalar en complejidad o, por el contrario, convertirse en ventajas competitivas.

Este tipo de detección resulta especialmente visible en contextos de ciberinteligencia, donde el análisis de comportamientos anómalos, variaciones sutiles en el tráfico de red, cambios en los vectores de ataque o interacciones no estructuradas en redes sociales puede anticipar ciberataques, campañas de desinformación o movimientos coordinados de actores hostiles. En estos escenarios, esperar a que el incidente se materialice suele ser sinónimo de llegar tarde.

No obstante, la detección proactiva no es exclusiva del ámbito de la seguridad. En el entorno empresarial, el análisis continuo de indicadores clave de desempeño (KPIs) puede revelar pequeñas desviaciones en la cadena de suministro, en los tiempos de entrega, en la rotación de clientes o en la eficiencia operativa. Estas variaciones, aunque inicialmente marginales, pueden anticipar problemas mayores en costos, reputación o satisfacción del cliente si no se interpretan y corrigen con antelación.

En entornos BANI y BETA, caracterizados por la fragilidad, la ansiedad organizacional y la aceleración constante, muchos problemas no aparecen como rupturas abruptas, sino como microfracturas acumulativas. La función del analista proactivo consiste precisamente en detectar esas microseñales antes de que se conviertan en crisis visibles, incluso cuando no existe una demanda formal de análisis.

Por ello, la vigilancia analítica no debe entenderse como una actividad reactiva, sino como un ejercicio permanente de anticipación estructurada. Esto implica observar los datos de forma sistemática, contextualizarlos en su entorno operativo y estratégico, y formular alertas tempranas basadas en evidencia, incluso cuando la organización aún no percibe la urgencia.

Una vez detectada una situación potencialmente relevante, el siguiente paso es formularla con rigor. Esta formulación no es subjetiva ni intuitiva, ya que existen metodologías y técnicas que ayudan a clarificar el problema u oportunidad, delimitar su alcance, estimar su impacto y definir las variables implicadas.

Entre las técnicas más utilizadas se encuentra el árbol de problemas, que permite descomponer una situación general en causas, subcausas y efectos, ayudando a identificar el punto real de intervención. El mapeo de procesos, por su parte, facilita la visualización de interrupciones, cuellos de botella o incoherencias dentro de un flujo operativo. En inteligencia de negocios, el análisis sistemático de KPIs combinado con herramientas de benchmarking permite detectar desviaciones respecto a estándares sectoriales y generar hipótesis iniciales con base comparativa.

Además, las técnicas cualitativas desempeñan un papel clave en esta fase. Las entrevistas en profundidad con usuarios internos, el análisis de reclamaciones, incidencias o feedback informal, así como la observación de prácticas no documentadas, suelen revelar información que no aparece en las bases de datos, pero que resulta esencial para comprender el contexto del fenómeno analizado. La combinación de enfoques cuantitativos y cualitativos fortalece la base sobre la cual se construye el análisis posterior.

Existe un principio ampliamente aceptado en inteligencia que conviene recordar: "un problema mal formulado, aunque se resuelva con gran precisión técnica, puede conducir a decisiones equivocadas". Ningún modelo predictivo, ninguna visualización avanzada ni ningún indicador sofisticado compensa una dirección analítica incorrecta. La claridad en esta etapa inicial ahorra recursos, optimiza la búsqueda de datos y garantiza que el análisis final sea relevante y accionable.

Por esta razón, la formulación del problema debe ser revisada y validada junto con los tomadores de decisiones. No es infrecuente que, al iniciar una investigación, el analista descubra que lo que se pensaba como problema era apenas un síntoma superficial, y que el foco real del análisis deba desplazarse hacia otra área de la organización, otro proceso o incluso otro nivel estratégico. Esta capacidad de replantear el problema sin perder legitimidad es uno de los rasgos más claros de la madurez analítica.

2.3. Tipología de problemas analíticos

No todos los problemas que enfrenta un analista son de la misma naturaleza, ni requieren el mismo enfoque metodológico. Identificar correctamente el tipo de problema analítico es un paso crítico, ya que condiciona las fuentes de datos a utilizar, las técnicas a aplicar, el horizonte temporal del análisis y el tipo de decisiones que podrán derivarse de él.

Una primera distinción fundamental es entre problemas exploratorios, explicativos y predictivos.

Los problemas exploratorios aparecen cuando la organización sabe que algo está ocurriendo, pero no tiene claridad sobre qué ni por qué. Aquí el objetivo no es confirmar una hipótesis previa, sino descubrir patrones, relaciones o anomalías en los datos. Este tipo de análisis es frecuente en fases tempranas, en contextos de incertidumbre elevada o cuando se trabaja con fenómenos nuevos. En entornos BANI y BETA, los problemas exploratorios cobran especial relevancia, ya que muchas situaciones emergentes no cuentan con precedentes claros ni marcos interpretativos consolidados.

Los problemas explicativos, en cambio, buscan responder a la pregunta "¿por qué ha ocurrido esto?". Parten de un fenómeno ya identificado —una caída de rendimiento, un incremento de incidencias, un cambio de comportamiento— y pretenden aislar causas, factores influyentes y relaciones de dependencia. Este tipo de análisis exige una formulación más precisa del problema y suele apoyarse en técnicas estadísticas, comparativas o causales.

Por último, los problemas predictivos se orientan a anticipar escenarios futuros. No buscan explicar el pasado, sino estimar probabilidades, riesgos o tendencias.

Son especialmente críticos en inteligencia estratégica, ciberinteligencia, gestión del riesgo o planificación empresarial. Aquí, el analista trabaja con modelos probabilísticos y debe asumir explícitamente la incertidumbre inherente a cualquier proyección futura.

Junto a esta clasificación, resulta igualmente útil distinguir entre problemas operativos y problemas estratégicos.

Los primeros se refieren a decisiones de corto plazo, procesos concretos o ajustes tácticos. Los segundos afectan a la dirección general de la organización, a su posicionamiento, a su resiliencia o a su capacidad de anticipación. En entornos BETA, muchos problemas operativos esconden implicaciones estratégicas más profundas, lo que obliga al analista a elevar la mirada más allá de la demanda inicial.

Comprender esta tipología permite al analista alinear expectativas con los decisores y evitar errores frecuentes, como aplicar modelos predictivos a problemas que aún no han sido explorados o intentar explicar causalmente fenómenos que requieren primero una fase de descubrimiento.

2.4. De la pregunta difusa a la pregunta analítica bien formulada

Una vez identificado el tipo de problema, el siguiente desafío consiste en formular correctamente la pregunta analítica. Este paso marca la diferencia entre un análisis orientado y uno errático. En la práctica profesional, muchas solicitudes de análisis llegan al analista en forma de preguntas vagas, excesivamente amplias o cargadas de supuestos implícitos.

Expresiones como "queremos entender qué está pasando", "necesitamos saber si esto es grave" o "analicemos el comportamiento del cliente" son puntos de partida legítimos, pero insuficientes. El trabajo del analista consiste en transformar esas formulaciones difusas en preguntas específicas, delimitadas y abordables con datos.

Una buena pregunta analítica debe cumplir, al menos, cuatro condiciones:

- Estar claramente delimitada en el tiempo y el alcance
- Referirse a variables observables o inferibles
- Ser relevante para la toma de decisiones
- Y admitir respuestas basadas en evidencia, no en opiniones

Por ejemplo, no es lo mismo preguntar "¿estamos perdiendo clientes?" que formular "¿ha aumentado la tasa de abandono en clientes digitales de menos de seis meses de antigüedad durante el último trimestre, y qué variables se correlacionan con ese aumento?". La segunda pregunta orienta de inmediato el proceso analítico, define qué datos buscar y reduce el riesgo de interpretaciones ambiguas.

En entornos BANI y BETA, la formulación de preguntas adquiere una complejidad adicional. Muchas veces no se trata de encontrar una única respuesta correcta, sino de delimitar un espacio de incertidumbre manejable.

En estos casos, el analista puede trabajar con preguntas abiertas, escenarios alternativos o hipótesis competidoras, asumiendo que el análisis no eliminará la incertidumbre, pero sí la hará explícita y discutible.

Además, una buena práctica consiste en revisar iterativamente la pregunta analítica a lo largo del proceso. No es extraño que, tras una primera exploración de datos, el analista descubra que la pregunta inicial debe reformularse, ampliarse o incluso descartarse. Esta capacidad de ajuste no debe interpretarse como un fallo, sino como una señal de rigor metodológico.

En definitiva, pasar de una inquietud difusa a una pregunta analítica bien formulada es uno de los actos más importantes del proceso de análisis. Es aquí donde el analista ejerce plenamente su rol profesional, no como ejecutor técnico, sino como arquitecto del razonamiento que guiará todo el trabajo posterior.

2.5. Identificación de oportunidades

No todo análisis nace de un problema que deba ser corregido. En muchos casos, el análisis de inteligencia se orienta a identificar oportunidades de mejora, expansión o innovación, incluso en contextos donde los indicadores actuales parecen positivos. En estos escenarios, la lógica del análisis se invierte: no se trata de explicar qué va mal, sino de descubrir qué podría ir mejor, qué no se está viendo o qué potencial aún no ha sido explotado.

Esta perspectiva resulta especialmente relevante en áreas como la innovación, el desarrollo de producto, el marketing estratégico, la planificación empresarial o la inteligencia competitiva. Aquí, el análisis no responde a una alarma, sino a una búsqueda deliberada de ventaja, diferenciación o anticipación.

Detectar oportunidades exige una visión sistémica, sensibilidad al cambio y capacidad para integrar información diversa, tanto interna como externa. A diferencia del análisis de problemas, donde el foco suele estar bien delimitado, el análisis orientado a oportunidades implica explorar territorios menos definidos, trabajar con hipótesis abiertas y aceptar un mayor grado de incertidumbre.

Por ejemplo, el seguimiento sistemático de tendencias emergentes en publicaciones científicas, patentes o inversiones puede alertar a una empresa farmacéutica sobre áreas de investigación con alto potencial antes de que se conviertan en estándares del sector. Del mismo modo, el análisis del comportamiento de usuarios en redes sociales, plataformas digitales o entornos de consumo puede revelar segmentos infra atendidos o necesidades latentes que aún no han sido formalizadas por el mercado.

En entornos BANI y BETA, la identificación de oportunidades adquiere una dimensión aún más estratégica. La aceleración tecnológica, la fragmentación de mercados y la aparición constante de nuevos actores hacen que muchas oportunidades sean efímeras: aparecen, se desarrollan y desaparecen con rapidez. El analista que llega tarde no solo pierde la oportunidad, sino que puede contribuir a decisiones conservadoras que erosionan la competitividad a medio plazo.

En este contexto, el analista actúa como una antena estratégica, capaz de sintonizar con cambios incipientes, señales débiles y movimientos emergentes que todavía no se reflejan en los indicadores tradicionales. Su función no es predecir con certeza, sino reducir la sorpresa, ofrecer escenarios plausibles y dotar a los decisores de información que les permita actuar antes que otros.

Asimismo, la identificación de oportunidades requiere una mentalidad distinta a la resolución de problemas. Mientras que en esta última se busca cerrar una brecha, en la primera se trata de abrir posibilidades. Esto implica formular preguntas diferentes, como: ¿qué está cambiando en el entorno?, ¿qué necesidades aún no están explícitamente formuladas?, ¿qué capacidades internas podrían aplicarse a nuevos contextos?, ¿qué riesgos asumidos hoy podrían convertirse en ventajas mañana?

En definitiva, la identificación de problemas y oportunidades es un acto de inteligencia en sí mismo. Es el momento en el que el analista demuestra su capacidad para escuchar con atención, traducir necesidades explícitas e implícitas en preguntas significativas y delimitar con claridad qué debe analizarse, por qué, para qué y con qué impacto potencial. En esta fase se define no solo el objeto del análisis, sino el valor estratégico que este puede aportar a la organización o al sistema de decisión.

Identificar correctamente un problema o una oportunidad no es un paso previo menor, sino uno de los actos más determinantes de todo el proceso de análisis. En esta fase se define qué merece ser comprendido, qué debe ser anticipado y qué decisiones podrán apoyarse en el trabajo analítico posterior. Un análisis técnicamente impecable, pero orientado hacia una pregunta mal planteada, carece de valor estratégico.

En entornos complejos, frágiles y acelerados, la capacidad del analista para detectar señales tempranas, distinguir síntomas de causas y formular preguntas relevantes se convierte en una ventaja decisiva. Aquí es donde el analista deja de ser un mero ejecutor de técnicas y asume plenamente su rol como profesional del juicio, capaz de orientar la atención organizacional hacia lo verdaderamente importante.

Con una necesidad bien identificada y una pregunta analítica claramente formulada, el proceso puede avanzar hacia la siguiente etapa: la recopilación y preparación de los datos, donde la calidad de la información y el rigor metodológico comenzarán a poner a prueba la solidez del planteamiento inicial.

3. RECOPILACIÓN Y LIMPIEZA DE DATOS

Pocas etapas en el proceso de análisis son tan subestimadas —y a la vez tan decisivas— como la recopilación y la limpieza de datos. En un escenario ideal, la información llega al analista completa, actualizada, coherente y contextualizada. Sin embargo, en la práctica profesional, los datos suelen presentarse fragmentados, dispersos, contaminados e incluso contradictorios. De ahí que la obtención y depuración de datos no sea un mero trámite técnico, sino una fase crítica de la inteligencia organizacional.

En efecto, una decisión errónea puede derivar de un modelo mal aplicado, pero con mayor frecuencia tiene su origen en datos incorrectos, incompletos o mal interpretados. Por tanto, dedicar tiempo a esta fase —aunque a priori pueda parecer que retrasa el análisis— es una condición necesaria para garantizar la calidad, la validez y la credibilidad de los resultados.

El primer paso consiste en identificar el origen de la información. En la práctica, los analistas trabajan con una combinación de fuentes internas y externas, estructuradas y no estructuradas, directas e inferidas, cada una con ventajas, riesgos y desafíos propios.

Las fuentes internas incluyen registros operativos como ERP, CRM, bases de ventas, sistemas de atención al cliente, logs de sistemas, historiales de usuarios o formularios digitalizados. Su principal fortaleza es la alineación con los procesos del negocio, aunque frecuentemente presentan problemas como silos de información, duplicidades, formatos heterogéneos o desactualización.

Las fuentes externas, por su parte, abarcan datos abiertos (*open data*), bases gubernamentales, estadísticas oficiales, informes sectoriales, publicaciones académicas, redes sociales, medios digitales o datos adquiridos a terceros. En contextos de ciberinteligencia, el uso de técnicas OSINT permite acceder a información legal y abierta de gran valor, aunque exige procesos rigurosos de verificación, contraste y contextualización para evitar errores o sesgos.

Un desafío adicional lo constituyen los datos no estructurados. Comentarios de clientes, imágenes, vídeos, audios, publicaciones en foros, transcripciones de llamadas o mensajes de texto conforman un universo complejo, pero con alto potencial estratégico, especialmente en escenarios donde el análisis cualitativo es tan relevante como el cuantitativo.

Por este motivo, el analista debe aplicar criterio tanto en la selección de fuentes como en su integración y contextualización. El dato aislado puede inducir a conclusiones erróneas si no se comprende su origen, su finalidad original y las condiciones bajo las cuales fue recolectado.

La calidad del dato, además, no es una condición binaria. Debe evaluarse mediante criterios técnicos y profesionales, entre los que destacan:

- **Exhaustividad**: ¿Existen registros faltantes o campos incompletos?
- **Coherencia**: ¿Hay contradicciones internas o entre distintas fuentes?
- **Validez**: ¿Los formatos, unidades y rangos son adecuados?
- **Actualización**: ¿La información es vigente o ha quedado obsoleta?
- **Trazabilidad**: ¿Se conoce el origen del dato y el proceso mediante el cual se generó?

Estos atributos deben analizarse siempre en función del propósito analítico. Un registro incompleto puede ser aceptable en un análisis exploratorio, pero inadmisible en un modelo predictivo, una auditoría regulatoria o un informe estratégico de alto impacto. En este sentido, la calidad del dato es también una cuestión de adecuación al uso previsto.

La limpieza de datos comprende un conjunto de operaciones destinadas a transformar un conjunto inicial caótico en una base confiable. Entre las tareas más habituales se encuentran la corrección de errores tipográficos, inconsistencias lógicas (por ejemplo, fechas imposibles), la homogeneización de formatos, la normalización de categorías, la eliminación de duplicados, la imputación de valores faltantes y la detección de valores atípicos (*outliers*).

No obstante, estas operaciones no son automáticas ni neutras. Cada decisión implica una elección metodológica: ¿un valor atípico debe eliminarse o investigarse?, ¿conviene imputar un dato faltante o preservar la ausencia?, ¿qué impacto tendrá esa decisión en el análisis posterior? Por ello, la limpieza de datos es una práctica analítica y no una tarea meramente mecánica.

Herramientas como Python —con librerías como *pandas*, *NumPy* u *OpenRefine*—, R —mediante paquetes como *dplyr* o *tidyr*—, o plataformas especializadas como Talend, Alteryx o Trifacta, permiten automatizar buena parte de estos procesos, pero siempre bajo la supervisión del analista. Una automatización mal calibrada puede ocultar errores en lugar de corregirlos.

La recopilación y limpieza de datos también involucran criterios éticos fundamentales, especialmente cuando se trabaja con información personal o sensible. En estos casos, deben respetarse principios como la privacidad, el consentimiento informado, la minimización de datos, la transparencia y la protección del anonimato.

Calidad del dato y responsabilidad analítica

En contextos profesionales avanzados, comienza a asumirse que el analista no es solo consumidor de datos, sino también corresponsable de su calidad. Esto implica documentar decisiones de limpieza, justificar exclusiones, registrar supuestos metodológicos y dejar trazabilidad de las transformaciones realizadas. Esta práctica refuerza la reproducibilidad del análisis y protege al analista frente a cuestionamientos posteriores.

Preparación de datos como ventaja competitiva futura

En un entorno donde la inteligencia artificial y los modelos automatizados se generalizan, la calidad de los datos se convierte en un factor diferencial crítico. Las organizaciones que invierten en procesos sólidos de recopilación, limpieza y gobernanza de datos no solo reducen errores, sino que aceleran la innovación, mejoran la confianza en sus análisis y aumentan su capacidad de adaptación estratégica.

Cuando los datos han sido correctamente recopilados, validados, integrados y depurados, dejan de ser un insumo incierto para convertirse en un verdadero activo organizacional. Facilitan análisis confiables, modelos robustos, visualizaciones precisas y decisiones basadas en evidencia. En definitiva, invertir en la calidad del dato no es un coste operativo, sino una inversión directa en inteligencia.

4. ANÁLISIS EXPLORATORIO DE DATOS (EDA)

Dentro del proceso analítico, el análisis exploratorio de datos —comúnmente conocido por sus siglas en inglés *EDA*— representa una de las fases más determinantes y, paradójicamente, más subestimadas por quienes no están habituados al trabajo riguroso con datos. Lejos de ser un paso preliminar menor, el EDA actúa como un punto de inflexión en el que la información comienza a adquirir significado contextual y se trazan las primeras pistas hacia la formulación de hipótesis sólidas, preguntas refinadas y enfoques metodológicos adecuados.

A diferencia de etapas posteriores, donde el análisis se vuelve más estructurado y dirigido, el EDA se caracteriza por su espíritu investigativo. Es una fase abierta, en la que el analista se permite recorrer el dato sin una ruta completamente prefijada, dejando que sea la propia estructura de la información la que sugiera patrones, tensiones, anomalías o señales de alerta.

Es aquí donde, por primera vez, el analista observa directamente el comportamiento de las variables, la distribución de sus valores, las posibles relaciones entre ellas y los indicios que apuntan a regularidades o rupturas dentro del conjunto de datos.

Desde un punto de vista conceptual, el EDA no busca confirmar hipótesis, sino formularlas. Se trata de una etapa orientada al descubrimiento, guiada por la experiencia del analista, su conocimiento del contexto, su dominio de las herramientas y, sobre todo, su capacidad de cuestionar lo que parece evidente. A diferencia del análisis confirmatorio, el EDA invita a dudar, a explorar sin prejuicios y a prestar atención a aquellas anomalías que, lejos de descartarse de inmediato, pueden constituir la clave interpretativa de un fenómeno complejo.

Técnicamente, el EDA se apoya en una combinación de estadística descriptiva y visualización de datos. La primera permite analizar métricas como la media, mediana, moda, varianza, desviación estándar, asimetría o curtosis, ofreciendo una comprensión inicial del comportamiento de las variables. La segunda proporciona una vía de interpretación visual que facilita la detección de patrones difíciles de identificar únicamente mediante cifras.

Un gráfico de dispersión puede revelar relaciones no lineales; un boxplot puede evidenciar valores atípicos; un histograma puede mostrar distribuciones sesgadas; y un mapa de calor puede descubrir correlaciones relevantes entre variables aparentemente independientes. En este sentido, la visualización deja de ser un recurso ilustrativo para convertirse en una extensión directa del pensamiento analítico.

No obstante, visualizar no equivale automáticamente a comprender. El analista debe interpretar con criterio lo que observa, cuestionar la solidez de los patrones detectados y evaluar si estos responden a relaciones significativas o a simples artefactos estadísticos. La diferencia entre insight y espejismo analítico reside, en gran medida, en esta capacidad crítica.

El EDA no se limita al análisis univariado. Permite también explorar relaciones bivariadas y multivariadas mediante técnicas como la correlación de Pearson o Spearman, la covarianza, el análisis de colinealidad o la detección de dependencias no lineales. Identificar variables redundantes, altamente correlacionadas o irrelevantes resulta fundamental para el diseño de modelos robustos y parsimoniosos.

En contextos con alta dimensionalidad, el EDA facilita la aplicación de técnicas de reducción como el análisis de componentes principales (PCA), que permiten simplificar el espacio analítico conservando la mayor parte del poder explicativo. Esta capacidad es especialmente relevante en entornos de Big Data, donde el exceso de variables puede entorpecer más que ayudar.

Un aspecto central del EDA es la detección de valores atípicos (outliers). Estos pueden representar errores de medición o registros defectuosos, pero también eventos críticos que merecen una investigación específica. En ciberinteligencia, por ejemplo, una conexión inusual desde una IP desconocida en horarios atípicos puede no ser un error que eliminar, sino una señal temprana de actividad maliciosa. En inteligencia de negocios, una venta excepcionalmente alta puede indicar una promoción exitosa o una manipulación del sistema. Determinar cuándo un dato es ruido y cuándo es señal constituye una de las competencias más finas del analista.

El EDA también permite evaluar la estructura global del conjunto de datos: su exhaustividad, la presencia de valores nulos, inconsistencias entre registros y errores lógicos. En esta fase, el análisis se entrelaza directamente con la calidad del dato y con la comprensión de su trazabilidad. El analista no solo observa números, sino que reflexiona sobre cómo fueron generados, qué representan realmente y si son aptos para sustentar decisiones posteriores.

Desde la práctica profesional, los hallazgos del EDA pueden modificar radicalmente la orientación inicial de un análisis. Un equipo que parte de la hipótesis de que una caída en ventas se debe a factores externos puede descubrir, tras un EDA riguroso, que el problema reside en un quiebre logístico o en errores sistemáticos de carga de precios. Del mismo modo, en investigaciones de fraude, una simple visualización temporal puede revelar patrones recurrentes justo antes del cierre contable mensual. Estos descubrimientos rara vez surgen de modelos complejos; emergen, con frecuencia, en esta fase exploratoria.

Ahora bien, el EDA también tiene su cara B. Un análisis exploratorio mal planteado puede reforzar sesgos previos, inducir interpretaciones erróneas o generar falsas certezas. Si el analista selecciona únicamente aquellas visualizaciones que confirman sus expectativas o ignora lo que no entiende, se pierde el valor esencial del proceso: la posibilidad de descubrir lo inesperado. Por ello, el EDA exige apertura mental, humildad intelectual y rigor metodológico, así como una documentación clara de cada decisión tomada.

EDA y sesgos cognitivos del analista

En entornos avanzados, se reconoce que el EDA no solo expone patrones en los datos, sino también sesgos del propio analista. La tendencia a ver correlaciones donde no existen, a sobre reaccionar ante outliers llamativos o a confundir causalidad con asociación son riesgos reales. Por ello, el EDA debe concebirse también como un ejercicio de auto vigilancia cognitiva.

EDA asistido por IA: oportunidad y riesgo

Las herramientas modernas incorporan funciones de *EDA automático*, sugiriendo gráficos, relaciones y patrones mediante algoritmos. Aunque estas capacidades aceleran el proceso, también introducen el riesgo de delegar el descubrimiento en sistemas que no comprenden el contexto. El analista del futuro deberá equilibrar la potencia de la automatización con una lectura crítica de sus sugerencias.

Además, el EDA cumple una función pedagógica dentro de los equipos. Compartir hallazgos exploratorios fomenta la discusión, amplía perspectivas y fortalece la comprensión colectiva del problema. No es casual que muchas decisiones estratégicas clave surjan a partir de una visualización simple, pero reveladora, construida en esta fase.

Finalmente, el EDA también sirve para decidir si tiene sentido continuar. Existen casos en los que los datos disponibles carecen de la calidad, coherencia o cobertura necesarias para justificar un análisis posterior. Saber detenerse, replantear el enfoque o solicitar nuevos datos es, en sí mismo, una forma de inteligencia profesional.

En definitiva, el análisis exploratorio de datos es una fase de construcción de sentido. No busca conclusiones definitivas ni respuestas cerradas, sino comprensión profunda. Es el momento en que el dato aislado se transforma en dato interpretado y en el que la inteligencia comienza a tomar forma, no como producto final, sino como posibilidad en desarrollo, nacida del diálogo entre conocimiento experto, contexto y observación atenta.

El análisis exploratorio de datos constituye el verdadero umbral entre la información disponible y la inteligencia en construcción. Es en esta fase donde el analista deja de trabajar con datos abstractos y comienza a dialogar con la realidad que estos representan. El EDA no ofrece respuestas definitivas, pero sí algo más valioso: orientación, criterio y conciencia sobre qué merece ser analizado y qué debe ser cuestionado.

Un EDA bien ejecutado reduce la incertidumbre metodológica, previene errores posteriores y evita que modelos sofisticados se construyan sobre supuestos frágiles. Además, permite detectar límites en los datos, sesgos ocultos y oportunidades de replanteamiento antes de comprometer recursos analíticos avanzados.

En un contexto donde la automatización y la inteligencia artificial aceleran el acceso a patrones, el valor diferencial del analista reside en su capacidad para interpretar, dudar y contextualizar lo que emerge en esta fase exploratoria. Por ello, dominar el EDA no es solo una competencia técnica, sino una expresión de madurez profesional y responsabilidad analítica.

Cuadro resumen: Análisis Exploratorio de Datos (EDA)
Análisis Exploratorio de Datos (EDA): visión integral

Dimensión	Contenido clave
Propósito principal	Comprender la estructura, calidad y comportamiento de los datos antes de formular hipótesis o construir modelos
Momento dentro del proceso	Tras la recopilación y limpieza inicial de datos, y antes del análisis confirmatorio o predictivo
Enfoque metodológico	Abierto, inductivo, investigativo y guiado por el criterio del analista
Tipo de análisis	Univariado, bivariado y multivariado
Técnicas estadísticas	Media, mediana, varianza, desviación estándar, asimetría, curtosis, correlaciones, covarianza
Herramientas visuales	Histogramas, boxplots, gráficos de dispersión, mapas de calor, series temporales

Dimensión	Contenido clave
Detección de outliers	Identificación de valores anómalos como errores o señales estratégicas
Evaluación de calidad del dato	Valores nulos, duplicados, inconsistencias, trazabilidad y coherencia interna
Reducción de dimensionalidad	PCA y técnicas similares para simplificar espacios analíticos complejos
Rol del analista	Explorador, intérprete crítico y mediador entre dato y contexto
Riesgos comunes	Confirmación de sesgos, sobre interpretación visual, falsas correlaciones
EDA asistido por IA (NUEVO)	Automatización de gráficos y sugerencias de patrones con necesidad de supervisión humana
Salida del EDA	Hipótesis refinadas, redefinición del problema, decisión de avanzar o replantear el análisis
Valor estratégico	Evita errores posteriores, optimiza recursos y mejora la calidad de decisiones finales

Ejemplo práctico de Análisis Exploratorio de Datos (EDA) aplicado

Contexto del caso: Una empresa de servicios digitales detecta una caída progresiva en la tasa de renovación de clientes en los últimos nueve meses. La dirección asume inicialmente que el problema se debe a una mayor presión competitiva y solicita al área de análisis un estudio para confirmar esta hipótesis y proponer acciones correctivas.

El analista recibe acceso a distintas fuentes de datos internas:

- Base de clientes (perfil, antigüedad, segmento).
- Historial de facturación y renovaciones.
- Registros de uso de la plataforma.
- Tickets de soporte y reclamaciones.
- Encuestas de satisfacción.

Antes de aplicar modelos predictivos o comparativos, se inicia un **EDA riguroso.**

Paso 1: Comprensión inicial del dataset

El primer ejercicio consiste en revisar la estructura general de los datos:

- Número total de registros.
- Variables disponibles y su tipología.
- Porcentaje de valores nulos por campo.
- Periodo temporal cubierto.

En esta revisión inicial se detecta que:

- El 18 % de los registros de uso mensual están incompletos.
- Existen duplicidades en los identificadores de cliente procedentes de dos sistemas distintos.
- Las encuestas de satisfacción solo están disponibles para un 40 % de la base total.

Este hallazgo ya introduce una **alerta analítica temprana**: cualquier conclusión deberá matizarse por la cobertura desigual de las fuentes.

Paso 2: Análisis univariado

El analista comienza examinando cada variable por separado.

- La distribución de la antigüedad del cliente muestra una fuerte concentración entre 6 y 18 meses.
- El uso medio mensual presenta una asimetría positiva pronunciada: pocos clientes usan intensivamente la plataforma, mientras que la mayoría tiene una actividad baja.
- Las puntuaciones de satisfacción revelan una media aparentemente aceptable, pero con una dispersión elevada.

Aquí surge un primer insight preliminar: **la media está ocultando comportamientos extremos**, lo que obliga a profundizar.

Paso 3: Visualización y detección de patrones

Al representar gráficamente la tasa de renovación frente al nivel de uso, aparece un patrón claro:

los clientes con menor uso mensual presentan una probabilidad significativamente mayor de abandono.

Sin embargo, al segmentar por antigüedad, el patrón cambia. Algunos clientes veteranos con bajo uso siguen renovando, mientras que clientes recientes con uso moderado abandonan antes de lo esperado.

Este cruce visual sugiere que **el problema no es solo el uso**, sino su relación con el momento del ciclo de vida del cliente.

Paso 4: Análisis bivariado y multivariado

El analista incorpora nuevas combinaciones:

- Uso de la plataforma + número de tickets de soporte.
- Uso + satisfacción.
- Tipo de incidencia + momento de cancelación.

Un mapa de calor de correlaciones muestra una relación inesperada: la tasa de abandono no correlaciona tanto con la cantidad de incidencias, sino con **el tiempo de resolución** de estas.

Además, al analizar la serie temporal, se observa que muchos abandonos se producen **entre 30 y 45 días después de una incidencia mal resuelta**, no inmediatamente.

Este es un hallazgo clave que **no figuraba en ninguna hipótesis inicial**.

Paso 5: Outliers como señales, no como errores

Durante el EDA aparecen clientes con un uso extremadamente alto y una satisfacción muy baja.

Lejos de eliminar estos casos, el analista los investiga y descubre que corresponden a usuarios avanzados que utilizan funcionalidades críticas y que perciben degradación del servicio tras recientes actualizaciones.

Aquí, el outlier deja de ser ruido y se convierte en **información estratégica**: el problema no afecta solo a usuarios poco comprometidos, sino también a perfiles clave.

Paso 6: Reformulación del problema
Gracias al EDA, el problema inicial se redefine. Ya no se trata simplemente de "pérdida de clientes por competencia", sino de:
"Desalineación entre experiencia de uso, gestión de incidencias y expectativas del cliente según su etapa de madurez".
Este nuevo planteamiento cambia por completo la orientación del análisis posterior y las decisiones estratégicas.

Aprendizajes del EDA en este caso

- El problema inicial era solo un síntoma.
- La visualización reveló patrones invisibles en tablas numéricas.
- Los outliers aportaron valor estratégico.
- El EDA evitó construir modelos predictivos sobre supuestos erróneos.
- El análisis ganó legitimidad frente a la dirección al estar basado en evidencia explorada, no en intuición.

Traslación a ciberinteligencia
Este mismo enfoque es directamente aplicable a contextos de ciberinteligencia:

- Un pico de tráfico anómalo puede ser ruido... o una fase preparatoria.
- Un outlier en accesos puede ser un error... o un actor persistente.
- El EDA permite **diferenciar señal de ruido antes de automatizar decisiones.**

5. INTERPRETACIÓN DE RESULTADOS Y GENERACIÓN DE *INSIGHTS*

La interpretación de resultados es el momento en que el análisis deja de ser un ejercicio técnico y se convierte en una práctica de juicio. A estas alturas del proceso, el analista ya ha delimitado el problema, ha recopilado y depurado datos, ha explorado patrones y ha generado resultados. Sin embargo, nada de eso garantiza por sí mismo inteligencia útil. El valor real aparece cuando se logra transformar esos resultados en comprensión situada, es decir, en una lectura que explique qué significan los hallazgos en un contexto concreto, con una finalidad concreta y para una audiencia concreta.

Interpretar no es "leer números": es construir sentido. Y construir sentido implica decisión. Decidir qué pesa más, qué es ruido, qué es señal, qué evidencia soporta una inferencia y qué parte del razonamiento debe presentarse como hipótesis provisional. Por eso la interpretación es una fase crítica: aquí se consolidan los insights o, si se trabaja con prisa, sesgo o poca transparencia, se generan conclusiones convincentes pero erróneas.

Del resultado al sentido: cuando el análisis empieza a ser inteligencia

Si el análisis exploratorio es la fase en la que los datos comienzan a "hablar", la interpretación es el momento en que el analista decide qué merece ser escuchado. En este tránsito, el análisis deja de ser una acumulación de resultados técnicos para convertirse en un ejercicio de juicio, contexto y responsabilidad.

Los números, las métricas y los modelos no poseen significado por sí mismos. Adquieren valor únicamente cuando son situados dentro de un marco interpretativo que conecte los hallazgos con las preguntas estratégicas que motivaron el análisis. Es en este punto donde el rol del analista se redefine: ya no actúa como extractor de información, sino como constructor de sentido, capaz de traducir señales dispersas en orientaciones comprensibles y útiles para la toma de decisiones.

Por ello, la interpretación no debe entenderse como una fase posterior ni secundaria, sino como el núcleo donde el proceso analítico alcanza su verdadera finalidad. Interpretar es decidir qué importa, por qué importa y qué consecuencias tiene. Y en ese acto, el analista comienza a ejercer plenamente su función como profesional de la inteligencia.

5.1. Del resultado al insight: construir significado (no solo reportar datos)

Un **resultado** es un hallazgo técnico: una correlación, una diferencia entre grupos, una tendencia temporal, un patrón detectado por un modelo, una anomalía en una serie. Un **insight** es otra cosa: es una interpretación con valor estratégico que conecta el resultado con una explicación plausible y con implicaciones para decidir.

En la práctica, un análisis puede producir cientos de resultados y, aun así, no generar ni un solo insight accionable. Esto ocurre cuando el analista se limita a describir lo observado sin responder a la pregunta que realmente importa: "¿y qué significa esto para el problema que intentamos resolver?". Un insight exige, como mínimo, tres capas: (1) qué se observa, (2) por qué podría estar ocurriendo (mecanismo, causalidad plausible o hipótesis) y (3) por qué es relevante (impacto, riesgo u oportunidad).

Por ejemplo, detectar un aumento de cancelaciones es un resultado. Convertirlo en insight exige identificar en qué segmento ocurre, en qué momento del ciclo del cliente, qué variable lo precede (precio, incidencias, tiempos de entrega, cambios en la interfaz, campañas del competidor), y qué hipótesis compite con cuál.

En inteligencia, la calidad del insight no se mide por su elegancia, sino por su capacidad de orientar decisiones con menos incertidumbre y mayor proporcionalidad.

5.2. Relevancia y "accionabilidad": cuando un hallazgo se convierte en decisión

Un buen análisis no es el que entrega más información, sino el que habilita mejores decisiones. Pero el paso de hallazgo a acción no es automático. Requiere traducción estratégica y, en muchos casos, negociación organizacional. Un mismo hallazgo puede ser técnicamente correcto y, sin embargo, inútil en la práctica si no se presenta con un encuadre que lo conecte con las prioridades reales del decisor.

La accionabilidad se construye cuando el analista formula el hallazgo en términos de alternativas: qué ocurre si no hacemos nada, qué opciones existen, qué costes y riesgos tiene cada una, qué señales de seguimiento deberían monitorizarse y con qué umbrales. Aquí la interpretación madura evita dos extremos: el tecnicismo que no se entiende y la simplificación que falsea.

Además, no todo hallazgo debe traducirse en una acción inmediata. En muchos casos el valor del análisis es abrir una línea de investigación, ajustar el sistema de alertas, redefinir indicadores o confirmar que la estrategia actual es razonable. "Accionar" también puede significar sostener una decisión con evidencia, o decidir con claridad que el coste de intervenir supera el beneficio probable.

5.3. Contextualización: leer el dato en su entorno (organizacional, sectorial y humano)

Un resultado sin contexto es una ilusión de precisión. Contextualizar significa comprender que los datos no existen en el vacío: nacen de procesos, sistemas, incentivos, normas, culturas y limitaciones. Interpretar bien exige saber cómo se generan los datos, qué sesgos de captura arrastran, qué cambios de proceso los alteraron y qué eventos externos pueden explicar variaciones.

La contextualización opera en dos planos. El externo: mercado, competencia, regulación, coyuntura socioeconómica, riesgos emergentes. Y el interno: cultura, estructura, procesos, objetivos, conflictos latentes, calidad del dato, cambios recientes (reorganizaciones, campañas, migraciones tecnológicas). Un incremento de tickets de soporte puede indicar peor servicio... o un cambio en el canal de registro, o una campaña que multiplicó usuarios nuevos, o una política interna que redefinió qué se considera incidencia.

En inteligencia y contrainteligencia, este punto es todavía más crítico: el contexto puede ser intencionalmente manipulado (desinformación, operaciones de influencia, engaño). Por eso contextualizar no es añadir "marco": es proteger el análisis de interpretaciones ingenuas.

5.4. Validación y robustez: contrastar antes de afirmar

Interpretar implica afirmar algo sobre la realidad. Por tanto, exige validación. Validar no es dudar por sistema; es someter la interpretación a pruebas razonables para evitar complacencia con la primera explicación atractiva.

La robustez se refuerza cuando el analista:

- contrasta con otras fuentes o cortes de datos (triangulación);
- revisa si el patrón se sostiene en diferentes periodos o segmentos;
- explora hipótesis alternativas (no solo la favorita);

- identifica supuestos críticos (qué tendría que ser cierto para que mi explicación funcione);
- y revisa la sensibilidad del hallazgo (¿cambia si modifico un filtro, un umbral, una imputación?).

En esta etapa, la revisión por pares —formal o informal— es una herramienta de calidad: no porque garantice "verdad", sino porque obliga a hacer explícito el razonamiento. En entornos BETA, donde la incertidumbre es estructural, la validación no elimina el error, pero reduce la probabilidad de errores evitables y aumenta la trazabilidad del juicio.

5.5. Riesgos interpretativos: sesgos, sobreconfianza y falsas certezas

La interpretación es un campo fértil para errores, no por falta de capacidad, sino por límites humanos y presiones organizacionales. El sesgo de confirmación empuja a ver lo que queremos ver; la disponibilidad exagera lo reciente o lo visible; el anclaje fija una narrativa temprana y arrastra todo el análisis; el exceso de confianza convierte probabilidades en certidumbres. Y en contextos de presión, estos sesgos se amplifican.

Un riesgo frecuente es la **sobreinterpretación**: presentar como sólido lo que es débil, confundir correlación con causalidad, o extraer conclusiones generales a partir de muestras pequeñas o sesgadas. Otro riesgo es la **descontextualización**: recomendar acciones "lógicas" en el dato pero inviables en el terreno. Y otro, especialmente delicado, es la **instrumentalización**: adaptar la interpretación para justificar decisiones ya tomadas o para evitar conflictos internos.

La forma profesional de gestionar estos riesgos no es prometer neutralidad absoluta, sino adoptar prácticas deliberadas: explicitar incertidumbre, documentar supuestos, comparar hipótesis, incluir contraargumentos razonables, y resistir la tentación de "cerrar" el relato antes de tiempo.

5.6. El analista como mediador del conocimiento y supervisor cognitivo (BETA)

En la fase interpretativa el analista cumple un rol que va más allá del dato: se convierte en mediador del conocimiento. Su tarea no es solo producir informes o dashboards, sino facilitar comprensión compartida y decisiones defendibles. Esto implica traducir entre lenguajes (técnico, operativo, directivo), anticipar malentendidos, calibrar el nivel de detalle y construir una narrativa que sea clara sin ser engañosa.

En entornos BETA, además, aparece una exigencia adicional: el analista como supervisor cognitivo.

La automatización, los modelos predictivos y la IA (incluida la generativa) pueden producir explicaciones plausibles, visualizaciones "correctas" o recomendaciones optimizadas; pero no asumen la responsabilidad del sentido ni de las consecuencias. El analista debe evaluar cuándo confiar, cuándo dudar, cuándo pedir más evidencia y cuándo decir explícitamente "no podemos concluir esto con lo disponible".

Esta función no reduce la importancia del analista: la eleva. Porque cuanto más potente es la tecnología, más crítico es el juicio que decide cómo usarla, qué aceptar y qué rechazar. En última instancia, la interpretación es el lugar donde la inteligencia se vuelve práctica: donde la evidencia se transforma en criterio y el criterio en decisiones.

La interpretación de resultados es el momento en el que el análisis demuestra su verdadera madurez. No basta con obtener hallazgos técnicamente correctos; es imprescindible dotarlos de sentido, contexto y propósito para que puedan orientar decisiones reales. En esta fase, el analista deja de ser un mero productor de resultados y asume un rol activo como intérprete, validador y mediador del conocimiento, consciente de los límites, sesgos y consecuencias de cada inferencia.

En entornos complejos e inciertos, donde la automatización y la inteligencia artificial amplifican la capacidad analítica, la interpretación rigurosa se convierte en un factor diferencial.

Es aquí donde se decide si el análisis generará claridad o confusión, acción informada o falsas certezas. Por ello, dominar esta etapa no es solo una competencia técnica, sino una responsabilidad profesional que conecta el dato con la decisión y la inteligencia con su impacto real.

6. PRESENTACIÓN Y COMUNICACIÓN DE HALLAZGOS

La presentación La presentación de los resultados marca el momento culminante del proceso analítico. Es el instante en el que todo el esfuerzo invertido en la recolección, limpieza, exploración, modelado e interpretación de los datos se sintetiza y adquiere una forma visible ante quienes deben tomar decisiones. En este punto, el análisis deja de ser un ejercicio interno y se convierte en una intervención estratégica sobre la realidad.

Sin embargo, esta fase sigue siendo una de las más subestimadas en la práctica profesional. Con frecuencia se la percibe como un cierre formal, un trámite posterior al "verdadero trabajo", o una mera exposición técnica de resultados. Esta visión no solo es incompleta, sino potencialmente dañina: un análisis excelente, mal comunicado, es analíticamente irrelevante.

El valor del análisis no reside únicamente en la sofisticación metodológica ni en la precisión estadística, sino en su capacidad para generar comprensión útil. Y esa comprensión no emerge de manera automática a partir de cifras, gráficos o modelos. Requiere una traducción deliberada, consciente y estratégica del conocimiento técnico al lenguaje de la decisión. Presentar hallazgos no es mostrar resultados: es activar inteligencia.

6.1. Presentar no es exponer: del resultado al sentido

Uno de los errores más habituales consiste en asumir que los datos "hablan por sí solos". Cuando el analista entrega tablas, dashboards o gráficos sin orientar su lectura, delega en el receptor una tarea que no siempre está en condiciones de asumir: interpretar qué es relevante, por qué lo es y qué implicaciones tiene.

Esta omisión comunicativa puede provocar tres efectos igualmente problemáticos: la incomprensión, la mala interpretación o la indiferencia. En cualquiera de los casos, el análisis pierde impacto.

Presentar hallazgos implica asumir responsabilidad intelectual sobre el mensaje. El analista no comparece como un técnico que muestra evidencias, sino como un profesional que guía la comprensión, jerarquiza lo relevante, anticipa objeciones y conecta el diagnóstico con la acción. En este sentido, la presentación es un acto de liderazgo cognitivo.

Una buena presentación no dice todo: dice lo importante. Selecciona, ordena y enfoca. Distingue entre lo esencial y lo accesorio, entre lo urgente y lo contextual, entre lo operativo y lo estructural. Y lo hace teniendo en cuenta que la audiencia no comparte necesariamente el mismo lenguaje, los mismos tiempos ni las mismas prioridades que quien ha realizado el análisis.

6.2. La audiencia como punto de partida del mensaje

Toda comunicación eficaz comienza con una pregunta clave: ¿a quién va dirigido este análisis?

En inteligencia, esta pregunta no es retórica ni secundaria. El mensaje no se construye solo desde el dato, sino para un destinatario concreto.

Cada audiencia posee su propio marco cognitivo, su cultura organizacional, su nivel de alfabetización analítica y sus urgencias reales. Por ello, presentar bien no consiste en repetir un mismo discurso para todos, sino en diseñar una comunicación específica según el interlocutor.

Adaptar no significa simplificar ni diluir el contenido. Significa traducir sin traicionar. Implica cambiar el registro, elegir conceptos comprensibles, utilizar ejemplos o analogías pertinentes y ajustar el nivel de detalle, sin perder rigor ni honestidad intelectual.

Además, comprender a la audiencia implica anticipar resistencias. Algunos hallazgos pueden contradecir creencias previas, cuestionar decisiones tomadas o revelar problemas incómodos. En estos casos, el modo de comunicar es tan importante como el contenido: el tono, la apertura al diálogo y la disposición a explicar influyen directamente en la aceptación del análisis.

6.3. Estructura narrativa: ordenar para que se comprenda

Una comunicación eficaz necesita estructura. No basta con disponer de buena información: es necesario organizarla en una secuencia lógica que acompañe al receptor desde la pregunta inicial hasta las posibles decisiones.

Un error frecuente es comenzar por los detalles técnicos, sumergiendo a la audiencia en procedimientos, métricas o modelos sin haberla situado previamente en el contexto del problema. La estructura narrativa debe guiar, no desbordar.

De forma flexible, una presentación sólida suele articularse en torno a:

- el problema u oportunidad que origina el análisis,
- el enfoque metodológico general (sin exceso de tecnicismo),
- los hallazgos clave,
- su interpretación crítica,
- y las implicaciones o recomendaciones.

Este recorrido no es rígido, pero ofrece coherencia y continuidad. Convierte el análisis en una historia inteligible, no en una acumulación de resultados.

Aquí cobra especial relevancia la identificación de mensajes clave. No todos los hallazgos tienen el mismo peso. El analista debe decidir qué debe recordar la audiencia si solo retiene una idea, qué resultados sustentan ese mensaje central y cuáles pueden quedar en un segundo nivel.

6.4. Visualización como herramienta de pensamiento y persuasión ética

En el ámbito de la inteligencia, la visualización no es un adorno ni un complemento estético. Es una herramienta cognitiva y comunicativa de primer orden. Permite revelar patrones ocultos, destacar anomalías críticas, facilitar la comprensión rápida y convertir datos abstractos en conocimiento operativo.

Toda visualización debe partir de una intención clara: ¿qué quiero que se vea?, ¿qué quiero que se entienda?, ¿qué decisión quiero facilitar? No existe un formato universalmente válido; existe la forma adecuada para cada propósito.

La elección de gráficos, colores, escalas y niveles de agregación no es neutral. Forma parte del mensaje. Un promedio puede ocultar dinámicas internas críticas; una escala mal elegida puede exagerar o minimizar tendencias. Por ello, la visualización exige el mismo rigor ético que el análisis.

Además, la visualización cumple una función narrativa. En una presentación oral, un gráfico bien introducido y explicado puede marcar un punto de inflexión en la comprensión del problema. Pero el gráfico no se defiende solo: necesita contexto, explicación y conexión con el discurso general.

Manipular visualmente los datos —de forma consciente o por descuido— no solo distorsiona la información, sino que erosiona la confianza en el analista. La ética visual es parte inseparable de la ética profesional.

6.5. Formatos y canales: el mensaje también es el medio

El impacto de un análisis no depende únicamente de su contenido, sino también del formato y del canal elegidos para comunicarlo. El analista debe decidir no solo qué decir, sino cómo y dónde decirlo.

El informe escrito sigue siendo fundamental cuando se requiere profundidad, trazabilidad y registro formal. Puede adoptar desde un documento técnico exhaustivo hasta un resumen ejecutivo orientado a la acción. Ambos formatos pueden convivir y complementarse según el destinatario.

La presentación oral, por su parte, es clave en contextos donde el diálogo, la retroalimentación inmediata y la persuasión son esenciales. Aquí entran en juego el ritmo, la claridad, la lectura del contexto y la capacidad de adaptación en tiempo real.

Los dashboards interactivos han ganado protagonismo en organizaciones orientadas al dato. Bien diseñados, empoderan a los usuarios y favorecen la exploración autónoma. Mal diseñados, generan saturación y confusión. Su pregunta central debe ser siempre la misma: ¿qué decisiones apoya este panel?

Existen además formatos complementarios —infografías, vídeos breves, notas técnicas— que pueden aportar valor según el contexto. El criterio no es la sofisticación tecnológica, sino la efectividad comunicativa.

Presentar y comunicar hallazgos no es el final del análisis, sino el momento en que este demuestra su verdadera utilidad. El proceso analítico solo se completa cuando el conocimiento generado es comprendido, discutido y utilizado para decidir mejor.

El analista que domina esta fase no es solo un experto en datos, sino un mediador del conocimiento, capaz de transformar complejidad en claridad y evidencia en acción. En un mundo saturado de información, esa capacidad es tan estratégica como cualquier modelo avanzado.

Pues bien, llegados a este punto y a tenor de lo expuesto, pasaremos a ver casos que ilustran cómo la presentación de los hallazgos influyó significativamente en los resultados obtenidos.

Caso 1: la visualización que salvó una campaña de marketing

Una empresa de comercio electrónico lanzó una campaña de marketing digital para promocionar un nuevo producto orientado a un público amplio. Tras las primeras semanas de ejecución, los informes generales mostraban tasas de conversión globales significativamente inferiores a las esperadas. A partir de estos resultados agregados, el equipo directivo comenzó a valorar la cancelación de la campaña, al considerarla poco rentable y mal alineada con los objetivos comerciales.

Sin embargo, antes de tomar una decisión definitiva, un analista propuso revisar los datos desde una perspectiva distinta. En lugar de limitarse a los indicadores promedio, desarrolló una visualización que desglosaba la información por segmentos demográficos, canales de adquisición y momentos del proceso de compra. El dashboard permitía observar el comportamiento de los usuarios de forma comparativa, identificando diferencias relevantes entre grupos que quedaban ocultas en el análisis agregado.

La visualización reveló que, aunque la tasa de conversión global era baja, existían segmentos específicos —particularmente usuarios jóvenes captados a través de campañas en redes sociales— con tasas de conversión notablemente superiores a la media. Además, estos segmentos presentaban un mayor valor medio por compra y una mejor retención posterior. El problema, por tanto, no residía en la campaña en sí, sino en la dispersión del esfuerzo y en la interpretación superficial de los resultados.

Gracias a esta presentación, el equipo directivo comprendió que el dato agregado estaba ocultando dinámicas internas clave. En lugar de cancelar la campaña, decidió redirigir el presupuesto hacia los segmentos más receptivos y optimizar los mensajes y canales en función de esos perfiles. Como resultado, en las semanas siguientes se produjo un incremento del 25 % en las ventas dentro del público objetivo priorizado.

Este caso ilustra cómo una visualización bien planteada no solo comunica resultados, sino que permite pensar mejor el dato, cuestionar interpretaciones iniciales y evitar decisiones precipitadas. Asimismo, pone de manifiesto que el valor del análisis no depende únicamente de la calidad de los datos, sino de la capacidad del analista para elegir el nivel de agregación adecuado, contextualizar los resultados y presentar la información de forma que ilumine, en lugar de simplificar en exceso, la realidad que se está analizando.

Caso 2: la presentación que evitó una crisis sanitaria

Durante Durante una epidemia local de rápida propagación, las autoridades sanitarias comenzaron a recibir grandes volúmenes de datos procedentes de múltiples fuentes: centros de atención primaria, hospitales, laboratorios, servicios de emergencia y sistemas de vigilancia epidemiológica. Aunque la información era abundante y técnicamente correcta, su presentación se realizaba mediante informes extensos, altamente técnicos y poco integrados, lo que dificultaba una comprensión global y ágil de la situación por parte de los responsables de tomar decisiones.

Los informes tradicionales ofrecían tablas detalladas y descripciones estadísticas precisas, pero no facilitaban una visión clara de la evolución temporal de los contagios, la distribución geográfica de los casos ni la relación entre la propagación de la enfermedad y la disponibilidad de recursos sanitarios. En un contexto de alta presión y urgencia, esta falta de claridad suponía un riesgo crítico, ya que retrasaba la adopción de medidas y aumentaba la incertidumbre operativa.

Ante esta situación, un equipo de analistas propuso un cambio en la forma de presentar los datos. En lugar de seguir ampliando los informes escritos, desarrollaron un dashboard interactivo que integraba la información clave en una única interfaz visual. Este panel mostraba en tiempo real la evolución de los casos, las zonas más afectadas, la tasa de crecimiento por distrito y la ocupación de camas hospitalarias, permitiendo filtrar la información por periodos y áreas geográficas.

La nueva presentación transformó radicalmente la capacidad de interpretación de los decisores. La visualización permitió identificar focos emergentes de contagio antes de que se reflejaran de forma clara en los informes tradicionales, así como anticipar cuellos de botella en el sistema sanitario. Gracias a esta comprensión visual y contextualizada, las autoridades pudieron implementar medidas selectivas —como refuerzos de personal, redistribución de recursos y restricciones localizadas— en lugar de aplicar acciones generalizadas menos eficaces.

Como resultado, la propagación de la enfermedad se contuvo aproximadamente un 40 % más rápido en comparación con situaciones anteriores en las que no se disponía de este tipo de herramientas visuales integradas. Más allá del impacto cuantitativo, el principal valor del análisis residió en haber facilitado decisiones oportunas, basadas en una lectura compartida y comprensible de la realidad sanitaria.

Este caso pone de relieve que, en contextos críticos, la presentación de los hallazgos no es un elemento accesorio, sino un factor determinante del éxito del análisis.

La capacidad de sintetizar información compleja, mostrar relaciones relevantes y ofrecer una visión de conjunto puede marcar la diferencia entre reaccionar tarde o anticiparse con eficacia. En inteligencia sanitaria, como en otros ámbitos sensibles, ver el problema con claridad es el primer paso para contenerlo.

Caso 3: la falta de claridad que costó una oportunidad de inversión

Una *startup* tecnológica buscaba inversores para expandir sus operaciones. Pues en una ocasión, en una presentación dirigida a potenciales inversores, el equipo presentó un informe técnico detallado, lleno de jerga especializada y sin una narrativa clara. Los inversores, aunque impresionados por la tecnología, no comprendieron completamente el modelo de negocio ni el potencial de retorno de la inversión. Como resultado, decidieron no invertir. Meses después, tras reformular su presentación con un enfoque más claro y centrado en los beneficios y el mercado objetivo, la *startup* logró asegurar la financiación necesaria.

Como podemos apreciar, estos casos destacan la importancia de una presentación efectiva en el análisis de datos. Una comunicación clara, estructurada y adaptada a la audiencia puede ser la diferencia entre el éxito y el fracaso en la toma de decisiones. Por lo que, el analista además de competente en el análisis de datos, también necesita tener una gran agilidad a la hora de comunicar los resultados de manera que sean comprensibles y accionables para las personas hacia las que se dirige.

Visto lo cual, es importante cubrir todas las etapas del proceso y saber que la presentación de hallazgos no termina cuando se entrega el informe. Ese momento es, en muchos sentidos, el punto de partida de una nueva fase que consiste en la interacción con quienes recibieron el análisis, la evaluación de cómo ha sido comprendido, y la apertura de nuevas líneas de trabajo o de revisión crítica. El seguimiento posterior a la presentación es lo que transforma un acto informativo en un proceso colaborativo de construcción de conocimiento útil.

Así pues, el paso que sigue después de la presentación es abrir un espacio genuino para el diálogo. Lo que implica habilitar preguntas, invitar a comentar percepciones y estar dispuesto a explicar lo que no quedó claro. Por lo que, el analista debe estar preparado para responder con argumentos, pero también para escuchar con atención.

Ya que, a veces las dudas de quienes reciben la información revelan aspectos del análisis que no fueron bien comunicados, suposiciones que no se explicitaron o datos que requieren más contexto. Por ello, estas preguntas no deben interpretarse como meros obstáculos, pues realmente son oportunidades de mejora.

La retroalimentación —también llamada *feedback*— también puede adoptar formas más estructuradas. Algunas empresas suelen solicitar evaluaciones formales de las presentaciones, breves encuestas sobre claridad, utilidad y aplicabilidad del análisis. Otras prefieren un modelo más informal, basado en conversaciones posteriores. Sea cual sea el formato, lo fundamental es que el analista sea consciente de que este proceso no es un conjunto de críticas personales dirigidas a él y lo acoja como una ocasión para afinar su capacidad de conectar con las necesidades reales de la organización.

Del mismo modo, debe saberse que el seguimiento no se limita al diálogo inmediato. Pues en muchas ocasiones, después de la presentación se abren nuevas líneas de análisis. Un hallazgo puede despertar nuevas preguntas; una recomendación puede provocar dudas operativas y una visualización puede plantear hipótesis que requieran validación.

Por otra parte, también es posible que los resultados no sean implementados de inmediato o que no se actúe en base a ellos. Esto no significa que el análisis haya fracasado. A veces, la decisión es postergada por razones presupuestarias, de oportunidad política o de cambio en las prioridades estratégicas. Ante tales supuestos, el rol del analista es documentar con rigor, mantener disponible la información y estar listo para reactivar ese conocimiento cuando las condiciones lo permitan.

Igualmente, el seguimiento incluye una dimensión menos visible pero igualmente importante, que es la observación de cómo el análisis ha impactado en la cultura organizacional. ¿Se retomaron los hallazgos en reuniones posteriores?, ¿cambiaron las preguntas que los equipos se hacen?, ¿se abrió un espacio más amplio para el uso de evidencia?, ¿se reconoció el valor del trabajo analítico como parte del proceso de decisión? Estas señales son indicadores de que el análisis fue un paso en la construcción de una inteligencia institucional más sólida.

Por último, el analista debe ser consciente de que cada presentación, cada interacción, cada seguimiento es parte de una cadena más larga de confianza, credibilidad y colaboración. Comunicar bien no es un acto aislado. Es una práctica que se cultiva en el tiempo, que se afina con la experiencia y que se consolida en la medida en la que los resultados se entienden, se usan, se discuten y se incorporan a las decisiones que realmente importan.

Reflexión de cierre

La presentación y comunicación de los hallazgos no constituye un apéndice del análisis, sino una de sus fases más determinantes. Es en este momento cuando el conocimiento generado se expone al juicio organizacional y adquiere, o no, capacidad real de influir en la toma de decisiones. Como muestran los casos analizados, la diferencia entre el éxito y el fracaso no reside únicamente en la calidad técnica del análisis, sino en la forma en que éste se traduce en comprensión, orientación y acción.

Una visualización bien construida puede salvar una decisión estratégica, una narrativa clara puede evitar una crisis, y una comunicación inadecuada puede diluir incluso el análisis más riguroso. Por ello, el analista debe asumir que comunicar es parte inseparable de su responsabilidad profesional. No se trata de simplificar en exceso ni de adornar los resultados, sino de estructurar el mensaje con intención, honestidad y conciencia del contexto y del público.

Asimismo, la presentación no agota el proceso analítico. El diálogo posterior, la retroalimentación y el seguimiento de los efectos del análisis forman parte de una dinámica continua de aprendizaje organizacional. En este sentido, el analista actúa como mediador del conocimiento, facilitando que la evidencia se integre en la cultura de decisión y no quede relegada a un informe archivado.

En última instancia, el valor del análisis se mide por su capacidad de generar sentido compartido y orientar decisiones bajo incertidumbre. Comunicar bien no es un complemento del análisis; es la condición que permite que la inteligencia cumpla su propósito fundamental: transformar información en acción consciente y responsable.

Bibliografía:

- American Psychological Association. (2020). Publication manual of the American Psychological Association (7.ª ed.). American Psychological Association.
- Auckland University of Technology Library. (n.d.). Visual works-APA 7th Referencing Style Guide. https://aut.ac.nz.libguides.com/APA7th/visualworks
- Cairo, A. (2016). The truthful art: Data, charts, and maps for communication. New Riders.
- Few, S. (2009). Now you see it: Simple visualization techniques for quantitative analysis. Analytics Press.
- Knaflic, C. N. (2015). Storytelling with data: A data visualization guide for business professionals. Wiley.
- Tufte, E. R. (2001). The visual display of quantitative information (2.ª ed.). Graphics Press.
- Tufte, E. R. (2006). Beautiful evidence. Graphics Press.
- Wilke, C. O. (2019). Fundamentals of data visualization: A primer on making informative and compelling figures. O'Reilly Media.
- Wheeler, D. J., & Chambers, D. S. (1992). Understanding statistical process control (2.ª ed.). SPC Press.
- West Virginia University Libraries. (n.d.). Data & Reports-APA 7th Edition Citation Style Guide. https://libguides.wvu.edu/c.php?g=990487&p=7165642aut.ac.nz.libguides.com+2libguides.wvu.edu+2library.fiu.edu+2

Capítulo 7
Retos y oportunidades del rol del analista

Objetivos del capítulo:

Con el presente capítulo se busca que el lector pueda:

- Identificar y comprender los principales desafíos que enfrentan los analistas de inteligencia en su práctica cotidiana.
- Reconocer los dilemas éticos que emergen en el tratamiento, interpretación y comunicación de datos.
- Descubrir las oportunidades profesionales y laborales que están emergiendo en un mercado cada vez más orientado al dato.
- Comprender cómo con las implementaciones adecuadas de inteligencia en casos reales, han generado transformaciones significativas.
- Conocer las habilidades y competencias actuales y de futuro del perfil del analista.
- Reflexionar sobre el rol del analista como figura estratégica y no solo técnica, en un entorno organizacional dinámico y exigente.

1. INTRODUCCIÓN

Los analistas de inteligencia, en cualquiera de sus especialidades, se encuentran hoy en una encrucijada de alta exigencia profesional. Por un lado, se espera de ellos una competencia técnica sólida y actualizada, que incluya el dominio de herramientas analíticas, metodologías avanzadas, lenguajes de programación, modelos predictivos y técnicas de explotación de datos cada vez más sofisticadas. Pero, al mismo tiempo, se les demanda algo que trasciende lo técnico: claridad de juicio, sensibilidad ética, capacidad de síntesis y una visión estratégica que los convierta en interlocutores válidos para la toma de decisiones en los niveles más altos de la organización.

Este doble requerimiento no es casual. Responde a un contexto marcado por entornos VUCA-BANI, donde la volatilidad, la incertidumbre, la complejidad y la ambigüedad conviven con la fragilidad de los sistemas, la ansiedad decisional, la no linealidad de los efectos y la dificultad creciente para comprender relaciones causa-efecto. En este escenario, el analista ya no opera en un marco estable ni con reglas fijas, sino en organizaciones que funcionan en modo BETA permanente, donde procesos, modelos y decisiones se ajustan de forma continua, muchas veces sin posibilidad de validación plena previa.

Sin embargo, esta posición estratégica no está exenta de tensiones. El analista trabaja bajo una presión constante por ofrecer respuestas rápidas en contextos donde la información es incompleta, los plazos son ajustados y las consecuencias de una mala decisión pueden ser significativas.

A ello se suman sesgos institucionales, intereses contrapuestos y culturas organizativas que, en ocasiones, priorizan la confirmación de intuiciones previas frente al análisis riguroso. En paralelo, la gestión de grandes volúmenes de datos —personales, sensibles o estratégicos— abre dilemas éticos cada vez más complejos, desde la protección de la privacidad hasta el uso responsable de algoritmos que influyen, directa o indirectamente, en decisiones automatizadas.

Por todo ello, este capítulo propone un recorrido por los retos y las oportunidades que definen hoy el ejercicio profesional del analista de inteligencia. No se abordarán como polos opuestos, sino como dimensiones interdependientes de una misma realidad. Porque comprender los obstáculos —falta de cultura analítica, dificultades para convertir análisis en acción, presiones políticas o económicas, dependencia excesiva de sistemas automatizados— es condición necesaria para dimensionar el valor diferencial que el analista puede aportar cuando dispone de criterio, respaldo organizativo y margen para ejercer su función con integridad.

La reflexión sobre los desafíos actuales permitirá al lector identificar puntos críticos recurrentes: organizaciones orientadas al dato solo en apariencia, brechas entre análisis y decisión, sobre confianza en modelos predictivos, o expectativas irreales sobre la "objetividad" algorítmica. A su vez, el análisis de las oportunidades mostrará cómo el rol del analista se está expandiendo hacia nuevas funciones: mediador entre datos y estrategia, supervisor cognitivo de sistemas inteligentes, facilitador de decisiones bajo incertidumbre y referente ético en el uso de la información.

En el trasfondo de este capítulo subyace una pregunta esencial: ¿qué hace que el trabajo del analista tenga un impacto real en contextos inestables? La respuesta no reside únicamente en la excelencia técnica ni en el acceso a mejores herramientas. Exige comprender el entorno en el que se ejerce el análisis, asumir los dilemas que atraviesan la profesión y desarrollar capacidades que permitan actuar con criterio cuando no hay certezas completas.

Desde esta perspectiva, el capítulo busca ofrecer claves para pensar, decidir y actuar con mayor conciencia profesional, preparando al lector para un ejercicio del análisis que ya no se mide solo por la precisión de los resultados, sino por su capacidad de orientar decisiones responsables, sostenibles y estratégicamente informadas en un mundo en permanente transición.

2. RETOS COMUNES EN EL ANÁLISIS DE NEGOCIOS

Uno de los Uno de los primeros desafíos que enfrenta cualquier analista de inteligencia en el ejercicio de su rol no es técnico, sino conceptual, y tiene que ver con la propia naturaleza del objeto con el que trabaja: los datos. Aunque a simple vista podría pensarse que disponer de grandes volúmenes de información constituye una ventaja incuestionable, en la práctica ocurre con frecuencia lo contrario. El exceso de datos, cuando no está acompañado de criterio, contexto y capacidad de síntesis, puede resultar tan paralizante como su escasez.

En los entornos actuales, caracterizados no solo por dinámicas VUCA, sino también por condiciones claramente BANI —fragilidad de los sistemas, ansiedad decisional, no linealidad de los efectos y dificultad para interpretar relaciones causales—, la tarea del analista se vuelve especialmente compleja. La volatilidad exige respuestas rápidas; la incertidumbre impide contar con información completa o estable; la complejidad introduce múltiples variables interdependientes difíciles de controlar; y la ambigüedad hace que una misma señal pueda sostener interpretaciones divergentes. En este contexto, analizar ya no es simplemente aplicar técnicas, sino ejercer un juicio constante bajo condiciones de inestabilidad.

Además, el universo del dato se ha expandido de forma exponencial. Ya no proviene únicamente de sistemas estructurados como bases SQL, ERP o informes operativos, sino también de redes sociales, dispositivos móviles, sensores IoT, plataformas digitales, interacciones en tiempo real, correos electrónicos, registros de navegación, imágenes, audios, vídeos, logs de sistemas y fuentes abiertas de todo tipo. A este crecimiento en volumen y variedad se suma la velocidad de generación, lo que provoca que incluso un análisis bien construido pueda quedar obsoleto si no se produce en el momento oportuno.

En este escenario, uno de los mayores retos del analista consiste en distinguir señal de ruido. No todo lo que se mide es útil, ni todo lo que es útil resulta fácilmente medible. La capacidad de priorizar, jerarquizar y poner los datos al servicio de preguntas relevantes se convierte en una competencia estratégica. Aquí, más que herramientas, lo que se necesita es una forma de pensar: una mirada capaz de decidir qué merece atención, qué puede esperar y qué debe descartarse.

A esta complejidad se suman limitaciones técnicas estructurales. Las herramientas disponibles, por avanzadas que sean, no siempre se adaptan a la realidad de cada organización. Problemas de interoperabilidad, datos mal estructurados, duplicidades, errores de origen, ausencia de documentación o falta de gobernanza sobre los flujos de información son situaciones habituales. Ante este panorama, el analista debe desarrollar una resiliencia técnica y cognitiva que le permita avanzar incluso en entornos imperfectos, entendiendo que el análisis real rara vez se produce en condiciones ideales.

Por otro lado, el trabajo analítico se ve profundamente condicionado por la presión del tiempo. No se trata del tiempo como variable cronológica, sino como una fuerza constante que moldea expectativas, ritmos y decisiones. En muchas organizaciones, la necesidad de actuar con rapidez entra en conflicto directo con la profundidad que requiere un análisis riguroso. Esta tensión —tan habitual como poco explicitada— obliga al analista a moverse entre dos exigencias aparentemente contradictorias: responder con agilidad y mantener estándares de calidad.

La lógica de la urgencia permanente, típica de organizaciones que operan en modo BETA continuo, empuja a producir análisis rápidos, a veces incompletos, con escaso margen para la revisión o el contraste. El riesgo aquí no es solo técnico, sino ético y estratégico. Bajo presión, se puede caer en la tentación de confirmar lo que ya se espera, seleccionar los datos que encajan con una narrativa previa u omitir dudas metodológicas que podrían incomodar. En estos contextos, la integridad profesional del analista se convierte en una defensa activa frente a la simplificación excesiva.

Asimismo, la aceleración constante genera un fenómeno cada vez más frecuente: el análisis desechable. Informes que se presentan, se archivan y se olvidan sin que exista tiempo ni espacio para aprender de ellos, capitalizar lecciones o mejorar procesos. Esta dinámica no solo debilita el impacto del análisis, sino que contribuye al desgaste profesional del analista y a la pérdida de valor del área de inteligencia dentro de la organización.

A todo ello se suma otro reto estructural: la ausencia de una cultura empresarial orientada al análisis. En muchas organizaciones, los datos no forman parte del lenguaje cotidiano de la toma de decisiones. Se recurre a ellos de manera instrumental, para justificar decisiones ya tomadas o confirmar intuiciones previas, pero no como una base real para pensar estratégicamente. En estos contextos, el análisis se percibe como un requisito formal o una función técnica aislada, y no como un recurso transversal.

La falta de alfabetización analítica en los niveles decisionales agrava esta situación. Cuando quienes toman decisiones no comprenden conceptos básicos del análisis, difícilmente pueden valorar su alcance, límites o implicaciones. El resultado es que el trabajo del analista pierde impacto, no por falta de calidad, sino por falta de un receptor preparado para integrarlo en el proceso decisional.

Finalmente, uno de los retos más frustrantes para el analista aparece cuando sus recomendaciones, aun siendo sólidas y bien fundamentadas, no se implementan. Las razones rara vez son simples. Pueden existir resistencias políticas, miedo al cambio, falta de recursos, ausencia de estructuras de seguimiento o dificultades para traducir una recomendación en acciones concretas. En estos casos, el problema no es el análisis en sí, sino la gobernanza de la decisión.

Por ello, el rol del analista no puede terminar con la entrega del informe. Si aspira a generar impacto real, debe comprender las dinámicas organizacionales, formular recomendaciones viables en distintos niveles, identificar aliados internos y acompañar —en la medida de lo posible— el tránsito desde el diagnóstico hasta la acción. En entornos complejos, el valor del análisis no reside solo en lo que revela, sino en su capacidad para ser integrado, discutido y sostenido en el tiempo.

En definitiva, los retos que enfrenta el analista en los entornos actuales no son anomalías ni excepciones, sino parte constitutiva de su ejercicio profesional. La complejidad de los datos, la presión del tiempo, la falta de cultura analítica y las dificultades para implementar recomendaciones no deben interpretarse como fallos del sistema, sino como señales del contexto en el que hoy se produce la inteligencia.

Comprender estos desafíos con lucidez permite algo fundamental: dejar de abordarlos como obstáculos individuales y empezar a leerlos como condiciones estructurales del trabajo analítico contemporáneo. Solo desde esa comprensión es posible diseñar estrategias profesionales realistas, proteger la integridad del análisis y posicionar al analista como un actor relevante dentro de la organización.

Lejos de debilitar el rol, estos retos lo redefinen. Exigen menos automatismo y más criterio, menos dependencia de herramientas y más capacidad de interpretación, menos obsesión por la respuesta inmediata y más responsabilidad sobre el impacto de las decisiones. En este sentido, el verdadero riesgo no es trabajar bajo presión o con datos imperfectos, sino renunciar al pensamiento crítico, aceptar la banalización del análisis o reducir la inteligencia a una función meramente justificativa.

Pero allí donde surgen los mayores desafíos, también emergen las mayores oportunidades. Y es precisamente en este punto donde el rol del analista comienza a transformarse, ampliando su campo de acción y su valor estratégico dentro de organizaciones que operan en entornos cada vez más frágiles, ansiosos, no lineales e inciertos.

3. OPORTUNIDADES EMERGENTES DEL ROL DEL ANALISTA EN ENTORNOS VUCA-BANI-BETA

Si bien los entornos VUCA y BANI intensifican la complejidad del trabajo analítico, también abren un espacio de oportunidad sin precedentes para quienes saben leer el contexto y adaptarse a él. En un mundo donde la incertidumbre es estructural y el cambio es constante, la figura del analista deja de ser un especialista técnico para convertirse progresivamente en un actor estratégico, integrador y orientador del sentido.

En las organizaciones que operan en modo BETA permanente, donde las decisiones se toman con información incompleta, los procesos se ajustan sobre la marcha y los modelos se revisan continuamente, el análisis ya no puede aspirar a la perfección estática. Su valor reside en la capacidad de reducir incertidumbre suficiente para actuar, no en eliminarla por completo. Y esta lógica redefine profundamente qué se espera del analista.

Una de las principales oportunidades es el reposicionamiento del analista como intérprete del contexto, y no solo como productor de resultados. En escenarios donde los datos son abundantes pero las certezas escasas, quien sabe contextualizar, priorizar y explicar adquiere una relevancia estratégica superior a quien simplemente calcula o modeliza.

El analista comienza a ser valorado no tanto por la sofisticación técnica de sus métodos, sino por su capacidad de orientar conversaciones, formular mejores preguntas y anticipar implicaciones.

Asimismo, el auge de la inteligencia artificial, la automatización analítica y las plataformas de autoservicio ha desplazado parte del trabajo técnico tradicional. Muchas tareas antes exclusivas del analista hoy pueden ser ejecutadas por sistemas automatizados o por usuarios no técnicos. Lejos de representar una amenaza, este fenómeno libera al analista para asumir funciones de mayor valor añadido: supervisión cognitiva, validación crítica, evaluación de riesgos, detección de sesgos y traducción estratégica.

En este nuevo escenario, el analista se convierte en garante del uso responsable del dato y del algoritmo. Su rol se expande hacia la evaluación de la calidad de los modelos, la interpretación de resultados probabilísticos, la identificación de efectos no deseados y la mediación entre sistemas inteligentes y decisiones humanas. Allí donde la IA propone, el analista dispone; donde el algoritmo sugiere, el analista contextualiza.

Otra oportunidad clave es el fortalecimiento del liderazgo analítico transversal. En entornos complejos, las organizaciones necesitan perfiles capaces de conectar áreas, traducir lenguajes distintos y construir visiones compartidas a partir de información fragmentada. El analista, por su posición intermedia entre datos, negocio y decisión, está especialmente bien situado para desempeñar este rol articulador, siempre que desarrolle competencias comunicativas, políticas y estratégicas.

Además, la creciente sensibilidad social y regulatoria hacia la ética, la transparencia y la rendición de cuentas otorga al analista un papel central en la construcción de confianza institucional. Saber explicar por qué se toma una decisión, con qué datos, con qué límites y con qué riesgos, se convierte en un activo organizacional crítico. En este sentido, el analista no solo produce inteligencia, sino legitimidad.

Finalmente, en entornos BANI, donde la ansiedad, la no linealidad y la fragilidad dominan, emerge una oportunidad menos visible pero decisiva: la capacidad del analista para aportar calma cognitiva. Ordenar información, reducir ruido, explicitar supuestos y mostrar escenarios posibles no solo mejora las decisiones, sino que reduce la incertidumbre percibida. Y esa función, aunque intangible, es uno de los mayores valores que puede aportar la inteligencia en tiempos de inestabilidad.

Decálogo profesional del analista en entornos VUCA-BANI-BETA

De forma integrada, el ejercicio profesional del analista en estos contextos exige asumir una serie de principios orientadores que funcionan más como criterios de actuación que como reglas cerradas:

- El analista debe aceptar que la incertidumbre no se elimina, se gestiona.
- Debe priorizar la relevancia sobre la exhaustividad.
- Debe saber cuándo profundizar y cuándo ofrecer una respuesta suficientemente buena para decidir.
- Debe proteger el pensamiento crítico incluso bajo presión.
- Debe entender la tecnología como aliada, no como sustituto del juicio.

- Debe contextualizar siempre los resultados antes de comunicarlos.
- Debe hacer explícitos los límites, supuestos y riesgos del análisis.
- Debe adaptar el lenguaje sin perder rigor.
- Debe acompañar, cuando sea posible, la implementación de sus recomendaciones.
- Y, sobre todo, debe asumir que su valor no está en producir datos, sino en generar sentido útil.

En conclusión, los entornos VUCA-BANI-BETA no solo redefinen el marco en el que opera el analista, sino también el alcance de su impacto. Lejos de quedar relegado por la automatización o la complejidad, el analista que comprende estas dinámicas y desarrolla las competencias adecuadas se convierte en una figura clave para navegar la incertidumbre, sostener decisiones responsables y construir inteligencia con valor estratégico.

El futuro del análisis no pertenece únicamente a quienes dominen más herramientas, sino a quienes sepan pensar mejor con ellas.

4. PERFIL COMPETENCIAL DEL ANALISTA DE INTELIGENCIA EN ENTORNOS VUCA-BANI-BETA

La figura del analista de inteligencia atraviesa en la actualidad una transformación estructural. No se trata de una evolución incremental del rol, sino de una redefinición profunda de su función, su identidad profesional y su aportación real a la toma de decisiones. Los entornos VUCA primero, BANI después y, más recientemente, los contextos BETA —organizaciones en adaptación permanente, sin estados finales estables— han desplazado el foco desde la técnica hacia el criterio, desde la exactitud hacia la resiliencia analítica y desde la previsión lineal hacia la gestión de la incertidumbre.

En este escenario, el perfil competencial del analista ya no puede entenderse como un inventario de herramientas dominadas, sino como una arquitectura integrada de capacidades, donde lo técnico, lo cognitivo, lo estratégico y lo ético se entrelazan de manera inseparable.

- **De la competencia técnica al juicio analítico avanzado**

Las competencias técnicas siguen siendo necesarias, pero han dejado de ser suficientes. El dominio de bases de datos, estadística, visualización, modelos predictivos, inteligencia artificial o automatización analítica constituye hoy un umbral de entrada, no un elemento diferenciador.

El verdadero valor emerge cuando el analista demuestra juicio analítico: la capacidad de decidir qué técnica aplicar, cuándo hacerlo, con qué datos y con qué grado de confianza. En entornos BANI, donde los sistemas son frágiles y las consecuencias de un error se amplifican rápidamente, aplicar una técnica "correcta" en el contexto equivocado puede ser más peligroso que no aplicar ninguna.

El analista competente no es el que produce más modelos, sino el que reduce la probabilidad de error significativo, identifica supuestos ocultos y explicita los límites de sus conclusiones. Aquí aparece una competencia clave: la gestión consciente de la incertidumbre, aceptando que no todo puede modelizarse ni predecirse con precisión.

- **Pensamiento crítico, epistemología práctica y capacidad de contextualización**

Una competencia central del analista contemporáneo es el pensamiento crítico aplicado a datos, modelos y narrativas. Esto implica cuestionar no solo los resultados, sino también las preguntas iniciales, los marcos de referencia y las expectativas implícitas de quienes solicitan el análisis.

En entornos VUCA-BANI, los datos no son neutros ni autoexplicativos. Un mismo conjunto de información puede sustentar interpretaciones opuestas según el contexto, los intereses en juego o los supuestos de partida. Por ello, el analista debe desarrollar una epistemología práctica, es decir, una conciencia clara de cómo se construye el conocimiento a partir de datos imperfectos.

Contextualizar se convierte en una competencia estratégica. No basta con identificar patrones; es necesario comprender el entorno económico, social, cultural, regulatorio y organizacional en el que esos patrones adquieren sentido. El analista actúa, así como intérprete del significado, no como simple generador de resultados.

- **Inteligencia emocional, resiliencia y gestión de la presión**

Los entornos BANI no solo son técnicamente complejos, también son emocionalmente exigentes. La ansiedad organizacional, la urgencia constante, la presión por respuestas inmediatas y la exposición a decisiones de alto impacto forman parte del ecosistema habitual del analista.

Por ello, la inteligencia emocional deja de ser una habilidad blanda para convertirse en una competencia profesional crítica. Saber trabajar bajo presión sin degradar el rigor, gestionar la frustración cuando los análisis no se implementan, sostener la integridad profesional frente a presiones políticas o comerciales y comunicar incertidumbre sin generar parálisis son habilidades esenciales.

El analista moderno no solo procesa información, gestiona tensiones, tanto propias como ajenas.

- **Comunicación estratégica y narrativa analítica**

En organizaciones saturadas de información, el análisis que no se entiende carece de impacto. La capacidad de comunicar se convierte así en una competencia estructural del rol.

La narrativa analítica implica saber construir un relato coherente que conecte datos, contexto e implicaciones estratégicas. Supone jerarquizar hallazgos, adaptar el lenguaje a la audiencia, anticipar resistencias cognitivas y traducir complejidad en comprensión accionable.

Comunicar bien no significa simplificar en exceso, sino hacer accesible lo esencial sin traicionar el rigor. En este sentido, la comunicación no es el final del análisis, sino parte integral del mismo.

- **Ética, responsabilidad y supervisión cognitiva**

La expansión de la inteligencia artificial, la automatización y los sistemas de decisión algorítmica ha introducido una competencia nueva y decisiva: la supervisión cognitiva. El analista debe ser capaz de evaluar qué procesos pueden automatizarse y cuáles requieren intervención humana.

Esto implica identificar sesgos algorítmicos, riesgos de discriminación, problemas de explicabilidad, efectos no intencionados y dilemas de responsabilidad. La ética deja de ser un marco normativo abstracto para convertirse en una práctica cotidiana de decisión.

El analista del futuro no solo pregunta *qué es posible*, sino *qué es legítimo, responsable y sostenible* en términos organizacionales y sociales.

- **Visión estratégica y orientación a la acción**

Finalmente, el perfil competencial se completa con una clara orientación estratégica. El analista debe comprender cómo sus hallazgos se insertan en procesos reales de decisión, condicionados por recursos limitados, dinámicas de poder, tiempos políticos y restricciones operativas.

Esto exige formular recomendaciones viables, escalonadas y adaptadas al contexto. También implica aceptar que no todas las decisiones se implementarán de inmediato y que el impacto del análisis puede ser progresivo, acumulativo o indirecto.

La inteligencia no se mide por la sofisticación del modelo, sino por su capacidad de influir responsablemente en la acción.

Habilidades de futuro: hacia el analista aumentativo

Si el perfil competencial describe lo que el analista es hoy, las habilidades del futuro apuntan a lo que deberá ser capaz de sostener en escenarios aún más complejos.

Estas habilidades no sustituyen a las anteriores, las amplifican.

- **Pensamiento no lineal y gestión de sistemas complejos**

En entornos BANI, las relaciones causa-efecto son inestables, retardadas o invisibles. El analista del futuro deberá pensar en términos de sistemas complejos, retroalimentaciones, efectos emergentes y escenarios múltiples, abandonando la comodidad de la predicción lineal.

- **Capacidad de aprendizaje continuo y desaprendizaje**

  La obsolescencia acelerada de herramientas y metodologías convierte el aprendizaje permanente en una competencia estructural. Pero igual de importante será la capacidad de desaprender marcos mentales, modelos y supuestos que dejaron de ser válidos.

- **Alfabetización en IA generativa y colaboración humano-máquina**

  El analista del futuro trabajará con sistemas de IA generativa como copilotos cognitivos. Su valor no estará en competir con la máquina, sino en formular mejores preguntas, validar resultados y ejercer control crítico sobre los outputs automatizados.

- **Gestión de la ambigüedad y toma de decisiones con información incompleta**

  La habilidad para decidir —o recomendar decisiones— con datos parciales, contradictorios o inciertos será central. Esto exige tolerancia a la ambigüedad y madurez profesional para convivir con el error controlado.

- **Capacidad de influencia ética y liderazgo silencioso**

  El analista del futuro ejercerá un liderazgo no jerárquico, basado en credibilidad, rigor y confianza. Su influencia no vendrá del cargo, sino de la calidad sostenida de su criterio.

Decálogo del analista de inteligencia en entornos VUCA-BANI-BETA

Este decálogo no pretende ser normativo ni cerrado. Su objetivo es sintetizar los principios operativos y competenciales que definen al analista contemporáneo y proyectan su rol hacia el futuro inmediato.

1. **Pensar antes de modelizar**

   El analista no comienza aplicando técnicas, sino formulando preguntas relevantes. El modelo es una consecuencia del problema, no su sustituto.

2. **Priorizar sentido sobre volumen**

   En entornos saturados de datos, el valor reside en reducir complejidad, no en ampliarla. Seleccionar es una forma avanzada de inteligencia.

3. **Contextualizar siempre los resultados**

   Ningún dato es neutro ni autosuficiente. Todo hallazgo debe ser interpretado dentro de su contexto organizacional, social y estratégico.

4. **Gestionar la incertidumbre de forma explícita**

   El analista responsable no promete certezas inexistentes. Comunica probabilidades, márgenes de error y supuestos con honestidad profesional.

5. **Mantener independencia de criterio**

   La presión política, comercial o institucional no debe distorsionar la lectura del dato. La credibilidad es el principal activo del analista.

6. **Integrar ética y técnica como un todo**

   No todo lo técnicamente posible es analíticamente legítimo. La ética no es un añadido, es parte del método.

7. **Traducir complejidad en acción**

   El análisis no se mide por su sofisticación, sino por su capacidad de orientar decisiones viables y oportunas.

8. **Supervisar la automatización**

   La IA no reemplaza al analista; lo obliga a ejercer un rol de supervisión cognitiva, validación crítica y control de sesgos.

9. **Aprender, desaprender y reaprender**

   Las herramientas cambian, los contextos mutan y los marcos mentales deben actualizarse. La adaptabilidad es una competencia estructural.

10. **Construir confianza a largo plazo**

    El impacto del análisis es acumulativo. La consistencia, la claridad y la integridad generan influencia sostenible en el tiempo.

5. EVOLUCIÓN DEL ROL DEL ANALISTA: DE ANALISTA 1.0 A ANALISTA 4.0

Dimensión	Analista 1.0	Analista 2.0	Analista 3.0	Analista 4.0 (VUCA-BANI-BETA)
Enfoque principal	Descriptivo	Diagnóstico	Predictivo	Anticipativo y estratégico
Rol organizacional	Técnico	Especialista	Consultor interno	Mediador del conocimiento
Relación con los datos	Consumo	Interpretación	Modelización	Curaduría y supervisión
Herramientas	Excel, SQL básico	BI, dashboards	ML, IA, Big Data	IA generativa + juicio humano
Tipo de decisiones	Operativas	Tácticas	Estratégicas	Complejas e inciertas
Gestión del error	Evitarlo	Minimizarlo	Modelizarlo	Gestionarlo conscientemente
Comunicación	Técnica	Explicativa	Ejecutiva	Narrativa estratégica
Ética	Implícita	Normativa	Declarativa	Práctica cotidiana
Relación con la IA	Inexistente	Asistencial	Colaborativa	Supervisión cognitiva
Valor diferencial	Precisión	Rigor	Predicción	Criterio e impacto

El cuadro presentado no describe únicamente una evolución técnica del rol del analista, sino una transformación profunda de su identidad profesional, su posición organizacional y su función cognitiva dentro de entornos crecientemente complejos. Cada estadio —Analista 1.0, 2.0, 3.0 y 4.0— responde a un momento histórico, tecnológico y cultural distinto, y refleja cómo el análisis se adapta a las necesidades reales de decisión de cada época.

El Analista 1.0 surge en contextos relativamente estables, donde la principal necesidad organizacional es describir lo ocurrido. Su función se centra en recopilar datos, ordenarlos y presentarlos de forma básica. Trabaja fundamentalmente con herramientas como Excel o consultas SQL simples, y su valor reside en la precisión técnica. Es un perfil eminentemente operativo, orientado a responder preguntas del tipo *qué pasó* o *cuánto ocurrió*. En este estadio, el error se concibe como algo a evitar y la ética aparece de forma implícita, sin una reflexión consciente sobre sus implicaciones. No existe relación con sistemas de inteligencia artificial y la comunicación es estrictamente técnica.

Con la complejización de los entornos y el crecimiento de los volúmenes de datos, emerge el Analista 2.0, cuyo foco ya no es solo descriptivo, sino diagnóstico. Este profesional comienza a interpretar, comparar y explicar causas, utilizando herramientas de Business Intelligence y dashboards. Su rol evoluciona hacia el de especialista, capaz de aportar lectura analítica a problemas concretos. El análisis se integra en decisiones tácticas y el error pasa de ser algo a evitar a algo que debe minimizarse mediante mejores métodos. La ética comienza a formalizarse a través de normativas y políticas internas, aunque todavía no forma parte del núcleo cotidiano del análisis.

El Analista 3.0 representa un salto cualitativo relevante. En este estadio, el análisis se vuelve predictivo y se apoya en modelos estadísticos avanzados, machine learning e inteligencia artificial. El analista ya no solo explica el pasado, sino que proyecta escenarios futuros, anticipa comportamientos y orienta decisiones estratégicas. Su rol se aproxima al de un consultor interno, con capacidad de influencia en niveles directivos. Aquí el error deja de concebirse únicamente como una desviación y pasa a ser modelizado: se trabaja con probabilidades, márgenes de incertidumbre y escenarios alternativos. La ética se vuelve declarativa, reconocida como importante, pero aún no siempre integrada de forma práctica en cada decisión analítica. La relación con la IA es colaborativa: la máquina apoya, acelera y amplía la capacidad analítica humana.

Finalmente, el Analista 4.0, propio de entornos VUCA-BANI-BETA, supone una redefinición profunda del rol. En contextos marcados por fragilidad, ansiedad, no linealidad e incomprensibilidad, el análisis deja de aspirar al control y se orienta a la anticipación estratégica y a la gestión consciente de la incertidumbre. El analista ya no es solo técnico, especialista o consultor, sino un mediador del conocimiento, capaz de traducir complejidad en comprensión compartida.

En este estadio, la relación con los datos ya no es de consumo, interpretación o modelización, sino de curaduría y supervisión. El analista decide qué datos importan, cómo deben leerse, qué límites tienen los modelos y cuándo es necesario frenar una automatización excesiva. Las herramientas incluyen inteligencia artificial generativa, sistemas autónomos y simulaciones avanzadas, pero el verdadero valor diferencial ya no reside en la tecnología, sino en el juicio humano que la gobierna.

Las decisiones que acompaña el Analista 4.0 son complejas, inciertas y cargadas de implicaciones éticas, políticas y sociales. El error no se elimina ni se reduce únicamente: se gestiona conscientemente, se comunica y se integra como parte del proceso decisional. La comunicación evoluciona hacia una narrativa estratégica, capaz de generar sentido en contextos de presión y ansiedad organizacional.

En este nivel, la ética deja de ser normativa o declarativa y se convierte en una práctica cotidiana, presente en cada elección metodológica, cada visualización, cada recomendación y cada silencio. La relación con la inteligencia artificial se redefine radicalmente: el analista actúa como supervisor cognitivo, responsable de auditar, contextualizar y, cuando sea necesario, cuestionar las inferencias producidas por sistemas opacos.

Así, el recorrido del Analista 1.0 al 4.0 no es simplemente una progresión técnica, sino un desplazamiento desde la precisión hacia el criterio, desde la ejecución hacia la responsabilidad, y desde el análisis como producto hacia el análisis como impacto real en la toma de decisiones. En el horizonte actual y futuro, el verdadero valor del analista no estará en saber más, sino en pensar mejor, decidir con conciencia y sostener el sentido en entornos donde este se vuelve frágil.

6. SOFT SKILLS, HARD SKILLS Y E-SKILLS DEL ANALISTA DE INTELIGENCIA

En los entornos actuales, la distinción clásica entre habilidades técnicas y habilidades blandas resulta insuficiente. El analista moderno necesita un equilibrio dinámico entre hard skills, soft skills y e-skills, entendidas estas últimas como competencias híbridas propias de la economía digital avanzada.

Hard skills: el umbral técnico imprescindible

Las hard skills constituyen la base operativa del analista. Son necesarias, pero ya no suficientes por sí solas.

Incluyen, entre otras:

- Gestión y modelado de bases de datos (SQL, NoSQL, cloud)
- Estadística descriptiva e inferencial
- Análisis exploratorio de datos (EDA)
- Visualización avanzada (Power BI, Tableau, etc.)
- Modelos predictivos y machine learning
- Conocimiento básico de IA y automatización
- Comprensión de arquitecturas de datos y gobernanza

Estas competencias permiten operar con solvencia, pero no garantizan impacto estratégico.

Soft skills: el factor diferencial invisible

Las soft skills determinan si el análisis se entiende, se acepta y se utiliza. En entornos BANI, estas habilidades se vuelven críticas.

Entre las más relevantes destacan:

- Pensamiento crítico y capacidad de cuestionamiento
- Comunicación clara y adaptativa
- Inteligencia emocional y autocontrol bajo presión
- Empatía organizacional
- Capacidad de negociación y gestión de expectativas
- Tolerancia a la ambigüedad
- Ética profesional e integridad intelectual

Estas habilidades convierten al analista en actor estratégico, no solo en productor de informes.

E-skills: competencias emergentes del analista aumentado

Las e-skills representan la frontera actual del rol. Son competencias híbridas, digitales y cognitivas, que conectan tecnología, pensamiento y contexto.

Incluyen:

- Alfabetización en IA generativa y modelos fundacionales
- Supervisión de sistemas automatizados
- Diseño de prompts y validación de outputs
- Pensamiento sistémico y no lineal
- Gestión de información en tiempo real
- Capacidad de trabajar con datos incompletos
- Curaduría de conocimiento y reducción de ruido
- Conciencia de sesgos algorítmicos y cognitivos

Aquí el analista deja de competir con la tecnología y pasa a orquestarla.

Como cierre; el analista de inteligencia del presente —y del futuro inmediato— no se define por una herramienta, un lenguaje o una técnica concreta. Se define por su capacidad de integrar conocimiento, contexto y criterio en escenarios donde la incertidumbre es estructural.

En entornos VUCA-BANI-BETA, el verdadero valor no está en predecir el futuro, sino en ayudar a decidir mejor cuando el futuro no es predecible.

Ese es el núcleo del nuevo perfil analítico.Y también, su mayor responsabilidad.

“Si los retos y oportunidades redefinen el *qué* y el *cómo* del análisis, la ética redefine el *para qué* y el *hasta dónde*.

7. ÉTICA EN EL MANEJO DE DATOS

Como sabemos, nos encontramos inmersos en un panorama donde la información fluye en volúmenes sin precedentes y se integra en los procesos más sensibles de decisión, por todo ello ofrecemos una reflexión al respecto.

La ética en el manejo de datos se ha convertido en uno de los ejes centrales del ejercicio profesional del analista de inteligencia. En un contexto en el que la información circula a una velocidad inédita, se combina de formas cada vez más sofisticadas y se integra en procesos críticos de decisión, la cuestión ética ya no puede entenderse como un complemento normativo ni como una obligación externa impuesta por marcos legales. Muy al contrario, constituye una dimensión estructural del análisis, inseparable de su calidad, legitimidad y sostenibilidad en el tiempo.

Durante años, muchas organizaciones han abordado la ética desde una lógica defensiva, asociándola casi exclusivamente al cumplimiento de normativas de protección de datos. Sin embargo, la experiencia demuestra que actuar dentro de la legalidad no equivale necesariamente a actuar de manera ética. Existen prácticas que, aun siendo formalmente legales, plantean serios dilemas morales: la recolección masiva de datos sin un propósito claro, la elaboración de perfiles excesivamente intrusivos, la inferencia de atributos sensibles sin consentimiento explícito o la utilización de análisis conductuales para influir de manera opaca en decisiones individuales o colectivas. En estos casos, el problema no es jurídico, sino ético, y afecta directamente a la confianza, la legitimidad y la responsabilidad social de la inteligencia producida.

La ética del análisis de datos comienza, por tanto, en la reflexión sobre la finalidad. Toda recopilación de información debería responder a una pregunta legítima, necesaria y proporcional. El principio de minimización adquiere aquí una relevancia central: no se trata de recolectar todo lo que es técnicamente posible, sino únicamente aquello que resulta pertinente para el objetivo planteado. Lejos de ser una limitación, esta contención constituye una práctica ética avanzada, ya que reduce riesgos, evita usos indebidos y obliga al analista a afinar su pensamiento. En un entorno BANI, caracterizado por la fragilidad, la ansiedad y la sobrecarga informativa, el exceso de datos no solo incrementa la exposición al error, sino que también degrada el juicio analítico.

En este marco, la relación entre la organización y las personas cuyos datos son analizados se convierte en un punto crítico. Dicha relación está atravesada por una asimetría de poder evidente: quien analiza dispone de capacidades técnicas, recursos y conocimiento que el sujeto de datos no siempre posee. Por ello, la ética actúa como un mecanismo de equilibrio. La transparencia, entendida como la comunicación clara y comprensible de los fines, métodos y consecuencias del análisis, no es solo un deber informativo, sino una condición para la confianza.

Cuando las personas desconocen cómo se utilizan sus datos, o perciben opacidad en los procesos, se erosiona la legitimidad del sistema analítico y se genera resistencia social, incluso cuando no existen abusos manifiestos.

El respeto por la privacidad debe comprenderse en un sentido amplio. No se limita a la protección frente a accesos no autorizados, sino que incluye el compromiso de no utilizar la información más allá de los fines declarados, de no cruzar datos de forma invasiva sin justificación ética y de no inferir características que las personas no han decidido revelar. La capacidad actual de los sistemas analíticos para deducir aspectos sensibles a partir de patrones aparentemente triviales amplifica esta responsabilidad. La privacidad no se vulnera únicamente por lo que se expone, sino también por aquello que se infiere sin consentimiento.

El consentimiento informado, por su parte, no puede reducirse a una formalidad administrativa. Para ser éticamente válido, debe ser libre, comprensible, específico y revocable. En la práctica, muchas organizaciones han vaciado este concepto de contenido, convirtiéndolo en un trámite automático que las personas aceptan sin verdadera comprensión. Frente a ello, emergen modelos más avanzados de gestión dinámica del consentimiento, que reconocen el derecho de los individuos a revisar, modificar y limitar el uso de sus datos en función del contexto. En este escenario, el analista no es un mero ejecutor de políticas, sino un agente que puede —y debe— elevar el estándar ético del tratamiento de la información.

La complejidad ética se intensifica cuando el análisis de datos se integra en sistemas de decisión automatizada.

Cada vez con mayor frecuencia, algoritmos y modelos predictivos influyen en decisiones que afectan directamente a personas y organizaciones: concesión de créditos, detección de fraudes, selección de candidatos, evaluación de riesgos o asignación de recursos. Aunque estas herramientas ofrecen mejoras sustanciales en eficiencia y capacidad de procesamiento, no son neutrales. Están construidas sobre datos históricos que reflejan desigualdades, sesgos y estructuras de poder preexistentes. Sin una supervisión adecuada, pueden reproducir y amplificar dichas distorsiones de forma sistemática.

Uno de los principales riesgos asociados a estos sistemas es la opacidad. Cuando los modelos operan como cajas negras, resulta difícil explicar por qué se ha tomado una determinada decisión. Esta falta de explicabilidad entra en conflicto con principios básicos de justicia y rendición de cuentas, especialmente en ámbitos sensibles como la salud, la justicia o las finanzas. La explicabilidad algorítmica, aunque técnicamente compleja, se convierte así en una exigencia ética. No se trata solo de mejorar la confianza en los sistemas, sino de permitir la revisión crítica, la corrección de errores y la asunción de responsabilidades.

Asimismo, existe el peligro de una delegación excesiva del juicio humano. La confianza ciega en los algoritmos puede llevar a que los decisores acepten recomendaciones sin cuestionarlas, desplazando la responsabilidad hacia la tecnología. En este contexto, el analista adquiere un rol crucial como supervisor cognitivo, encargado de auditar modelos, detectar sesgos, contextualizar resultados y recordar que la automatización no exime de responsabilidad. Automatizar no es deshumanizar, siempre que el juicio humano siga siendo el último filtro.

Otro de los grandes dilemas éticos del análisis surge cuando este es instrumentalizado por intereses organizacionales. La manipulación, la censura o el uso selectivo de los resultados constituyen amenazas reales y frecuentes. A veces se manifiestan de forma sutil, mediante solicitudes de reformulación, omisión de hallazgos incómodos o cambios de enfoque orientados a suavizar conclusiones. En otras ocasiones, el análisis se utiliza exclusivamente para legitimar decisiones ya tomadas. En estos casos, la inteligencia pierde su función crítica y se convierte en un recurso decorativo. Puede hablarse aquí de una forma de "violencia analítica blanda", en la que los datos no se falsifican, pero sí se silencian, diluyen o desactivan.

Estas prácticas colocan al analista en una posición de tensión ética. Su responsabilidad no es confrontar de manera sistemática, pero sí preservar la integridad de su trabajo. Documentar supuestos, registrar versiones alternativas, advertir sobre limitaciones y promover espacios de revisión son estrategias que permiten mantener la calidad analítica sin caer en conflictos improductivos. La existencia de marcos institucionales, como códigos de ética, comités de revisión o procesos de validación por pares, resulta fundamental para no cargar al profesional con una responsabilidad que debería ser compartida.

En última instancia, cuando los controles externos son débiles o inexistentes, la ética personal del analista se convierte en el último sistema de seguridad. Cada decisión aparentemente técnica —qué variable incluir, qué visualización utilizar, qué advertencias incorporar— encierra una elección moral. Esta ética no se impone desde fuera; se cultiva a través de la formación continua, la reflexión crítica, el diálogo con pares y la disposición a revisar las propias prácticas. El analista ético no es quien nunca se equivoca, sino quien se hace preguntas incómodas, reconoce límites y asume el impacto potencial de su trabajo.

Además, el compromiso ético del analista tiene una dimensión pedagógica y cultural. Su forma de comunicar, de reconocer incertidumbres y de señalar riesgos influye en cómo la organización entiende el valor del análisis. Contribuye, de manera silenciosa pero constante, a construir una cultura del dato más responsable, menos dogmática y más consciente de sus implicaciones humanas.

En definitiva, la ética en el manejo de datos no es un freno al desarrollo de la inteligencia, sino su condición de posibilidad. En entornos complejos, frágiles y no lineales, actuar con ética no garantiza decisiones perfectas, pero sí decisiones conscientes. Y esa conciencia, en un mundo donde los datos se han convertido en una forma de poder, es probablemente la expresión más elevada de la inteligencia analítica.

8. OPORTUNIDADES EN UN MERCADO LABORAL EN EXPANSIÓN

Durante la última década, la digitalización ha dejado de ser una tendencia para convertirse en un imperativo estructural. Las organizaciones —públicas y privadas, grandes y pequeñas, globales y locales— han comprendido que su supervivencia y crecimiento dependen de su capacidad para operar en un entorno donde los datos ya no son un subproducto de la operación, sino un activo estratégico central. En ese contexto, el rol del analista de inteligencia ha emergido con fuerza, consolidándose como uno de los perfiles profesionales más demandados en la economía del conocimiento.

Esta expansión no se explica únicamente por el aumento del volumen de información disponible, sino por un fenómeno más decisivo: la brecha entre dato y decisión. Hoy muchas organizaciones capturan y almacenan datos a gran escala, pero siguen teniendo dificultades para convertirlos en comprensión situacional, anticipación y ventaja competitiva. Ahí es donde el analista aporta un valor diferencial: no "produce reportes", sino que transforma señales dispersas en orientación accionable, en un contexto donde abundan los datos, pero escasea la claridad.

La masificación de tecnologías como la computación en la nube, la analítica en tiempo real, el Internet de las cosas, los sistemas de información geográfica (SIG), la inteligencia artificial y, cada vez más, la IA generativa, ha multiplicado tanto la disponibilidad como la complejidad de los datos. Esto ha reforzado la demanda de perfiles capaces de integrar fuentes heterogéneas y sostener criterios de calidad, trazabilidad y sentido estratégico. En paralelo, el mercado laboral está premiando a quienes pueden operar como nexos: entre negocio y tecnología, entre operaciones y dirección, entre riesgo y oportunidad.

En términos de tendencias globales, diversos informes de prospectiva laboral han ido situando los perfiles vinculados a datos e inteligencia como roles de alto crecimiento. Por ejemplo, en el marco del *Future of Jobs Report 2023* del World Economic Forum, se destaca el crecimiento esperado de roles como AI and Machine Learning Specialists, Data Analysts and Scientists y Digital Transformation Specialists, junto con un incremento relevante en perfiles de Information Security Analysts.

Más allá del listado, lo relevante para el capítulo es la lectura de fondo: la economía está premiando la capacidad de traducir complejidad en decisión, especialmente cuando la automatización aumenta y la interpretación humana se vuelve un recurso crítico (criterio, supervisión, ética y "sentido de negocio").

Un rasgo particularmente valioso del perfil del analista es su transversalidad sectorial. A diferencia de otros perfiles tecnológicos con trayectorias más estrechas, el analista puede insertarse en banca, retail, energía, salud, logística, industria, sector público, consultoría y defensa, siempre que existan datos y decisiones relevantes. Esta portabilidad profesional incrementa su empleabilidad y amplía sus itinerarios de carrera: desde funciones operativas (reporting, control, monitoreo) hasta posiciones de inteligencia estratégica, gestión del riesgo, transformación digital o liderazgo de analítica.

En paralelo, la democratización de herramientas de BI (Power BI, Tableau, Looker, etc.) ha tenido un doble efecto. Por un lado, ha multiplicado la demanda de perfiles analíticos, al permitir que más áreas quieran (y puedan) trabajar con datos. Por otro, ha elevado el estándar: en un mundo donde "hacer dashboards" es relativamente accesible, el diferencial competitivo se desplaza hacia la capacidad de formular buenas preguntas, diseñar indicadores con sentido, evitar la infoxicación y sostener una narrativa de decisión. Dicho de otro modo: el mercado sigue demandando analistas, pero cada vez exige analistas más completos, menos instrumentales.

En entornos VUCA/BANI/BETA, esta oportunidad se intensifica por una razón estructural: cuando aumenta la volatilidad y la ansiedad, las organizaciones tienden a tomar decisiones más rápidas, pero también más expuestas a sesgos, errores y reactividad.

En ese escenario, el analista gana relevancia como figura que reduce incertidumbre operativa (aunque no la elimine), mejora la calidad del juicio y aporta un marco de interpretación que hace "gobernable" la complejidad.

Otro motor de expansión es la ciberseguridad, convertida ya en prioridad de dirección. Aquí la figura del analista (ciberinteligencia, OSINT, análisis de amenazas, fraude, riesgo digital) se ha desplazado desde lo puramente técnico hacia lo estratégico: prevención, resiliencia, continuidad, reputación y respuesta ante crisis. En este marco, el analista no solo detecta señales, sino que ayuda a priorizar, contextualizar impactos y sostener decisiones bajo presión. Esta evolución conecta con la idea de que el valor del análisis no está en "ver más", sino en ver antes y explicar mejor.

La expansión del trabajo híbrido y remoto también ha ampliado el mercado potencial, permitiendo que organizaciones internacionales contraten talento más allá de sus fronteras físicas. Esto abre oportunidades reales, pero eleva el listón de competencia: inglés técnico, comunicación escrita rigurosa, trabajo asíncrono, capacidad de sintetizar y presentar conclusiones ejecutivas en formatos breves y reproducibles.

En la práctica, el analista remoto que más compite no es el que "programa mejor", sino el que consigue que su análisis tenga tracción organizacional: claridad, foco, storytelling, y una disciplina de documentación que permita auditoría y reutilización.

A medida que el rol se consolida, emerge además una tendencia de fondo: el auge del analista híbrido y multidimensional. Este perfil integra competencias técnicas (datos, modelos, automatización) con capacidades de negocio (procesos, prioridades, viabilidad) y habilidades comunicativas (narrativa, visualización, gestión de expectativas). Su ventaja es evidente: puede dialogar con IT y con dirección, con operaciones y con compliance, con marketing y con riesgos. En organizaciones donde el conocimiento está fragmentado, este analista actúa como integrador y reduce fricciones internas.

En suma, el mercado laboral del análisis está en expansión no por moda, sino por necesidad estructural. A medida que las organizaciones automatizan tareas y multiplican datos, aumenta el valor de quienes pueden supervisar, interpretar y convertir información en decisiones responsables. Por eso, el crecimiento del rol del analista no es un fenómeno coyuntural: es un indicador de que la inteligencia aplicada se está convirtiendo en una competencia básica de supervivencia organizacional.

Quien se forme con seriedad, cultive pensamiento crítico y domine la dimensión ética y comunicacional del análisis, encontrará un campo fértil para construir una carrera con impacto real, dentro y fuera de su sector de origen.

8.1. Oportunidades y riesgos: cómo aprovechar un mercado en expansión sin caer en el espejismo del dato

El crecimiento sostenido del mercado laboral para analistas de inteligencia abre un escenario cargado de oportunidades, pero también de riesgos menos visibles que conviene abordar con madurez profesional. En contextos de alta demanda, no todo crecimiento implica consolidación de valor, ni toda oportunidad garantiza impacto real. Por ello, tan importante como identificar las oportunidades del mercado es comprender las trampas que pueden vaciar de sentido el rol del analista si no se gestionan con criterio.

Uno de los riesgos más evidentes es el hype tecnológico. La proliferación de herramientas de análisis, plataformas de inteligencia artificial, soluciones “no-code” y modelos automatizados ha generado la percepción de que el valor del analista reside principalmente en el dominio de la última tecnología disponible. Sin embargo, esta lógica es engañosa. Las herramientas cambian con rapidez, se estandarizan y, con frecuencia, se vuelven comoditizadas. El conocimiento profundo, en cambio, es el que permite decidir cuándo usar una herramienta, cuándo no hacerlo y cómo interpretar críticamente sus resultados.

En este sentido, el mercado no demanda únicamente técnicos capaces de ejecutar procesos analíticos, sino profesionales que sepan poner límites a la tecnología. El analista valioso es aquel que entiende que no todo lo técnicamente posible es estratégicamente conveniente, ni éticamente aceptable. En entornos BANI —frágiles, ansiosos y no lineales—, el exceso de automatización puede amplificar errores, generar falsas certezas o acelerar decisiones mal fundamentadas. Por ello, el analista que se posiciona como supervisor cognitivo y no como mero operador de herramientas incrementa su relevancia profesional.

Otro riesgo frecuente es la titulitis instrumental, es decir, la acumulación de certificaciones, cursos rápidos o credenciales técnicas sin una integración real en una visión profesional coherente. El mercado laboral inicial puede premiar esta acumulación, pero a medio plazo lo que distingue a los perfiles sólidos es su capacidad para articular criterio, no su listado de herramientas dominadas. En organizaciones maduras, el analista que no puede explicar con claridad el sentido de su análisis, sus supuestos y sus límites pierde credibilidad, aunque maneje tecnología avanzada.

A ello se suma el peligro de la dependencia acrítica de la inteligencia artificial. La IA —y especialmente la IA generativa— está redefiniendo la forma de trabajar con información, pero también introduce una ilusión de competencia. Modelos que redactan informes, generan visualizaciones o sugieren hipótesis pueden inducir a confundir velocidad con comprensión.

El analista que delega su juicio en sistemas automáticos corre el riesgo de convertirse en un validador pasivo de resultados que no controla plenamente. En este escenario, el mercado penaliza cada vez más la falta de pensamiento crítico, incluso cuando los outputs son formalmente correctos.

Desde una perspectiva estratégica, aprovechar de forma inteligente el mercado en expansión implica asumir que el valor del analista se desplaza progresivamente desde el hacer análisis hacia el hacer pensar con análisis. Las organizaciones no necesitan más datos ni más dashboards; necesitan orientación en escenarios complejos, lectura contextual, anticipación de riesgos y construcción de sentido compartido. Por tanto, el analista que quiera diferenciarse debe invertir en capacidades que no se automatizan con facilidad: comprensión del entorno, lectura sistémica, ética aplicada, comunicación estratégica y gestión de la incertidumbre.

Este enfoque también exige una actitud profesional consciente. El analista del futuro inmediato no puede limitarse a responder encargos. Debe aprender a formular problemas, a cuestionar supuestos implícitos y a advertir cuando una pregunta está mal planteada. En mercados saturados de información, quien define bien el problema tiene más valor que quien ofrece respuestas rápidas a preguntas equivocadas. Esta capacidad de redefinición es, de hecho, una de las competencias más demandadas en contextos VUCA y BANI.

Finalmente, existe un riesgo más sutil pero igualmente relevante: la pérdida de sentido del impacto. En un entorno donde los análisis se producen en cadena, se presentan y se archivan con rapidez, el analista puede caer en una lógica de producción sin reflexión. Aprovechar realmente el mercado laboral implica resistirse a esa dinámica y reclamar —con hechos, no con discursos— un lugar en la conversación estratégica. Esto requiere paciencia, credibilidad acumulada y la capacidad de demostrar que el análisis no es un producto final, sino un proceso que acompaña la decisión.

En conclusión, el mercado laboral del análisis ofrece hoy más oportunidades que nunca, pero también exige mayor responsabilidad profesional. Quienes se limiten a seguir la tecnología probablemente encontrarán trabajo; quienes logren integrar tecnología, criterio, ética y visión estratégica construirán carrera. En un mundo donde la información es abundante y la orientación escasa, el analista que sabe pensar —y ayudar a otros a pensar mejor— no solo será empleable, sino necesario.

El mercado no busca solo más analistas, sino mejores analistas

Anexo. Casos de éxito en la implementación de inteligencia de negocios

Si bien la teoría y los marcos metodológicos permiten comprender los fundamentos de la inteligencia de negocios, es en la práctica donde realmente se aprecia su verdadero impacto. Es por ello que, en este epígrafe veremos una serie de casos que muestran cómo la inteligencia de negocios ha sido aplicada exitosamente en distintos sectores y contextos. De igual modo, más allá de su diversidad, estos casos comparten un mismo eje, que es el análisis bien integrado, éticamente orientado y estratégicamente aplicado. Lo que es un activo esencial para la toma de decisiones inteligentes y sostenibles.

Caso 1: *inteligencia analítica en la gestión de la cadena de suministro*

En 2021, la multinacional Unilever enfrentaba uno de los mayores desafíos logísticos de su historia reciente, pues comenzó a experimentar interrupciones en la cadena de suministro global como consecuencia de la pandemia de COVID-19, el encarecimiento de materias primas, la congestión en puertos y la volatilidad de la demanda. Ante tal situación, la empresa decidió acelerar la implementación de una estrategia de inteligencia de negocios orientada a generar resiliencia operativa y anticipación proactiva.

La realidad era que la compañía ya contaba con una infraestructura de datos sólida, pero lo que sucedía era que no estaba plenamente integrada ni explotada de forma predictiva.

Por tanto, el equipo de analistas en colaboración con *partners* tecnológicos, comenzó a desarrollar modelos avanzados de análisis que permitieran simular escenarios de interrupción, detectar cuellos de botella y optimizar decisiones logísticas en tiempo real. Para ello, emplearon herramientas como SAP Hana, Power BI, algoritmos de *machine learning* y sensores IoT instalados en plantas y vehículos. Y así, es como pudieron construir un ecosistema de inteligencia operativa integrada.

De hecho, uno de sus mayores logros fue la creación de un *dashboard* interactivo global que permitía a los responsables regionales visualizar en tiempo real el estado de sus cadenas de suministro, incluyendo niveles de inventario, plazos de entrega, rutas alternativas y variables de riesgo —como el clima, restricciones sanitarias, conflictos geopolíticos, etc—. Esta visibilidad estratégica les permitió reaccionar ante eventos disruptivos y también anticiparse a ellos mediante alertas predictivas basadas en patrones históricos y señales tempranas.

Además de las mejoras operativas, esta implementación tuvo un efecto cultural dentro de la organización. La analítica dejó de ser vista como una función técnica aislada y se convirtió en un recurso estratégico transversal.

E incluso los directivos comenzaron a basar decisiones clave en escenarios simulados, lo cual redujo errores costosos y mejoró la planificación interdepartamental. También se desarrollaron rutinas de revisión de datos colaborativas, y los informes dejaron de ser documentos unidireccionales para transformarse en herramientas de diálogo e innovación.

El resultado fue contundente, pues en menos de un año, Unilever reportó una mejora del 15% en eficiencia logística, una reducción del 20% en pérdidas por interrupciones no previstas, y una mayor capacidad para responder a la volatilidad del mercado. Lo más notable, sin embargo, fue el cambio de mentalidad. Pues la inteligencia de negocios pasó de ser un soporte técnico para convertirse en un pilar de la estrategia global.

Caso 2: *transformación del servicio al cliente mediante BI*

Con este caso que vivió la empresa estadounidense T-Mobile, estamos ante uno de los más ilustrativos de cómo la inteligencia de negocios puede transformar la experiencia del cliente. Y es que, a lo largo de la última década la compañía enfrentaba múltiples desafíos vinculados a la fidelización de clientes, la alta tasa de abandono —churn rate— y la dispersión de datos entre departamentos. Para revertir esta situación, emprendió una profunda transformación basada en el uso estratégico de *Business Intelligence*, combinando herramientas de análisis predictivo, minería de datos y visualización integrada.

Pues bien, el núcleo de la estrategia fue centralizar toda la información de los clientes —desde datos de facturación hasta interacciones en redes sociales— en una plataforma unificada que permitiera al equipo de atención al cliente comprender, anticipar y personalizar la relación con cada usuario. Para ello, T-Mobile implementó soluciones como Tableau, Hadoop y herramientas de análisis en la nube, generando *dashboards* en tiempo real que ofrecían a los agentes de soporte información crítica antes y durante cada contacto con el cliente.

Entre los resultados, uno de los más destacados fue la capacidad de identificar señales tempranas de insatisfacción. A partir de patrones históricos, comentarios de clientes y métricas de uso, los analistas desarrollaron modelos de predicción de abandono que alertaban a los equipos comerciales con semanas de anticipación. Lo que permitió intervenir proactivamente con ofertas personalizadas, cambios de plan o mejoras en el servicio técnico, reduciendo la rotación y mejorando significativamente la retención de usuarios.

Además, la compañía rediseñó completamente sus cuadros de mando internos. El antiguo modelo jerárquico de reportes fue reemplazado por un sistema más horizontal, donde cualquier empleado podía acceder a los *insights* relevantes en función de su rol.

Por ende, tal democratización del análisis potenció la autonomía operativa y fomentó una cultura orientada al dato en todos los niveles de la organización.

Gracias a todos estos movimientos, en menos de dos años, T-Mobile logró disminuir su tasa de cancelaciones, mejorar la satisfacción del cliente y reducir los tiempos de resolución de reclamos. Pero más allá de los indicadores puntuales, lo que este caso demuestra es que el análisis bien integrado sirve para interpretar lo que ya pasó, sí, pero también para anticipar lo que podría pasar y actuar antes de que el problema escale.

Además, esta clase de inteligencia de negocios, centrada en el cliente, representa una evolución clara en el rol del analista, pues pasa de ser un mero generador de reportes, a un actor fundamental en la creación de relaciones más sólidas, empáticas y sostenibles entre la empresa y su base de usuarios.

Caso 3: *prevención del fraude financiero mediante análisis predictivo*

En el sector financiero, como es lógico la prevención del fraude es una prioridad crítica. Y ello se debe a que las instituciones financieras enfrentan constantemente amenazas que evolucionan en complejidad y sofisticación. Por tanto, para abordar estos desafíos, muchas han adoptado tecnologías avanzadas, como el análisis predictivo, que permite anticipar y mitigar riesgos antes de que se materialicen.

Un ejemplo es el de una entidad financiera que implementó un sistema de análisis predictivo para fortalecer sus esfuerzos contra el blanqueo de capitales —AML, por sus siglas en inglés—. Dicho sistema utiliza algoritmos de aprendizaje automático para analizar datos históricos y actuales, identificando patrones y anomalías que podrían indicar actividades sospechosas. Al comparar el comportamiento esperado de los clientes con sus acciones reales, el sistema puede detectar posibles riesgos de delitos financieros en una etapa temprana, permitiendo así una intervención proactiva. Por lo que, los resultados del uso de la inteligencia, nuevamente, son más que positivos.

"Este tipo de sistemas ha permitido a entidades similares reducir falsos positivos, mejorar la trazabilidad de decisiones y cumplir exigencias regulatorias cada vez más estrictas".

Bibliografía:

- Alcalde Heras, H., & Carnelli, M. (2019). Tendencias, oportunidades y retos, con perspectiva social (Cuadernos Orkestra, Nº 48). Orkestra-Instituto Vasco de Competitividad.
- Camacho, J. (2014). Retos y rol estratégico en la gestión del talento humano. Revista Universidad & Empresa, 15(1), 9-30.
- Clotet, J. (2024). Humanismo digital. Libros de Cabecera.
- Durak, N. (2023, 5 de octubre). How technology makes continuous innovation possible: A case study with Unilever. Logistics Viewpoints. Financial Crime Academy. (2024). Análisis predictivo en AML: Medidas preventivas contra el blanqueo de capitales.
- Fundación ISEAK. (2025, 20 de abril). Por una agenda política de buenos empleos. El País.
- González A. Lominchar J. (2025) Geopolítica del Ciberespacio. Tirant lo Blanch.
- Hillier-Fry, C. (2009). Los nuevos retos de la gestión del talento. Harvard Deusto Business Review, (octubre), 34-35.
- PeopleMatters. (2025). Los nuevos retos de la gestión del talento.
- Radio Albacete. (2025, 21 de abril). Organizaciones más humanas en medio de la incertidumbre. Cadena SER.
- Sánchez, M. (2025, 21 de abril). Un alegato por el talento innovador diverso: la disrupción estadounidense y la respuesta europea. El País.
- Tableau. (s.f.). T-Mobile: How Tableau helped T-Mobile use customer data to cut churn and elevate customer experience. Tableau Customer Stories.

Capítulo 8
El analista de inteligencia. Horizonte 2030-2040

Objetivos del capítulo:

Con el presente capítulo se pretende que el lector pueda:

- Comprender cómo evolucionará el rol del analista de inteligencia en el horizonte 2030-2040.
- Identificar los principales escenarios tecnológicos, organizacionales y éticos que condicionarán el análisis.
- Reflexionar sobre el impacto de la IA avanzada, la automatización cognitiva y los entornos BANI-BETA en la toma de decisiones.
- Reconocer el valor irreductible del juicio humano en contextos de alta complejidad.
- Proyectar un modelo de analista como arquitecto de sentido, supervisor cognitivo y garante ético.
- Integrar una visión de futuro que conecte técnica, responsabilidad y propósito profesional.

1. EL HORIZONTE 2030-2040: UN CAMBIO DE ÉPOCA EN LA INTELIGENCIA Y EL ANÁLISIS

Hablar del periodo 2030-2040 no es simplemente proyectar una evolución tecnológica acelerada, sino reconocer que nos encontramos ante un cambio de época en la forma de producir, interpretar y utilizar inteligencia. No se trata de una transición lineal desde el presente, sino de una reconfiguración profunda de los fundamentos sobre los que se ha construido históricamente el análisis.

Durante décadas, la inteligencia se ha articulado en torno a una lógica relativamente estable: recopilación de información, análisis humano experto y apoyo a la decisión. Sin embargo, la convergencia de múltiples fuerzas —tecnológicas, sociales, económicas, políticas y cognitivas— está erosionando ese esquema clásico y dando lugar a un entorno donde la incertidumbre ya no es una excepción, sino la condición permanente.

El horizonte 2030-2040 estará marcado por la coexistencia de tres grandes dinámicas estructurales. En primer lugar, una hiper abundancia informativa, donde la producción de datos crecerá de forma exponencial, superando con creces la capacidad humana de procesamiento directo. En segundo lugar, una delegación creciente de funciones cognitivas a sistemas automatizados, que asumirán tareas de clasificación, priorización, predicción y recomendación. Y en tercer lugar, una aceleración del ritmo decisional, impulsada por mercados globales interconectados, entornos de seguridad inestables y presiones competitivas constantes.

Este contexto transforma radicalmente el sentido del análisis. Si en el pasado el valor del analista residía en "saber más" o "tener mejor información", en el futuro ese valor se desplazará hacia saber interpretar mejor en condiciones de ambigüedad, comprender los límites de la información disponible y actuar con criterio cuando no existe una respuesta claramente óptima.

Además, los marcos tradicionales de estabilidad —organizativos, geopolíticos, regulatorios— tenderán a fragmentarse. Las organizaciones operarán cada vez más en entornos BANI: frágiles, ansiosos, no lineales e incomprensibles. En estos entornos, pequeñas variaciones pueden generar impactos desproporcionados, los patrones históricos pierden capacidad explicativa y las decisiones deben tomarse sin la comodidad de referencias sólidas del pasado.

En este escenario, la inteligencia deja de ser únicamente un instrumento técnico para convertirse en un recurso estratégico de supervivencia organizacional. No se trata solo de anticipar amenazas o identificar oportunidades, sino de construir sentido en medio del caos, de ofrecer orientación cuando los mapas existentes ya no representan el territorio real.

El periodo 2030-2040 exigirá, por tanto, un replanteamiento profundo del rol del analista. Ya no bastará con dominar herramientas ni con aplicar metodologías consolidadas. Será necesario desarrollar una conciencia prospectiva, capaz de leer tendencias emergentes, comprender dinámicas sistémicas y aceptar que muchas decisiones se tomarán con información incompleta, contradictoria o provisional.

Este capítulo parte de una premisa clara: el futuro del análisis de inteligencia no se definirá únicamente por la tecnología disponible, sino por la capacidad humana de adaptarse cognitivamente a la complejidad, de ejercer juicio crítico frente a sistemas automatizados y de mantener una responsabilidad ética en contextos donde el impacto de las decisiones será cada vez más profundo y menos visible.

Desde esta perspectiva, el horizonte 2030-2040 no debe entenderse como una amenaza inevitable ni como una promesa tecno utópica, sino como un campo de tensión. Un espacio donde convivirán avances extraordinarios con nuevos riesgos, oportunidades inéditas con dilemas éticos complejos, y una inteligencia artificial cada vez más sofisticada con una necesidad creciente de inteligencia humana madura.

Este es el marco desde el cual se desarrollan los apartados siguientes del capítulo: no para predecir el futuro con falsa certeza, sino para preparar al analista para pensar, decidir y actuar en un mundo donde la única constante será el cambio.

2. DE VUCA A BANI+ Y BETA: EL NUEVO ECOSISTEMA COGNITIVO DEL ANÁLISIS (2030-2040)

Durante años, el paradigma VUCA —volatilidad, incertidumbre, complejidad y ambigüedad— ha servido como marco interpretativo para comprender los entornos en los que operan organizaciones, gobiernos y sistemas de inteligencia. Sin embargo, al aproximarnos al horizonte 2030-2040, este modelo comienza a resultar insuficiente para describir la profundidad y la naturaleza de los desafíos contemporáneos. No porque haya dejado de ser válido, sino porque el entorno ha evolucionado hacia formas de inestabilidad más profundas, menos visibles y más difíciles de gestionar.

En este nuevo escenario emerge con fuerza el enfoque BANI —fragilidad, ansiedad, no linealidad e incomprensibilidad—, que amplía y radicaliza la lógica VUCA incorporando dimensiones psicológicas, cognitivas y sistémicas. Más que una sustitución, lo que se configura es un entorno VUCA-BANI+, donde la incertidumbre no solo afecta a los sistemas, sino también a la forma en que las personas piensan, deciden e interpretan la realidad.

La fragilidad se manifiesta en sistemas que aparentan solidez, pero que colapsan ante perturbaciones mínimas. Infraestructuras digitales, mercados financieros, cadenas logísticas, sistemas de reputación o arquitecturas de ciberseguridad pueden verse alterados por eventos inesperados, asimétricos o aparentemente menores.

Para el analista del futuro, esto implica asumir que los modelos basados en estabilidad histórica, promedios o extrapolaciones lineales serán cada vez menos fiables. El análisis ya no puede apoyarse únicamente en lo que funcionó antes, porque el contexto ha dejado de comportarse de forma predecible.

La ansiedad introduce una dimensión crítica en la toma de decisiones. Las organizaciones operan en un entorno de presión permanente, saturación informativa y ciclos de crisis encadenadas. Los decisores no solo demandan información, sino alivio cognitivo, orientación y sentido. En este contexto, el análisis compite con emociones, sesgos, urgencias políticas y miedo al error. El analista del periodo 2030-2040 deberá comprender que sus informes no se reciben en un entorno racional ideal, sino en escenarios de estrés, fatiga decisional y expectativas de inmediatez.

La no linealidad rompe definitivamente la lógica causa-efecto tradicional. Pequeñas decisiones pueden desencadenar impactos desproporcionados, mientras que grandes inversiones analíticas pueden tener efectos limitados o incluso irrelevantes. Este fenómeno desafía los enfoques predictivos clásicos y obliga a trabajar con escenarios dinámicos, hipótesis múltiples y modelos adaptativos. En este marco, el análisis deja de buscar certezas y se orienta a gestionar probabilidades, riesgos emergentes y consecuencias indirectas.

Por su parte, la incomprensibilidad señala uno de los mayores retos del futuro analítico. A medida que los sistemas basados en inteligencia artificial avanzada, aprendizaje profundo y automatización decisional se generalizan, aumenta la distancia entre el resultado obtenido y la comprensión humana del proceso que lo generó. Decisiones técnicamente correctas pueden resultar opacas incluso para quienes las supervisan. Esta situación introduce un riesgo sistémico:

confiar en sistemas que funcionan, pero que no se entienden plenamente.

En este ecosistema VUCA-BANI+, el rol del analista se transforma de forma radical. Ya no se trata únicamente de reducir la incertidumbre —algo que, en muchos casos, será imposible—, sino de hacerla explícita, gestionable y comprensible. El analista se convierte en un facilitador cognitivo, en un profesional que ayuda a pensar mejor en contextos donde pensar se vuelve difícil.

Asimismo, este entorno exige un cambio profundo en las competencias mentales del analista. La tolerancia a la ambigüedad, la capacidad de sostener hipótesis contradictorias, el pensamiento sistémico, la lectura de señales débiles y la humildad epistemológica pasan a ser tan importantes como el dominio técnico. El analista del horizonte 2030-2040 deberá aceptar que muchas de sus conclusiones serán provisionales, revisables y sujetas a cambio rápido.

Desde esta perspectiva, el nuevo ecosistema cognitivo no premiará al analista que ofrece respuestas cerradas y definitivas, sino a aquel que sabe formular preguntas estratégicas, advertir límites, anticipar escenarios y acompañar procesos de decisión complejos sin caer en simplificaciones engañosas.

En definitiva, el tránsito de VUCA a BANI+ marca una mutación profunda en la práctica analítica: del análisis como herramienta de control al análisis como instrumento de adaptación. En el horizonte 2030-2040, la inteligencia no consistirá en predecir el futuro, sino en preservar la capacidad de decidir con sentido en un mundo estructuralmente inestable.

3. INTELIGENCIA AUMENTADA Y EL NUEVO ROL DEL ANALISTA COMO SUPERVISOR COGNITIVO (2030-2040)

En el horizonte 2030-2040, el análisis de inteligencia deja de desarrollarse en marcos estables o secuenciales y pasa a operar, de manera estructural, en un estado BETA permanente. Este concepto, heredado inicialmente del ámbito del desarrollo tecnológico y del software, adquiere aquí un significado mucho más profundo y transversal: describe un entorno en el que los sistemas, los modelos, las decisiones y el propio conocimiento se encuentran en revisión continua, sin alcanzar nunca una forma definitiva.

A diferencia de las etapas históricas del análisis —donde se aspiraba a diagnósticos cerrados, informes concluyentes y recomendaciones duraderas—, el paradigma BETA asume que la realidad cambia más rápido que cualquier modelo que intente describirla. Por ello, el análisis ya no puede concebirse como un producto terminado, sino como un proceso dinámico de generación, contraste, corrección y ajuste del conocimiento.

Trabajar en BETA permanente implica aceptar que toda conclusión es provisional, contextual y dependiente de un conjunto de supuestos que pueden alterarse en cualquier momento. Esta aceptación no debilita el análisis; por el contrario, lo fortalece. En un entorno BANI+, donde la fragilidad, la ansiedad, la no linealidad y la incomprensibilidad son rasgos estructurales, la pretensión de certeza absoluta se convierte en un riesgo cognitivo. El análisis que se presenta como definitivo tiende a quedar obsoleto con rapidez y a generar una falsa sensación de control.

En este nuevo marco, el valor del analista ya no reside en "acertar" de manera puntual, sino en reducir el error a tiempo, detectar desviaciones tempranas y adaptar el marco interpretativo antes de que la realidad imponga cambios abruptos. El análisis se transforma así en un sistema de alerta, orientación y aprendizaje continuo, más que en un instrumento de validación retrospectiva.

El paradigma BETA modifica también la relación entre análisis y decisión. Tradicionalmente, el análisis precedía a la decisión y se consideraba una fase previa y cerrada. En el periodo 2030-2040, esta secuencia se diluye. Análisis y decisión entran en un ciclo iterativo, donde cada decisión genera nuevos datos, estos datos reconfiguran el análisis y el análisis ajusta decisiones posteriores. El analista deja de ser un proveedor de informes para convertirse en un acompañante cognitivo del proceso decisional.

Esta transformación exige una nueva forma de comunicar inteligencia. En lugar de conclusiones categóricas, el analista entrega escenarios, rangos de probabilidad, hipótesis abiertas y advertencias explícitas sobre los límites del conocimiento disponible. La inteligencia deja de prometer seguridad y comienza a ofrecer capacidad de adaptación.

En entornos de alta presión y ansiedad organizacional, esta honestidad epistemológica resulta más valiosa que una falsa sensación de certeza.

Asimismo, el estado BETA permanente redefine la ética profesional del análisis. Reconocer la incertidumbre, documentar los supuestos, señalar márgenes de error y aceptar la revisión constante deja de interpretarse como una debilidad metodológica para convertirse en un indicador de madurez analítica. En contextos BANI+, ocultar la incertidumbre o disimular la fragilidad de los modelos resulta éticamente más problemático que explicitarla.

Desde el punto de vista organizacional, trabajar en clave BETA requiere cambios profundos. Las instituciones que aspiren a utilizar inteligencia de forma eficaz deberán desarrollar culturas que toleren la revisión, el ajuste y el cambio de criterio sin penalizarlo como fracaso. Esto implica estructuras menos jerárquicas, procesos de retroalimentación más rápidos, y espacios donde el análisis pueda evolucionar sin quedar atrapado en decisiones pasadas.

En este escenario, el analista del periodo 2030-2040 será evaluado menos por la estabilidad de sus conclusiones y más por la calidad de su adaptación cognitiva. Su competencia central no será producir respuestas cerradas, sino sostener procesos de pensamiento robustos en contextos inestables. La inteligencia, en este sentido, deja de ser un mecanismo de control del futuro y se convierte en una herramienta para preservar la capacidad de decidir con sentido en un mundo en permanente transformación.

Así, el paradigma BETA permanente no representa una fase transitoria del análisis, sino su nueva condición estructural. Comprenderlo y asumirlo será uno de los factores decisivos que diferencien a los analistas meramente técnicos de aquellos capaces de generar inteligencia verdaderamente estratégica en el horizonte 2030-2040.

4. ANALISTAS AUMENTADOS, IA AVANZADA Y SUPERVISIÓN COGNITIVA HUMANA (2030-2040)

Al avanzar hacia el horizonte 2030-2040, el vínculo entre el analista y la tecnología deja de ser instrumental para convertirse en una relación estructural de co-dependencia cognitiva. La inteligencia artificial ya no actúa únicamente como una herramienta de apoyo al análisis, sino como un actor permanente dentro del proceso decisional, capaz de generar hipótesis, explorar escenarios, sintetizar información compleja y proponer cursos de acción en tiempo real.

Este contexto da lugar a una nueva figura profesional: el analista aumentado, un perfil que no compite con la inteligencia artificial, pero tampoco se subordina a ella. Su función principal ya no es procesar datos —tarea ampliamente automatizada—, sino supervisar, interpretar, cuestionar y gobernar sistemas cognitivos artificiales que operan en entornos BANI+ y bajo lógicas BETA continuas.

4.1. De la automatización al acoplamiento cognitivo

Durante la década anterior, el debate giró en torno a si la IA sustituiría o no al analista. En el periodo 2030-2040, esa discusión resulta obsoleta. La realidad dominante es otra: los sistemas analíticos avanzados trabajan en simbiosis con los analistas humanos, formando unidades híbridas de decisión.

Los modelos de IA avanzada —especialmente aquellos basados en aprendizaje profundo, razonamiento probabilístico, agentes autónomos y modelos multimodales— operan de forma continua, aprendiendo, ajustándose y proponiendo interpretaciones sin detenerse nunca. En un entorno BETA permanente, estos sistemas no alcanzan estados finales, sino que permanecen en evolución constante, igual que los contextos que analizan.

El analista, por tanto, ya no "usa" la herramienta: convive con ella. Su rol consiste en comprender cómo el sistema construye sentido, qué supuestos incorpora, qué datos prioriza, qué sesgos puede amplificar y qué dimensiones del contexto quedan fuera de su alcance algorítmico.

4.2. Supervisión cognitiva en entornos BANI+

En escenarios marcados por fragilidad, ansiedad, no linealidad e incomprensibilidad, la delegación acrítica en sistemas automatizados se convierte en un riesgo sistémico. La IA puede optimizar decisiones, pero no puede asumir responsabilidad moral, política ni estratégica.

Aquí emerge con fuerza el concepto de supervisión cognitiva humana, que se convierte en una de las funciones centrales del analista del futuro.

Supervisar cognitivamente no significa revisar resultados de forma superficial, sino:

- Evaluar la coherencia interna de las inferencias algorítmicas.
- Detectar desplazamientos de criterio, sobreajustes o automatismos peligrosos.
- Introducir contexto humano, cultural, político y emocional en la interpretación.
- Identificar cuándo una recomendación técnicamente correcta es estratégicamente inviable o éticamente cuestionable.

En entornos BANI+, donde la ansiedad decisional es alta y la presión por actuar es constante, la IA tiende a ofrecer respuestas rápidas, optimizadas y aparentemente objetivas. El analista debe actuar como freno cognitivo, recordando límites, explicitando incertidumbres y evitando que la velocidad sustituya al juicio.

4.3. El analista como garante de sentido en sistemas incomprensibles

Uno de los desafíos más críticos del periodo 2030-2040 es la creciente opacidad funcional de los sistemas inteligentes. Muchos modelos serán eficaces sin ser plenamente explicables, incluso para sus diseñadores.

En este contexto, el analista ya no puede limitarse a "explicar el modelo". Su función se desplaza hacia la traducción del resultado en sentido comprensible, incluso cuando el proceso interno no es totalmente transparente. Esto implica asumir que la explicabilidad absoluta puede no ser siempre alcanzable, pero que la responsabilidad interpretativa nunca puede ser delegada.

El analista se convierte así en un mediador epistemológico entre:

- Sistemas que producen resultados probabilísticos complejos.
- Decisores que necesitan orientación clara y accionable.
- Organizaciones que deben justificar, documentar y sostener decisiones ante terceros.

En lugar de prometer certezas, el analista del futuro deberá explicitar grados de confianza, escenarios alternativos y riesgos residuales, reforzando una cultura de decisión consciente de sus límites.

4.4. IA, BETA permanente y toma de decisiones no finales

La lógica BETA deja de ser una fase de desarrollo para convertirse en un estado permanente del análisis. Modelos, datos y decisiones se revisan continuamente, se ajustan en función de nuevos inputs y se mantienen abiertos a corrección.

En este entorno, el analista ya no entrega productos cerrados, sino estructuras dinámicas de interpretación. Sus informes, dashboards y recomendaciones funcionan como artefactos vivos, sujetos a revisión constante.

Esto redefine profundamente la relación con el error. En lugar de ocultarlo o penalizarlo, el análisis BETA asume que toda decisión es provisional, que toda recomendación es revisable y que el aprendizaje continuo es más valioso que la exactitud puntual.

El analista del horizonte 2030-2040 deberá ser capaz de convivir con esta lógica sin perder autoridad. Su legitimidad ya no se basará en "acertar siempre", sino en saber cuándo revisar, cuándo corregir y cuándo advertir que el contexto ha cambiado.

4.5. Ética, control y responsabilidad en sistemas aumentados

La integración profunda entre analistas e IA también amplifica los dilemas éticos. Cuando las decisiones emergen de sistemas híbridos, la pregunta por la responsabilidad se vuelve más compleja: ¿quién responde por una decisión errónea?, ¿el modelo, el analista, la organización?

En este escenario, el analista del futuro actúa como custodio ético del sistema, asegurando que:

- Las decisiones automatizadas no vulneren principios de equidad y justicia.
- Los sesgos algorítmicos sean identificados y corregidos.
- La eficiencia no se imponga sobre la dignidad humana.
- Exista siempre una instancia humana capaz de intervenir, detener o revertir una decisión.

La supervisión humana no es un lujo ni una redundancia: es una condición de legitimidad en sistemas de inteligencia avanzada.

4.6. Del analista técnico al arquitecto cognitivo

En síntesis, el punto de llegada del periodo 2030-2040 no es un analista más técnico, sino un analista más consciente, más estratégico y responsable. Un profesional que diseña, gobierna y acompaña sistemas de análisis complejos, entendiendo que la inteligencia del futuro no se mide por su capacidad de cálculo, sino por su capacidad de preservar sentido, criterio y humanidad en entornos radicalmente inestables.

El analista deja de ser un ejecutor de técnicas para convertirse en arquitecto cognitivo, un perfil clave en la sostenibilidad decisional de organizaciones que operan en un mundo VUCA-BANI+ y BETA permanente.

5. NUEVAS FRONTERAS DEL ANÁLISIS DE INTELIGENCIA: MÁS ALLÁ DE LOS DATOS (2030-2040)

Al aproximarnos al horizonte 2030-2040, el análisis de inteligencia deja de estar delimitado por las fronteras tradicionales del dato, del modelo estadístico o incluso de la inteligencia artificial tal como hoy la conocemos. El campo se expande hacia territorios híbridos, donde confluyen tecnología avanzada, ciencias cognitivas, simulación compleja, inteligencia colectiva y nuevas formas de comprensión del riesgo y del futuro.

Estas nuevas fronteras no sustituyen al análisis clásico, sino que lo reconfiguran, obligando al analista a operar en niveles más abstractos, sistémicos y anticipatorios. El análisis deja de centrarse únicamente en "qué está pasando" o "qué podría pasar" para abordar una pregunta más profunda: cómo se construye el futuro posible y cómo intervenir en él con responsabilidad.

5.1. Computación cuántica y análisis de escenarios no tratables

Uno de los vectores más disruptivos del periodo 2030-2040 será la progresiva maduración de la computación cuántica aplicada al análisis. Aunque no sustituirá a los sistemas clásicos en todos los ámbitos, sí abrirá la puerta a resolver problemas que hoy resultan intratables por su complejidad combinatoria.

En inteligencia, esto se traduce en la posibilidad de:

- Analizar simultáneamente millones de escenarios estratégicos.
- Evaluar interdependencias profundas entre variables económicas, políticas, tecnológicas y sociales.
- Modelar riesgos sistémicos con múltiples bifurcaciones posibles.
- Explorar escenarios de colapso, resiliencia o transformación profunda.

Para el analista, la computación cuántica no significará "hacer cálculos más rápidos", sino pensar en espacios de posibilidad radicalmente más amplios. El reto no será técnico, sino cognitivo: interpretar resultados que ya no se presentan como una predicción dominante, sino como constelaciones de futuros plausibles.

Aquí, el analista vuelve a asumir un rol central como intérprete estratégico, capaz de traducir simulaciones cuánticas en orientaciones comprensibles para decisores humanos.

5.2. Simulación de futuros, gemelos digitales y escenarios vivos

Otra frontera clave será la generalización de los gemelos digitales complejos aplicados no solo a infraestructuras físicas, sino a organizaciones, mercados, ciudades, ecosistemas de seguridad e incluso dinámicas sociales.

Estos sistemas permitirán simular en tiempo casi real:

- Decisiones estratégicas antes de implementarlas.
- Impactos colaterales no evidentes.
- Reacciones en cadena ante crisis múltiples.
- Comportamientos emergentes no previstos.

En un entorno BANI+, donde la no linealidad es la norma, los gemelos digitales se convierten en laboratorios de decisión, espacios donde experimentar sin consecuencias irreversibles.

El analista del futuro no se limitará a observar resultados, sino que diseñará experimentos, formulará hipótesis, alterará parámetros y evaluará cómo pequeñas variaciones generan efectos desproporcionados. El análisis se vuelve interactivo, exploratorio y profundamente estratégico.

5.3. Inteligencia colectiva aumentada y análisis distribuido

Frente a la complejidad creciente, ningún analista —ni ningún sistema de IA— será suficiente por sí solo. Por ello, una frontera crítica del periodo 2030-2040 será la inteligencia colectiva aumentada.

Esto implica combinar:

- Análisis humano experto.
- Sistemas de IA colaborativos.
- Redes de conocimiento distribuidas.
- Comunidades interdisciplinarias.
- Señales abiertas (OSINT) y conocimiento tácito.

El analista actúa aquí como orquestador de inteligencias, integrando perspectivas diversas, resolviendo contradicciones y generando síntesis operativas. En lugar de buscar consenso superficial, se busca riqueza interpretativa y capacidad de adaptación.

En este contexto, la autoridad del analista no proviene de "tener la razón", sino de saber articular desacuerdos productivos, gestionar incertidumbre colectiva y facilitar decisiones robustas en entornos de pluralidad cognitiva.

5.4. Neuroanálisis, cognición y toma de decisiones bajo estrés

Una frontera menos visible, pero igualmente decisiva, será la integración del análisis con las ciencias cognitivas y del comportamiento. En entornos BANI+, donde la ansiedad y la fatiga decisional son estructurales, comprender cómo piensan y deciden las personas se vuelve tan importante como analizar los datos.

El análisis del futuro incorporará:

- Modelos de sesgo cognitivo.
- Evaluación de carga mental en decisores.
- Diseño de informes que reduzcan ansiedad y confusión.
- Narrativas analíticas orientadas a la claridad y la acción.

El analista del horizonte 2030-2040 no solo informa, sino que diseña condiciones cognitivas para decidir mejor. Esto refuerza su rol como facilitador, no como mero proveedor de información.

5.5. Inteligencia ética y sostenibilidad decisional

Finalmente, una de las fronteras más críticas será la consolidación de la inteligencia ética como dimensión estructural del análisis. En un mundo donde las decisiones analíticas tienen impactos profundos y duraderos, la ética deja de ser un apéndice para convertirse en un criterio de calidad.

El análisis del futuro deberá responder no solo a:

- ¿Es eficiente?
- ¿Es técnicamente correcto?

Sino también a:

- ¿Es justo?
- ¿Es explicable?
- ¿Es sostenible en el tiempo?
- ¿Preserva la confianza social?

El analista del periodo 2030-2040 será evaluado tanto por sus resultados como por la calidad ética de los procesos que utiliza.

Las nuevas fronteras del análisis no amplían únicamente el campo técnico, sino que redefinen la naturaleza misma de la inteligencia. El análisis ya no es solo una herramienta para reducir incertidumbre, sino un dispositivo para navegar complejidad, preservar criterio y sostener decisiones humanas en un mundo estructuralmente inestable.

En el horizonte 2030-2040, el analista que domine estas fronteras no será quien más datos procese, sino quien mejor entienda cómo pensar, decidir y actuar cuando el futuro deja de ser predecible.

6. DECÁLOGO DEL ANALISTA DE INTELIGENCIA 2030-2040: PRINCIPIOS PARA OPERAR EN LA INCERTIDUMBRE PERMANENTE

En el horizonte 2030-2040, el analista de inteligencia ya no podrá apoyarse únicamente en manuales técnicos, frameworks cerrados o recetas metodológicas estables. El entorno BANI+ y la lógica de BETA permanente obligan a redefinir el ejercicio profesional a partir de principios operativos, más que de procedimientos rígidos. Este decálogo no pretende normativizar la práctica analítica, sino ofrecer un conjunto de anclas cognitivas y éticas para actuar con criterio en contextos donde la estabilidad ha dejado de ser la norma.

Primer principio: aceptar la incertidumbre como condición estructural, no como anomalía.

El analista del futuro no trabaja para eliminar la incertidumbre, sino para hacerla visible, gestionable y comunicable. Asume que muchas decisiones deberán tomarse con información incompleta, contradictoria o provisional, y que el valor del análisis reside en clarificar márgenes de riesgo y opciones posibles, no en prometer certezas inexistentes.

Segundo principio: pensar en sistemas, no en variables aisladas.

La complejidad del periodo 2030-2040 exige abandonar lecturas lineales. El analista debe entrenarse para identificar interdependencias, efectos de segundo y tercer orden, retroalimentaciones y dinámicas emergentes. Analizar bien ya no es profundizar en una métrica, sino comprender cómo múltiples factores interactúan en un ecosistema inestable.

Tercer principio: formular mejores preguntas antes que producir más respuestas.

En entornos saturados de datos y automatización analítica, el verdadero diferencial está en la capacidad de plantear preguntas estratégicas. El analista valioso no es el que responde rápido, sino el que orienta la atención hacia lo que realmente importa, incluso cuando resulta incómodo o contracultural.

Cuarto principio: ejercer como mediador cognitivo, no como oráculo técnico.

El analista del futuro no impone conclusiones, facilita procesos de pensamiento. Su función es ayudar a decidir mejor, no decidir por otros. Traduce complejidad en comprensión, reduce ruido informativo y acompaña a los decisores en escenarios de ansiedad, presión y fatiga cognitiva.

Quinto principio: integrar tecnología sin abdicar del juicio humano.

La IA avanzada, la automatización y la computación cuántica ampliarán enormemente las capacidades analíticas. Sin embargo, el analista debe mantener una distancia crítica respecto a los sistemas que utiliza. Supervisar, cuestionar y contextualizar los resultados algorítmicos será tan importante como generarlos.

Sexto principio: documentar límites, supuestos y zonas de incertidumbre.

Un análisis honesto no oculta lo que no sabe. En el horizonte 2030-2040, la credibilidad del analista se apoyará en su capacidad para explicitar supuestos, advertir riesgos interpretativos y señalar qué conclusiones son sólidas y cuáles provisionales.

Séptimo principio: actuar con ética anticipatoria, no reactiva.

La ética ya no puede limitarse a corregir errores después de que ocurran. El analista debe anticipar impactos sociales, organizacionales y humanos de sus modelos y recomendaciones. Preguntarse quién gana, quién pierde y qué consecuencias no intencionadas pueden surgir será parte central del análisis.

Octavo principio: aprender de forma continua y transversal.

El analista 2030-2040 no se define por una herramienta o disciplina, sino por su capacidad de aprendizaje permanente. Deberá cruzar saberes técnicos, sociales, estratégicos y culturales, asumiendo que la obsolescencia es rápida y que la actualización es una responsabilidad profesional constante.

Noveno principio: construir confianza antes que impacto inmediato.

En entornos de alta volatilidad, la confianza se convierte en un activo estratégico. El analista que actúa con coherencia, transparencia y consistencia genera un capital relacional que permite que su trabajo influya realmente en las decisiones, incluso en momentos críticos.

Décimo principio: preservar la humanidad del análisis.

Detrás de cada dato hay personas, y detrás de cada decisión analítica hay consecuencias reales. El analista del futuro debe recordar que su trabajo no trata solo de optimizar sistemas, sino de contribuir a decisiones más justas, responsables y sostenibles.

Este decálogo no clausura la práctica analítica, la abre. Funciona como una brújula profesional para navegar un mundo donde las reglas cambian, pero la necesidad de criterio permanece.

7. EL ANALISTA COMO FIGURA CLAVE DEL FUTURO DECISIONAL (2030-2040)

Al llegar al final de este recorrido, resulta evidente que el análisis de inteligencia está atravesando una transformación profunda, no solo técnica, sino epistemológica, ética y profesional. En el horizonte 2030-2040, el analista deja de ser un especialista periférico para convertirse en una figura central en la arquitectura de la toma de decisiones.

Ya no se trata de producir informes, dashboards o modelos predictivos, sino de sostener la capacidad de decidir con sentido en contextos donde la complejidad, la ansiedad y la incomprensibilidad amenazan con paralizar o distorsionar la acción. En este escenario, el analista se configura como un actor estratégico silencioso, cuya influencia no siempre es visible, pero resulta decisiva.

El tránsito de VUCA a BANI+ y la consolidación de entornos BETA permanentes han alterado las reglas del juego. Las organizaciones ya no buscan analistas que confirmen lo que esperan escuchar, sino profesionales capaces de advertir riesgos emergentes, cuestionar supuestos y acompañar decisiones difíciles. Esta función exige madurez intelectual, humildad epistemológica y una ética sólida.

Asimismo, el analista del futuro no operará en soledad. Trabajará integrado en redes de inteligencia colectiva, interactuará con sistemas avanzados de IA y se moverá entre disciplinas, culturas y niveles de decisión. Su valor no residirá en saber más que otros, sino en conectar saberes, traducir complejidad y facilitar comprensión compartida.

Desde una perspectiva histórica, puede afirmarse que el analista 2030-2040 ocupa un lugar comparable al de otras figuras clave en momentos de transformación profunda: el estratega en tiempos de guerra, el ingeniero en la revolución industrial o el gestor en la globalización. Es un profesional que opera en los márgenes de lo conocido, donde las decisiones definen trayectorias y los errores tienen efectos sistémicos.

Por ello, esta obra no pretende ofrecer certezas cerradas ni recetas definitivas. Aspira, más bien, a dotar al lector de criterio, de marcos de reflexión y de una comprensión profunda del rol que está llamado a desempeñar. Porque el futuro del análisis no dependerá únicamente de la tecnología disponible, sino de la calidad humana, intelectual y ética de quienes lo ejercen.

En última instancia, el análisis de inteligencia seguirá siendo una herramienta. Pero una herramienta poderosa, capaz de iluminar caminos, advertir riesgos y sostener decisiones en un mundo que ya no promete estabilidad. Y en ese mundo, el analista que piense con rigor, actúe con responsabilidad y comunique con claridad no solo será relevante: será necesario.

8. EL ANALISTA DE INTELIGENCIA COMO ACTOR ESTRATÉGICO Y GARANTE DE SENTIDO (2030-2040)

En el horizonte 2030-2040, el rol del analista de inteligencia habrá dejado definitivamente de ser percibido como una función técnica o de apoyo para consolidarse como un actor estratégico central dentro de las organizaciones. Esta evolución no se produce por un reconocimiento espontáneo del mercado, sino como respuesta a una necesidad estructural: la creciente incapacidad de las organizaciones para dar sentido a entornos cada vez más volátiles, frágiles, emocionalmente tensos y tecnológicamente amplificados.

En los próximos años, las organizaciones no solo se enfrentarán a más datos, sino a más contradicción, más incertidumbre y más presión decisional. La proliferación de sistemas automatizados, modelos predictivos, inteligencia artificial generativa y asistentes cognitivos no reducirá la complejidad; por el contrario, la aumentará. En este contexto, el problema ya no será acceder a la información, sino discernir qué información importa, cómo interpretarla y con qué criterio actuar.

Aquí es donde el analista adquiere una función estratégica irremplazable. Su valor no residirá en producir informes, dashboards o modelos, sino en ordenar cognitivamente la realidad para quienes toman decisiones. El analista se convierte así en un garante de sentido, alguien que ayuda a traducir la complejidad del entorno en marcos comprensibles, comparables y accionables.

En los entornos BANI —frágiles, ansiosos, no lineales e incomprensibles—, la toma de decisiones no fracasa por falta de información, sino por sobrecarga cognitiva. Demasiadas señales, demasiadas alertas, demasiadas métricas. El analista del futuro deberá saber reducir sin simplificar, priorizar sin sesgar y advertir sin alarmar. Esta capacidad de contención cognitiva será uno de los activos más valiosos del rol.

Además, el analista estratégico del periodo 2030-2040 será cada vez más un interlocutor del liderazgo, no un proveedor subordinado de datos. Participará en la definición de preguntas estratégicas, en la evaluación de escenarios alternativos y en la identificación temprana de riesgos sistémicos. Su función no será confirmar decisiones ya tomadas, sino incomodar con evidencia, introducir matices y señalar consecuencias no evidentes.

Este posicionamiento exige una transformación profunda del perfil profesional. El analista deberá desarrollar autoridad intelectual, capacidad de diálogo transversal y una ética sólida que le permita sostener su criterio incluso bajo presión. Porque cuanto más cerca esté del poder decisional, mayor será la tentación de instrumentalizar el análisis.

En este sentido, el analista del futuro será también un equilibrador organizacional. Alguien que entiende tanto la lógica de los algoritmos como las dinámicas humanas, tanto la velocidad del mercado como los límites de las personas. Su aportación no será únicamente técnica, sino profundamente estratégica y cultural: ayudar a las organizaciones a pensar mejor antes de actuar.

9. TECNOLOGÍAS EMERGENTES Y MUTACIÓN DEL ANÁLISIS DE INTELIGENCIA (2030-2040)

El horizonte 2030-2040 no estará definido únicamente por la inestabilidad de los entornos, sino por la convergencia acelerada de tecnologías emergentes que reconfigurarán de manera profunda la práctica del análisis de inteligencia. No se trata de una evolución incremental ni de una simple sofisticación instrumental, sino de una transformación estructural del modo en que se produce, valida, interpreta y utiliza el conocimiento en contextos de complejidad extrema.

En este escenario, el analista deja de operar exclusivamente sobre datos para trabajar sobre ecosistemas tecnológicos inteligentes que generan inferencias, simulaciones, recomendaciones y escenarios a una velocidad y escala sin precedentes. La inteligencia ya no se construye únicamente a partir del análisis humano, sino en interacción constante con sistemas artificiales capaces de aprender, correlacionar y anticipar. Esta mutación obliga a redefinir el rol profesional: el analista del periodo 2030-2040 deja de ser un productor de análisis para convertirse en supervisor cognitivo, traductor estratégico y garante de sentido ante:

- Inteligencia artificial avanzada y modelos autónomos
- Computación cuántica y ruptura del paradigma analítico clásico
- Automatización decisional y sistemas de recomendación estratégica
- Entornos simulados, gemelos digitales y análisis prospectivo avanzado

La inteligencia artificial avanzada será uno de los principales vectores de esta transformación. Los modelos de lenguaje de gran escala, los sistemas multimodales, los agentes autónomos y las arquitecturas capaces de ejecutar ciclos completos de análisis modificarán radicalmente la relación entre el profesional y el proceso analítico. El desafío ya no será "hacer análisis", sino comprender qué análisis está haciendo la máquina, bajo qué supuestos opera y qué sesgos puede estar amplificando. En entornos VUCA-BANI+, donde la incomprensibilidad es estructural, el analista deberá asumir un rol crítico frente a sistemas opacos, auditando resultados, contextualizando inferencias y señalando límites epistemológicos.

La inteligencia artificial aportará una capacidad inédita para explorar escenarios, sintetizar información dispersa y detectar patrones invisibles para la cognición humana.

Pero esta potencia también incrementa el riesgo de automatización acrítica. Cuanto más eficientes sean los sistemas, mayor será la tentación de delegar el juicio. En este contexto, la función del analista no se reduce; se eleva. Su valor ya no reside en ejecutar tareas técnicas, sino en custodiar el criterio, preservar la deliberación humana y resistir la conversión del análisis en una caja negra incuestionable.

La computación cuántica profundiza esta ruptura. A medida que sus aplicaciones se consoliden hacia 2030-2040, especialmente en ámbitos como la optimización compleja, la simulación de sistemas altamente interdependientes, la ciberseguridad o el análisis de riesgos sistémicos, el paradigma analítico clásico quedará definitivamente superado. La capacidad de procesar simultáneamente enormes espacios de solución permitirá abordar problemas que hasta ahora requerían simplificaciones drásticas. Sin embargo, esta potencia introduce una paradoja crítica: resultados extraordinariamente precisos generados por procesos prácticamente ininteligibles para la mente humana.

En este escenario, el analista no podrá reconstruir completamente la lógica interna del cálculo, pero sí deberá evaluar su pertinencia estratégica, los supuestos de partida y las consecuencias organizacionales de las soluciones obtenidas. La computación cuántica no elimina la incertidumbre; la desplaza a un nivel más abstracto y cognitivamente exigente. El análisis deja de buscar explicaciones completas y se orienta a gestionar probabilidades, riesgos emergentes y decisiones bajo condiciones de conocimiento incompleto.

Paralelamente, la expansión de sistemas de automatización decisional y recomendación estratégica transformará la gobernanza cotidiana de organizaciones y gobiernos. Plataformas capaces de priorizar inversiones, asignar recursos, anticipar crisis o sugerir respuestas estratégicas se integrarán en los procesos de decisión de forma casi invisible. El riesgo aquí no es tecnológico, sino cultural y organizacional: la normalización de decisiones delegadas en sistemas que optimizan criterios definidos, pero que pueden ignorar dimensiones humanas, políticas o éticas.

En este contexto, la pregunta central deja de ser "¿funciona el modelo?" para convertirse en "¿qué tipo de organización estamos construyendo al seguir sistemáticamente sus recomendaciones?". El analista deberá actuar como contrapeso reflexivo, cuestionando no solo los resultados, sino los objetivos que el sistema está optimizando y los valores que está incorporando de forma implícita.

Uno de los desarrollos más disruptivos de este periodo será la consolidación de los gemelos digitales como núcleo del análisis prospectivo avanzado. En el horizonte 2030-2040, los gemelos digitales evolucionarán desde representaciones técnicas de infraestructuras hacia réplicas dinámicas, vivas y adaptativas de organizaciones, mercados, ecosistemas sociales e incluso comportamientos colectivos.

Conectados en tiempo real a flujos masivos de datos e integrados con inteligencia artificial, permitirán ensayar decisiones antes de ejecutarlas, explorar futuros alternativos y evaluar impactos colaterales con un nivel de detalle sin precedentes.

Este cambio redefine la práctica analítica. El análisis deja de ser retrospectivo o meramente explicativo para convertirse en exploratorio, anticipatorio y experimental. Las decisiones ya no se prueban únicamente en el mundo real —con sus costes, riesgos y tiempos—, sino en entornos simulados donde pueden observarse tensiones, efectos no lineales y consecuencias indirectas antes de que se materialicen. Sin embargo, esta capacidad introduce un riesgo epistemológico fundamental: confundir la coherencia del modelo con la verdad del sistema real.

En entornos VUCA-BANI+, caracterizados por fragilidad, no linealidad y ansiedad decisional, los gemelos digitales pueden convertirse en una fuente de falsa seguridad si se interpretan como oráculos. El analista del futuro deberá resistir la tentación de presentar simulaciones como certezas y asumir su verdadero rol: explicar qué escenarios se están modelando, qué supuestos los sostienen, qué variables quedan fuera y qué grado de incertidumbre persiste.

La evolución hacia gemelos organizacionales y sociales amplifica este desafío. Modelar dinámicas internas de empresas, comportamientos de equipos, reacciones de mercados o flujos de reputación digital exige una comprensión profunda del sistema real, de sus actores, incentivos y vulnerabilidades. Sin ese conocimiento contextual, la sofisticación tecnológica se convierte en una representación elegante pero desconectada de la realidad.

Además, los gemelos digitales encajan de forma natural en entornos BETA permanentes, donde nada se considera definitivo, estable o cerrado. Son sistemas en revisión continua, ajustándose a nuevos datos, cambios contextuales y aprendizajes acumulados. Esta lógica refuerza una práctica analítica basada en la adaptación constante, pero también introduce un riesgo cognitivo: la tentación de retrasar decisiones reales bajo la promesa de "un escenario más". El analista deberá ejercer un delicado equilibrio entre explorar posibilidades y asumir la responsabilidad de decidir.

Todo ello conduce a una conclusión central: la convergencia de inteligencia artificial avanzada, computación cuántica, automatización decisional y simulación prospectiva no reemplaza al analista humano, pero redefine radicalmente su función. En un entorno donde las máquinas pueden generar respuestas más rápido de lo que los humanos pueden formular preguntas, el analista se convierte en arquitecto del sentido. Su tarea es supervisar procesos cognitivos no humanos, traducir resultados complejos en comprensión estratégica y garantizar que la decisión final siga siendo humana, responsable y consciente.

En última instancia, estas tecnologías no prometen un futuro más predecible, sino un futuro más simulable. Y en un mundo donde el futuro puede ensayarse antes de ocurrir, la verdadera inteligencia no consistirá en acertar predicciones, sino en decidir con criterio qué futuros merece la pena construir, con plena conciencia de los límites del conocimiento, de la incertidumbre estructural y de la responsabilidad ética que acompaña a toda decisión informada.

El analista de inteligencia del horizonte 2030–2040 no será definido por la tecnología que utilice, sino por la calidad del juicio que ejerza. En un mundo donde los sistemas automatizados generarán información a una escala sin precedentes, la responsabilidad de interpretar, contextualizar y decidir seguirá siendo, en última instancia, humana... esperemos!!

Epílogo del autor

Pensar bien y mejor en tiempos difíciles

Esta obra no nació con la intención de ofrecer recetas cerradas ni modelos definitivos. Tampoco pretende prometer certezas en un mundo que, como hemos visto, se caracteriza precisamente por su inestabilidad, su fragilidad y su complejidad creciente. Surgió, más bien, de una convicción profunda: que, en tiempos difíciles, pensar bien se convierte en una responsabilidad profesional y ética.

A lo largo de estas páginas hemos recorrido el oficio del analista desde múltiples ángulos: conceptual, técnico, metodológico, organizacional y prospectivo. Hemos visto cómo el análisis ha dejado de ser una tarea puramente instrumental para convertirse en una función estratégica, mediadora y, en muchos casos, decisiva. Hoy, el analista no solo trabaja con datos; trabaja con incertidumbre, con expectativas, con tensiones y con decisiones que afectan a personas, organizaciones y sistemas enteros.

El horizonte que se dibuja hacia 2030-2040 no es sencillo. La aceleración tecnológica, la automatización decisional, la expansión de la inteligencia artificial, Computación cuántica, y el uso creciente de sistemas opacos plantean desafíos inéditos. Pero también abren oportunidades extraordinarias para quienes estén dispuestos a asumir un rol más consciente, más crítico y responsable.

En este contexto, el verdadero valor del analista no reside únicamente en su dominio técnico, ni siquiera en su capacidad predictiva. Reside en su criterio. En su capacidad para formular buenas preguntas cuando las respuestas escasean. En su disposición a reconocer límites, a gestionar la incertidumbre y a sostener la complejidad sin caer en simplificaciones peligrosas.

El análisis del futuro no será el que prometa control absoluto, sino el que ayude a decidir mejor en condiciones imperfectas. No será el que oculte la duda, sino el que la haga explícita y manejable. Y no será el que sustituya al juicio humano, sino el que lo refuerce.

Si esta obra logra aportar claridad, provocar reflexión o acompañar a quienes ejercen —o aspiran a ejercer— este oficio exigente y apasionante, entonces habrá cumplido su propósito. **Porque, al final, la inteligencia no consiste en saber más, sino en pensar mejor cuando más importa.**